Crea y diseña
tu página Web ¡Gratis!

Mark Bell

Crea y diseña
tu página Web

TÍTULO ESPECIAL

TÍTULO DE LA OBRA ORIGINAL:
Build a Website for Free

TRADUCTOR:
Beatriz Parra Pérez

Edición española:

© EDICIONES ANAYA MULTIMEDIA (GRUPO ANAYA, S.A.), 2013
Juan Ignacio Luca de Tena, 15. 28027 Madrid
Depósito legal: M-8300-2013
ISBN: 978-84-415-3364-6
Printed in Spain

A tres personas:

*A Sarah, mi mujer, por creer en mí y apoyar mi fuerza
y mi determinación. Ella me da energía, vida y amor.
Soy muy afortunado de haberla encontrado.*

*A mi hijo, Jackson, que es una constante fuente de
energía e inspiración. Me sorprende cada día con su
entusiasmo e inspiración. Hijo, te doy lo mejor de mí.*

*A mi amigo, Davin, quien siempre ha estado
a mi lado y me ha querido sin importar qué pasara.
Es un verdadero amigo que me acompaña
en esta aventura digital desde el principio
con un Timex Sinclair 1000 en su sala de estar.*

AGRADECIMIENTOS

Este libro lo ha escrito una persona pero contiene las contribuciones de miles de ellas desde la Web vía Twitter y Facebook. También cuenta con la ayuda de Sarah, mi mujer, y las mentes colaboradoras: Matt, Norbert y Joshua. Sin ellos a mi alrededor, no podría llegar a ningún lado.

Un agradecimiento especial a Matt por trabajar conmigo en este libro, en busca de agujeros y parches y por realizar las capturas de pantalla. Ha sido un honor trabajar contigo.

Un agradecimiento especial a la Universidad de Indiana y a mi asesor, Harmeet Sawhney, por entender que necesito ganar dinero haciendo "otros" proyectos. A John Dailey, por dejarme aprender cómo enseñar la Web.

Gracias a Tim Berners-Lee por crear la Web y a Richard Stallman por ser el padre del código abierto, y a todos los desarrolladores de código abierto que dedican millones de horas para que todos podamos compartir software gratuito increíble.

Gracias a mis profesores de informática del instituto, la Sra. Todd y el Sr. Cooper, que me dejaron crecer sin control en un parque digital.

A mi madre, hermanos, hermanas y todas sus familias.

Gracias especiales para mis amigos y familia, que son pacientes con mi horario de trabajo.

SOBRE EL AUTOR

Mark Bell es candidato a doctor en la Universidad de Indiana. Estudia los medios de comunicación y su efecto en las relaciones sociales. Antes de regresar a la escuela, Mark trabajó durante 15 años en la industria de software como escritor técnico, formador y desarrollador. Creó su primera empresa de diseño Web en 1993 y lleva creando páginas y gestionando sitios Web desde entonces. Es padre de Jackson, de diez años, padrastro de Morrigan, Teagan y Xander y el marido de Sarah "Intellagirl" Smith-Robbins. Puede encontrarle en Twitter, Facebook y LinkedIn.

Índice de contenidos

3. Planificar su sitio   47

4. Diseñar su sitio   63

5. Hacerse con las mejores herramientas   77

Introducción

En esta introducción aprenderá:

- ► ¿Por qué este libro?
- ► ¿Gratis, en serio?
- ► No puedo hacer esto ¿verdad?
- ► Nota sobre la tercera edición.
- ► Cómo utilizar este libro.
- ► Web 101.
- ► ¿Qué es un sitio Web?
- ► ¿Qué es un navegador Web?

¿Así que quiere construir un sitio Web de forma gratuita?

Si está leyendo este libro, probablemente quiere crear un sitio Web (aunque podría no saber exactamente qué es) y quiere hacerlo de forma gratuita. Si no tiene idea de qué es en realidad un sitio Web y necesita un poco de información básica, lo aprenderá más adelante en la introducción. Si sabe qué es un sitio Web, probablemente estará interesado en la parte "gratuita". Todo el software y herramientas tratadas en este libro son gratuitos. Si es posible, elijo la mejor alternativa gratuita al software comercial. En la última década, Internet y, en particular, la World Wide Web, ha crecido considerablemente.

Ahora hay millones de sitios Web en Internet que tratan todo tipo de temas, desde la familia a negocios o educación y entretenimiento, Algunos sitios Web llevan en funcionamiento mucho tiempo y han sido muy útiles (Yahoo! y Google), otros desaparecen tan rápido como llegaron. Podría tener planes para crear un sitio Web que espera que millones de personas visiten, o su finalidad podría ser simplemente mantenerse conectado con sus familiares.

¿POR QUÉ ESTE LIBRO?

Probablemente ha elegido este libro porque tiene una idea en su cabeza, una idea que quiere compartir en la World Wide Web en la forma de un sitio Web.

Podría tener una idea completamente formada o simplemente un indicio de esa idea, pero tiene un punto de partida. Quizá se le haya asignado la tarea de crear un sitio Web y no sabe por dónde empezar, o quizá tiene necesidad de ponerse en contacto con otras personas.

Con independencia de su razón para crear un sitio, este libro le ayudará a entender el proceso de cómo estas ideas se convierten en un sitio Web y, luego, le acompaña en la creación de cinco sitios diferentes para fines específicos. Estos sitios incluyen un sitio Web básico, un blog, un sistema de gestión de contenido, una wiki y un sitio Web multimedia.

Puede que no conozca o no le preocupen estas cosas; este libro le muestra cómo crearlas de forma gratuita. Trata cómo planificar, diseñar, crear y mantener un sitio Web con herramientas gratuitas. Con indicaciones sencillas paso a paso, estará en funcionamiento en la World Wide Web antes de que lo sepa.

¿GRATIS, EN SERIO?

Probablemente se esté preocupando cuánto le va a costar. El título del libro dice "gratis" pero nunca ha creído en algo que fuera gratis. Este libro es único.

Diferentes personas y sitios Web le prometerán el precio más bajo posible en las herramientas, hospedaje y creación de sitio Web. La sabiduría convencional dice que nada es gratis. En general, cuanto más invierta en un proyecto, más opciones tiene. Sin embargo, en los últimos cinco años, el software de código abierto y gratuito ha inundado la World Wide Web y permite a la gente crear páginas Web dinámicas e interesantes por poco dinero. Este libro utiliza software gratuito tanto como sea posible. Si la gente está regalando software de calidad, debería utilizarlo.

Software de código abierto

En el apartado anterior, he mencionado el término "software de código abierto" y probablemente se esté preguntando qué es esto.

La mayoría del software, incluido su sistema operativo, procesador de texto y navegador Web, suelen desarrollarse de acuerdo a un modelo de software tradicional. El software se crea tradicionalmente por un grupo de personas que dirigen una empresa de software, que funciona con dinero. La gente que dirige la empresa paga a programadores para que escriban y testeen el software, y emplean a gente de marketing y vendedores para que le vendan sus productos a usted, el consumidor. La mayoría del software se ha desarrollado de esta forma desde los años 80.

Internet está en constante estado de flujo. Algunas personas llaman a esto una revolución y otras simplemente una moda pasajera pero, en realidad, el código abierto está aquí para quedarse. El software de código abierto ha sido creado por equipos de personas que trabajan de forma gratuita y se regala a cualquiera de forma gratuita. Más que eso, los proyectos de código abierto también regalan las partes que conforman el software, o "código abierto", que una empresa tradicional mantiene en secreto. La teoría detrás de esto es que cuantas más personas programen, editen y utilicen el software de código abierto, mejor se vuelve. Igualmente, cuando el trabajo se distribuye entre miles de personas, la mayoría de las cuales nunca se conocerán, la carga de trabajo por persona se reduce drásticamente. No se lo diga a la industria de software tradicional pero los programadores trabajan para ellos y, luego, vuelven a casa tarde y realizan lo mismo de forma gratuita.

En este libro, en la medida de lo posible, utilizaremos software de código abierto porque, por lo general, es gratuito y, sorprendentemente, es una de las cosas de más alta calidad disponibles. Existen sistemas operativos, navegadores Web, aplicaciones gráficas e incluso herramientas de administración de sitio Web de código abierto. Todo esto se trata en este libro.

Con cada software que recomiendo, indico dónde encontrar la última versión más actualizada y sus principales características.

¿Es esto legal?

La siguiente pregunta podría ser: "Si consigo todo esto de forma gratuita, ¿no es esto robar?". No estoy recomendando a nadie que robe o piratee software. Todo el software que recomiendo se regala de forma gratuita. La industria de software está llena de personas trabajadoras que merecen ser pagadas por su trabajo. Si el software tiene un precio, se lo diré. Cuando hay un coste, le proporciono una alternativa gratuita y le permito saber las diferencias.

NO PUEDO HACER ESTO ¿VERDAD?

En mis años de enseñanza de software en el mundo empresarial y académico, escuché a personas decir que no pueden realizar alguna tarea informática que necesitan o desean hacer debido a esta u otra razón. Algunas personas dicen que tienen miedo a los ordenadores o "simplemente no los entiendo", unos culpan al hardware y otros dicen que no pueden entender estas cosas. Este libro está diseñado para llegar a los futuros desarrolladores que no tienen conocimientos específicos. Explico cada una de las tareas utilizando indicaciones fáciles de entender.

NOTA SOBRE LA TERCER EDICIÓN

Cualquier libro sobre la Web o Internet en general está totalmente acabado. La World Wide Web sigue cambiando a un ritmo acelerado. Este libro no es una excepción. Por esta razón, se ha creado una nueva edición para actualizar el texto.

Esta tercera edición se ha ampliado. Hay dos capítulos nuevos: uno se centra en la última versión de HTML y las mejoras que ofrece, y el otro capítulo trata JavaScript. El resto de capítulos se han actualizado con la información más reciente. Las actualizaciones se centran en móviles y tabletas, nuevo software de código abierto y vínculos actualizados.

MI SITIO

Si va a `http://www.markwbell.com`, encontrará mi sitio Web (véase la figura I.1). En este libro, hago referencia a mi sitio como ejemplo de lo que hablo en el texto. Trata mis últimos libros, información en los medios e información de contacto.

CÓMO UTILIZAR ESTE LIBRO

En este libro, encontrará notas especiales que la ayudarán en el camino.

Trucos y advertencias

Truco: Los trucos contienen información que le proporcionará conocimiento adicional o le ahorrarán tiempo o dinero. No presentan información obligatoria pero debería prestarles atención.

Advertencia: Las advertencias, por otra parte, son importantes prestarles atención. Una advertencia es información que debe leer y que tiene que conocer antes de comenzar con la tarea. Así que, por favor, préstelas atención.

Nota

El mundo de la informática y la cultura que le rodea están llenos de jerga. Prácticamente los acrónimos son la base que utiliza la industria del software. Cuando la terminología se vuelve algo técnica en el libro, las notas les descifran los términos y utilizan palabras comunes y sencillas para explicar lo que está pasando.

Figura I.1. El sitio Web del autor.

WEB 101

Este libro hace que sea fácil y barato crear un sitio Web. Para asegurarse de que esto sucede, es importante tratar algunos conceptos básicos, incluido cómo funciona Internet y la Web. Puede utilizar Internet todos los días pero no saber qué es. Para mí, un conocimiento básico de la Web me ayuda a crear mejores sitios Web.

Si ya sabe cómo funciona Internet y lo que es una página Web y un sitio Web, vaya al capítulo 1. Pero si quiere un recordatorio rápido de los últimos hechos básicos de Internet, lea esta información primero.

¿Qué es Internet?

¿Puede recordar un momento anterior a que existiera Internet? Dependiendo de su edad, la respuesta puede variar pero, ¿cómo pudimos vivir sin él? Piense en tratar de encontrar un nuevo restaurante al que ir antes de que Internet existiera. Tendría que buscar en la sección Restaurantes de las Páginas Amarillas, utilizar un mapa para encontrar la calle y luego diseñar sus propias indicaciones para llegar allí. Con Internet, no solamente puede hacer eso con un sólo clic de botón, sino que puede leer el menú, ver las imágenes del interior e incluso realizar reservas, todo sin abandonar su casa o descolgar el teléfono. Pero, ¿qué es esta cosa increíble que llamamos Internet?

Internet es simplemente la mayor red de ordenadores en existencia. Todos estos ordenadores hablan un mismo idioma y comparten fácilmente información. Eso es todo. No necesita conocer la historia o la tecnología que hay detrás. Cuando su módem le conecta con Internet, su ordenador se convierte en parte de la red de ordenadores conocida como Internet. Podría tener una red local en el trabajo o en casa pero esa red local está conectada a Internet.

¿Qué es World Wide Web?

La gente habla de la Web y de Internet como si fueran la misma cosa. Pero no lo son. Como se ha mencionado previamente, Internet es una red de ordenadores. La World Wide Web es un método para visualizar la información en esos ordenadores en red. La World Wide

Web es una colección de ciertos archivos en ciertos ordenadores de la red de ordenadores. Estos archivos contienen información que se denomina *World Wide Web* (véase la figura I.2).

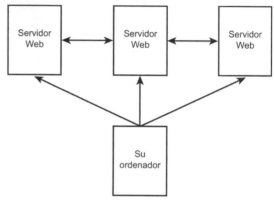

Figura I.2. Internet se compone de servidores Web a los que se conecta con su ordenador.

WWW

¿Se ha preguntado alguna vez por qué tantas páginas empiezan con www? Esas letras son una abreviatura técnica para decirle a su navegador Web que está buscando algo en la World Wide Web. Sin embargo, las tres uves dobles ni siquiera son necesarias. La mayoría de los navegadores Web encontrarán el sitio tanto si escribe www o no.

¿Qué es una página Web?

La World Wide Web se compone de páginas Web. Una página Web es un archivo de información al que se puede acceder y se muestra en su ordenador. Cuando accede al archivo, se descarga a su ordenador. Cuando va a Amazon.es (véase la figura I.3), accede a un archivo en un ordenador Amazon, se descarga y la información en ese archivo se muestra en su ordenador. Cuando navega por la Web, se está conectando a un conjunto de ordenadores que transfieren todos archivos a su ordenador. Sin embargo, no todas las páginas Web son iguales. Algunos sitios crean dinámicamente las páginas Web que ve. Cuando realiza una búsqueda Google, los resultados de búsqueda se compilan y una página Web se crea sobre la marcha para mostrar los resultados. Este libro trata principalmente con páginas estáticas pero algunos sitios Web, como blogs, wikis, y redes sociales, se crean con páginas dinámicas.

Figura I.3. La página principal de Amazon.com.

¿QUÉ ES UN SITIO WEB?

Un sitio Web es básicamente una colección de páginas Web (véase la figura I.4) almacenadas en un ordenador determinado (denominado servidor Web) al que se accede desde ordenadores externos. El creador del sitio sitúa los archivos en el servidor Web. Un servidor Web es un ordenador con software especial que permite a otros visualizar su página Web cuando van a la dirección del servidor Web. Cuando va a cnn.com, hay una colección de páginas que componen el sitio Web para la cadena de televisión CNN.

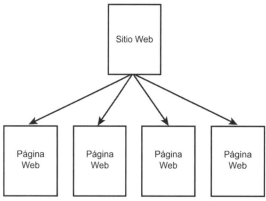

Figura I.4. Un sitio Web se compone de páginas Web.

¿QUÉ ES UN NAVEGADOR WEB?

Un navegador Web es un software en su ordenador o dispositivo móvil que utiliza para acceder a páginas Web en sitios Web. Todos los ordenadores de sobremesa incluyen al menos un navegador Web como parte del software preinstalado. Un navegador Web es la herramienta que utiliza para ver sitios Web, y cada vez más es también una herramienta para ayudarle a crear sitios Web.

Todos los navegadores funcionan básicamente de la misma forma. Escribe la dirección de un sitio Web en el navegador o hace clic en un vínculo. Esto le dice al navegador que vaya a esa dirección de Internet y descargue los archivos (imágenes, texto, vídeos) a su ordenador, dispositivo móvil o tableta. No olvide que, cuando utiliza la Web en su teléfono, sigue utilizando un navegador. Luego estos archivos se muestran de forma que se vean bien (con suerte) y le permitan interactuar con ellos.

Tiene disponibles varios navegadores. Un buen desarrollador de sitio Web (usted) estará familiarizado con los tipos más importantes, y es más que probable que los tenga instalados en un ordenador utilizado para pruebas.

Más que nunca, las personas utilizan navegadores móviles para ver la Web. Su teléfono probablemente tiene un navegador Web. Recuerde que Safari en un Mac no es lo mismo que Safari en el iPhone. Si le preocupa el desarrollo Web, tiene que conseguir las versiones más actuales del software de navegador en su ordenador. También tiene que tener en cuenta las características y limitaciones únicas de cada navegador.

Los navegadores más comunes son los siguientes:

► **Internet Explorer (Microsoft):** `http://www.microsoft.com/ie/`

► **Chrome (Google):** `http://chrome.google.com`

► **Firefox (Mozilla):** `http://www.firefox.com`

► **Safari (Apple):** `http://www.apple.com/safari/`

► **Opera (Opera):** `http://www.opera.com/`

► **Konqueror (Linux):** `http://www.konqueror.org/`

1. El orden de las cosas

En este capítulo aprenderá:

► El proceso de creación de un sitio Web.

Antes de empezar a crear un sitio Web, es importante tener una idea clara de todo el proyecto. Piense en él de esta forma: si se va de vacaciones, ya tiene un destino elegido, un medio de transporte, una ruta, un horario y una planificación. Sin estas cosas, sus vacaciones puede que sean menos agradables. Cada parte está también interconectada. Si está pensando en volar pero no tiene un destino, no será capaz de definir un horario o planificación. Crear un sitio Web es un proceso similar. Es una tentación común querer crear su sitio lo antes posible pero, como en el caso de viajar, si se pone en camino sin conocer su destino, rápidamente se perderá. Igualmente, las partes del proyecto tienen un orden. No puede ir a un parque de atracciones en su destino hasta que localice su ubicación. De forma similar, conocer y seguir el orden de estos pasos interconectados permite que su plan tenga más éxito.

En este capítulo, examinamos los pasos para el proceso completo de creación de un sitio Web, desde la planificación al mantenimiento, de forma breve pero fundamental. No sienta la tentación de dirigirse al siguiente capítulo sólo porque este capítulo es una visión general. Estos pasos son los pilares fundamentales en el proceso de creación del mejor sitio Web.

Cada parte del proceso se trata más adelante en mayor detalle, pero ayuda tener una visión general de alto nivel de todo el proceso antes de empezar. Y ésa es la finalidad de este capítulo.

EL PROCESO DE CREACIÓN DEL SITIO WEB

En este libro, la creación y mantenimiento de un sitio Web se desglosa en un proceso que debe seguirse lo más fielmente posible. Este proceso es el resultado del conocimiento adquirido en la creación de mis propios sitios Web y horas de discusión con diseñadores Web de éxito. Seguir estos pasos le ayudará a medida que avanza el proceso. Todos los pasos en la creación y mantenimiento del sitio Web requieren planificación y trabajo pero no implican necesariamente un ordenador o cualquier tecnología para el caso. La figura 1.1 indica estos pasos, que se detallan en capítulos posteriores.

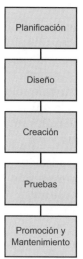

Figura 1.1. El proceso de creación de un sitio Web.

Antes de empezar, es importante tener en mente el producto final. Lo que quiero decir con esto es que tómese un momento e imagine su sitio Web publicado. ¿Qué le parece? ¿Quién visitará este sitio Web? ¿Amigos? ¿Clientes? Imaginarlo le guiará en todo el proceso de creación.

Por ejemplo, cuando he creado mi sitio Web personal (`http://markwbell.com/`, que se muestra en la figura 1.2), quería un sitio que representara mis libros y personalidad. También quería que se pareciera al estilo de mi último libro y ofreciera a los visitantes información sobre mí.

1. Planificación

Todos los esfuerzos deben comenzar con una fase de planificación. Tiene que planificar los pasos necesarios para completar un proyecto. Según lo veo, un proyecto como la creación de un sitio Web se compone de muchos pequeños pasos que, realizados de forma correcta, tienen como resultado un proyecto de éxito.

Ése podría ser el paso más fácil de saltarse pero, sin duda, es importante y, en realidad, podría ser más importante que cualquier otra parte del proceso. Al hacer planes y tomar decisiones con antelación, encontrará que los pasos siguientes en el proceso son más sencillos y están más guiados.

Figura 1.2. Mi sitio Web.

A continuación, se muestran algunas cosas que necesita decidir antes de empezar:

- ¿Por qué creo este sitio Web?

- ¿Cómo quiero que funcione este sitio Web?

- ¿Qué objetivos tengo para el sitio Web?

- ¿Es un sitio Web que espero que la gente visite una vez o muchas veces?

- ¿Quién va a diseñar, crear, probar y mantener el sitio Web?

- ¿Qué herramientas se utilizarán para crear el sitio Web?

- ¿Cuál es el presupuesto de mi sitio Web?

- ¿Quién quiero que visite mi sitio Web?

2. Diseño

Existen tantas formas de diseñar un sitio Web como ideas para contenido y diseñadores para crear estos sitios. Cuando hablo sobre el diseño Web, me refiero a algo más que el aspecto del sitio Web. El diseño es algo más que simplemente gráficos. También incluye la forma en que se organizan las páginas (estructura del sitio), los botones o vínculos que permiten al visitante llegar a esas páginas (elementos de navegación) y los detalles técnicos como, por ejemplo, cómo se utiliza el lenguaje de programación y qué tecnologías se emplean. Cuando diseño un sitio Web, utilizo una pizarra para dibujar cuál será el aspecto de mi página.

Todo el mundo quiere un sitio Web único, por lo tanto es importante que visite tantos sitios Web como pueda antes de planificar y diseñar el suyo propio. Esto le proporcionará una idea de las tendencias más actuales y qué es lo que debería evitar.

La clave para crear un sitio Web excelente es tomar su contenido singular y compararlo con un diseño excelente. Más adelante en el libro se tratan las decisiones de diseño que tiene que tomar, así como algunas tendencias en sitios Web que tienen cualidades perdurables.

3. Construcción

Con demasiada frecuencia, la gente empieza la fase de creación sin planificar y diseñar sus sitios Web. La construcción es el trabajo real de crear páginas, editar gráficos, crear vínculos, gestionar multimedia y añadir scripts y otros elementos al servidor.

En el pasado, un sitio Web se tenía que crear a mano. Esto significaba que un desarrollador tenía que teclear cada archivo que componía el sitio Web. Afortunadamente para usted, éste ya no es el caso. La etapa de construcción abarca las herramientas de creación de página Web, las herramientas gráficas y otras utilidades que le permiten crear rápidamente una página o todo un sitio Web sin escribir una sóla línea de código. La mayoría de estas utilidades y herramientas son gratuitas o muy baratas.

Si no ha realizado su planificación y diseño, consulte el capítulo dedicado a los elementos de un sitio Web para empezar a crear su propio sitio. Después de comenzar a crear su sitio Web, puede empezar a mover los archivos a su servidor Web.

4. Pruebas

¿Pruebas? Nadie le dijo que habría una prueba. En este sentido, probar es asegurarse de que todo funciona en su sitio Web.

Algunas de las cosas que debería probar incluyen la navegación (pasar de una página a otra en el sitio), gráficos y el contenido (asegurarse de que no falta ninguna información en sus páginas). También necesita habituarse a probar su sitio Web con cada cambio que realice, incluso después de que su sitio esté en funcionamiento. Se encuentran disponibles muchas herramientas gratuitas que le ayudarán a realizar esto.

5. Promoción y mantenimiento

Después de planificar, diseñar, construir y probar su sitio Web, estará preparado para darlo a conocer al mundo. Sin embargo, éste no es el fin de la historia. Necesita promocionar su sitio Web, asegurarse de que su sitio aparece en los motores de búsqueda (como Google y Bing), y promocionarlo a personas que no conoce. Sin embargo, hacer todo esto todavía no es suficiente. Necesita mantener y actualizar su sitio para que las personas tengan un motivo para regresar.

Motor de búsqueda

Un motor de búsqueda es un sitio Web que le permite buscar otros sitios Web.

POR QUÉ DEBERÍA SEGUIR ESTE ORDEN

Sé lo que está pensando; sigue queriendo utilizar un programa de diseño Web, abrirlo y empezar a crear páginas. Una vez más, no puedo expresar con palabras lo fácil que le será su vida si mantiene un "orden de las cosas". Aquí tiene algunas razones por las que querrá seguir el proceso de creación de sitio Web detallado en este capítulo:

► Al dedicar tiempo a planificar su sitio Web, se asegura de que construye algo que quiere y con lo que está satisfecho. Hay demasiados obstáculos para no tener una planificación.

► Disponer de un diseño claro de sitio le permite no tener que empezar con una página en blanco. También le ofrece a su sitio Web un aspecto unificado.

► Si sigue los dos primeros pasos, cuando construya su sitio, sabrá qué construir y crear todo el sitio será más sencillo.

► Al probar su sitio Web, será más profesional, y sus visitantes disfrutarán su sitio.

► Al contar con un plan para promocionar y mantener su sitio Web, tendrá una vida larga y de éxito.

2. Elegir una ubicación para su sitio

En este capítulo aprenderá:

- ▶ Sobre hospedaje Web.
- ▶ Qué es un servidor Web.
- ▶ Determinar sus necesidades de hospedaje Web.
- ▶ Opciones de hospedaje.
- ▶ ¿Qué funciona mejor para usted?
- ▶ Trabajar con diferentes tipos de servicios de hospedaje.

HOSPEDAJE WEB

Una de las preguntas más comunes que se hace la gente cuando se plantea crear un sitio Web es dónde alojarlo.

Recuerde que un sitio Web es una colección de páginas Web, gráficos, scripts y cualquier otra cosa asociada con el sitio Web. Estos archivos tienen que estar almacenados en un ordenador que sea accesible para otras personas. Este ordenador al que pueden acceder otras personas también se denomina servidor o host. Cuando un servidor almacena sus archivos y permite que otros accedan a ellos, se puede decir que aloja su sitio Web. Decidir dónde alojar los archivos de su sitio Web es extremadamente importante y se debería planificar como cualquier otra parte del proceso.

Nota: Esta sección está repleta de jerga técnica. Explico los términos técnicos a lo largo del capítulo, por lo que entenderá la tecnología y, por lo tanto, tomará la decisión de hospedaje Web correcta.

¿QUÉ ES UN SERVIDOR WEB?

Un servidor Web es un ordenador que almacena y comparte archivos Web. Otras personas acceden a esos archivos Web por medio de su navegador Web.

Accede a los servidores cada vez que va a cualquier página Web. Escribe la dirección del servidor y le envía la versión de los archivos Web que tiene almacenados en su disco duro y, *voilá!*, ve la página Web. Un servidor Web tiene cuatro funciones básicas:

- ▶ **Almacenamiento:** Un servidor Web almacena archivos Web en un disco duro. Toda página Web, gráfico y script se tienen que almacenar en un servidor Web.

- ▶ **Seguridad:** Un buen servidor Web también proporciona un entorno seguro para mantener sus páginas Web. Esto impide que otras personas pirateen su sitio o lo utilicen como base desde donde atacar otros sitios. Mantener sus páginas Web en el servidor hace que su ordenador personal sea más seguro.

- ▶ **Compartir archivos:** En base a las peticiones que recibe un servidor Web, envía los archivos hasta el navegador del usuario.

- ▶ **Analítica:** Un buen servidor Web mantiene registro de todas las personas que acceden a los archivos del sitio Web y almacena datos sobre ellos. Esto puede ser de mucha utilidad, como se verá en capítulos posteriores.

Cuando envía los archivos de su sitio Web a un servidor, la empresa propietaria del servidor "hospeda" su sitio.

Tiene disponibles muchas opciones de servidor (véase la figura 2.1). El resto del apartado trata qué es lo que tiene que buscar cuando tiene que tomar decisiones sobre el hospedaje de su sitio Web. Es importante hacer esto durante la etapa de planificación porque las características o limitaciones de su opción de hospedaje pueden influir en su sitio cuando se llegue al momento de crearlo.

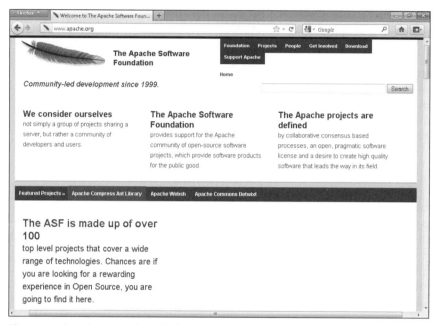

Figura 2.1. Apache es un ejemplo de un servidor Web gratuito. Puede encontrar información al respecto en http://www.apache.org.

DETERMINAR LAS NECESIDADES DE SU HOSPEDAJE WEB

Antes de decidir la opción de hospedaje que es mejor para usted, es bueno evaluar sus necesidades. Los siguientes apartados tratan algunas cuestiones que podría querer considerar.

Coste

Alojar los archivos de su sitio Web y hacerlos accesibles para otros puede costar dinero. Como con muchas de estas consideraciones, puede elegir entre una amplia gama de precios. Sin embargo, no piense que el hospedaje Web es completamente gratuito. Incluso si alberga su propio servidor Web fuera de casa, todavía tiene que comprar el equipo y pagar la facture eléctrica, el alquiler y su propio trabajo.

Intente pensar en un presupuesto que pueda gastar de forma continua para el hospedaje de su sitio Web. Para mí, unas cuotas mensuales solucionan muchos problemas y ofrecen otras tantas oportunidades, lo que bien vale la pena.

Conocimiento técnico requerido

Diferentes opciones de hospedaje proporcionan diferentes características y requieren que tenga un mayor nivel de habilidades técnicas que otros. Evalúe honestamente sus habilidades técnicas y el tiempo que está dispuesto a dedicar a usarlas antes de elegir una opción de hospedaje.

Necesidades de mantenimiento

Es importante saber quién mantiene su servidor Web. Si se encarga de ello, necesita realizar varias tareas de mantenimiento. Esto incluye asegurarse de que el servidor está funcionando, que es accesible a otras personas y que tiene instalado el software más actualizado. Si utiliza un servicio de hospedaje, otra persona podría hacer esto por usted pero probablemente por una cuota. Necesita evaluar cuánto tiempo puede dedicar a mantener un servidor Web o cuánto dinero está dispuesto a gastar.

Espacio de almacenamiento

Sus archivos Web ocupan espacio digital. Tiene que conocer la cantidad de espacio que tiene disponible para almacenar sus archivos. A menos que sea el único sitio Web en el servidor Web, tiene que averiguar cuánto espacio tiene disponible en ese servidor, si se realiza copia de seguridad y cuándo.

Accesibilidad

¿Qué facilidad ofrece el envío y acceso a sus archivos en el servidor Web? ¿Dispone de acceso remoto al servidor? Es decir, ¿puede conectarse a él desde cualquier otro ordenador o necesita tener un acceso físico? Esto puede marcar la diferencia si su acceso es limitado o está restringido de alguna manera. Igualmente, debería saber qué requisitos de seguridad (como la información personal) tiene que facilitar al servicio de hospedaje por razones de seguridad.

Necesidades de ancho de banda

El ancho de banda determina cuánta información se puede transmitir en un período de tiempo. Cada vez que se descarga su sitio Web, utiliza parte del ancho de banda que el servidor Web le asigna. Una forma de pensar en ello es cuántas veces se pueden descargar los archivos de su sitio Web. Algunos servicios de hospedaje Web establecen un límite en el ancho de banda que requiere su sitio Web.

Con algunas opciones de hospedaje, el ancho de banda es casi ilimitado y, con otros, está restringido. Si espera que mucha gente visite su sitio Web, preste especial atención a las restricciones de ancho de banda de hospedaje Web.

Necesidades de seguridad

Una empresa de hospedaje Web puede proporcionar soluciones a muchas necesidades de seguridad. Como se ha mencionado antes, la seguridad es importante en la protección de sus archivos. La gente podría intentar cambiar o eliminar sus archivos o utilizar su servidor Web como un lugar para ocultar código malicioso o virus. Una empresa de hospedaje le protege contra esto. Por ejemplo, mi empresa de hospedaje me envía un mensaje de correo electrónico siempre que hay un indicio de problema de seguridad en cualquiera de mis sitios. Pregunte a cualquier servicio de hospedaje Web qué tipo de seguridad proporcionan.

Servicio de nombres de dominio

Un nombre de dominio es una dirección en Internet. Hace referencia a un servidor determinado donde se almacena un sitio Web.

Nombre de dominio

Un nombre de dominio es una forma de hacer referencia a las palabras que actúan como dirección de un sitio Web. Existen ordenadores en Internet que mantienen todos los nombres de dominio. Estos ordenadores toman el nombre de dominio que escribe en su navegador y encuentran el servidor Web correcto. Un servicio de hospedaje normalmente recopila la información necesaria para registrar su nombre de dominio.

Los nombres de dominio se componen de dos partes: el nombre de dominio (lo que hay delante del último punto) y el dominio de nivel superior (lo que hay detrás del último punto). Por lo tanto, para `markwbell.com`, `markwbell` es el nombre de dominio, y `.com` es el dominio de nivel superior.

Dominios de nivel superior

Está más que familiarizado con los dominios populares de nivel superior, como `.com` (para comercial) y `.org` (para organización). Un sitio Web como `ejemplo.com` puede tener un servidor y propietario completamente diferentes a `ejemplo.org`. Algunos dominios de nivel superior están limitados a ciertos grupos, como `.gov` (gobierno) y `.mil` (militar). Existen también dominios de nivel superior para países, como .uk (Reino Unido), .ca (Canadá) y .es (España). El dominio correcto de nivel superior ayuda a sus visitantes a saber qué tipo de sitio proporciona. Cuando registre su nombre de dominio, asegúrese de elegir un dominio de nivel superior que funcione.

Subdominios

Dentro de su dominio, puede tener subdominios ilimitados. Esto aparece antes del nombre de dominio. Por ejemplo, http://blog.markwbell.com/es un subdominio del sitio principal markwbell.com. Esto le permite crear cualquier subdominio basado en su nombre de dominio.

Las personas que gestionan esto en Internet (no tiene que saber quiénes son, simplemente que realizan una labor extraordinaria) están evaluando abrir los dominios de nivel superior a un rango más amplio. Un día es posible que visite un sitio como wkrp.radio. Preste atención a esto, pero me gustaría seguir por ahora con los dominios principales de nivel superior.

Obtener un nombre de dominio

Tiene que saber si su empresa de hospedaje se ocupará de los servicios de nombre de dominio y, de ser así, a qué coste. Los servicios de nombre de dominio incluyen registrar y hospedar su nombre de dominio para que otros ordenadores en Internet lleguen hasta su host Web cuando escriban su URL.

Cuando haya decidido si necesita un nombre de dominio, tendrá que utilizar un registrador de nombres de dominio. Su empresa de hospedaje puede actuar como registrador o puede utilizar un servicio de terceros, como http://www.register.com/. Estos registradores le guiarán por todo el proceso de registro del nombre de dominio. La mayoría de los registradores cobran una cuota por año. El registro de dominios funciona como un servicio de suscripción donde tiene que pagar una cuota cada año. Asegúrese de pagar esta cuota durante cada año que tenga un sitio Web. Si se olvida de ello, cualquier otra persona puede registrar su dominio y, posiblemente, mantenerlo. En los primeros días de Internet, este tipo de apropiación era común.

Los nombres de dominio también se utilizan para direcciones de correo electrónico. Compruebe si el proveedor de servicio de Internet proporciona direcciones de correo electrónico para dominios.

URL

URL es el acrónimo de *Uniform Resource Locator* (Localizador uniforme de recursos). Cuando lo escribe o hace clic en un vínculo, el URL es su forma de decirle a Internet qué sitio desea visitar.

ISP

ISP (*Internet Service Provider*, Proveedor de servicio de Internet) es la empresa a la que paga para que le proporcione conexión a Internet.

OPCIONES DE HOSPEDAJE

Después de que se tenga una idea de lo que está buscando como opción de hospedaje, debería empezar a buscar e investigar qué es lo que hay disponible. Existen varias opciones, por lo tanto haga coincidir sus necesidades

de hospedaje Web con la opción correcta de hospedaje. Los siguientes apartados describen algunas de esas opciones.

Hospedaje en casa

Es posible alojar su propio servidor Web en casa. Por lo menos, necesitará un servidor Web dedicado, una conexión a Internet de alta velocidad permanente, software de servidor y el conocimiento técnico y el tiempo para instalar, configurar y mantener su propio servidor, por no hablar de la seguridad. ¿Cansado ya? Esta opción normalmente es para los más *frikis* pero sí, es posible alojar su servidor Web desde casa.

> **Truco:** Para una excelente explicación de cómo configurar un host Web en casa, consulte estos sitios:
>
> ▶ `http://lifehacker.com/software/feature/how-to-set-up-apersonal-home-web-server-124212.php`.
>
> ▶ `http://www.diywebserver.com/`.

Una cosa que sí tengo en casa es un servidor Web de pruebas, que replica lo que tengo en mi servicio de hospedaje. Actúa como *backup* y me permite probar nuevas características antes de enviarlas a mi servicio de hospedaje.

Este servidor Web no está conectado a Internet aunque me permite probar las funciones del servidor Web en mi sitio.

Hospedaje online gratuito

Algunos sitios de hospedaje Web, como Google Sites, permiten hospedaje gratuito para sitios Web. Pueden ofrecerlo porque limitan el almacenamiento, las páginas y los archivos que puede situar en sus sitios. Google Sites, por ejemplo, se ocupa de todo el hospedaje de forma gratuita aunque no le permite un servicio de nombres de dominio y permite una cantidad limitada de contenido. Si no quiere tener ningún tipo de problemas con el hospedaje Web y tiene pocas necesidades de tecnología, podría ser la opción adecuada para usted.

Servicio de hospedaje online

Varias empresas ofrecen hospedaje Web por un precio razonable. Estos servicios se ocupan de los servidores y le ofrecen un amplio conjunto de posibilidades de sitios Web. Normalmente tienen un gran número de planes de hospedaje, basado en lo que necesita en términos de dominio y otros servicios técnicos (cosas como mantenimiento físico del servidor Web o instalar nuevas versiones de software). Cuando evalúe un servicio de hospedaje, asegúrese de preguntar por su nivel de soporte. Averigüe tanto como pueda sobre el soporte y los servicios que ofrece antes de firmar.

Éste es el tipo de hospedaje que utilizo para mis sitios Web.

Hospedaje profesional

Si espera gran cantidad de hospedaje y altas necesidades técnicas de personalización, podría querer considerar el hospedaje profesional. Por una gran cantidad de dinero, una empresa de hospedaje le alquila y mantiene su propio servidor. Esto le ofrece una amplia variedad de posibilidades pero es caro.

Hospedaje comercial

Si está creando un sitio Web para su empresa, puede que haya personas dentro de su empresa que puedan alojar y mantener su servidor Web. Si su jefe le pide que cree un sitio Web, intente averiguar si ya hay un sistema disponible para alojar el sitio.

POR LO TANTO, ¿QUÉ ES MEJOR PARA USTED?

Para ayudarle a elegir la opción de hospedaje que se ajusta a sus necesidades, la tabla 2.1 resume las posibles necesidades descritas en este capítulo. Es probable que no encuentre una solución perfecta (la solución perfecta sería todas las funciones y servicios de forma gratuita) pero puede adaptarse a las opciones y necesidades en la mayor medida posible.

Por ejemplo, alguien que quiere tener un sitio Web pero no quiere tener los dolores de cabeza del mantenimiento constante, podría elegir la opción de hospedaje profesional. Otra persona que quiera un sitio Web para su comunidad podría simplemente necesitar un servicio de hospedaje online.

TRABAJAR CON DIFERENTES TIPOS DE SERVICIOS DE HOSPEDAJE

Después de elegir el tipo de hospedaje que desea, su trabajo podría no estar del todo completo. De hecho, podría dedicar tanto tiempo a investigar los servicios disponibles como hizo con la elección del tipo de hospedaje.

Tabla 2.1. Opciones de hospedaje Web.

	COSTE	CONOCIMIENTO TÉCNICO NECESARIO	MANTENIMIENTO	ESPACIO DE ALMACENAMIENTO	ACCESIBILIDAD	NECESIDADES DE ANCHO DE BANDA	SERVICIO DE NOMBRES DE DOMINIO
Hospedaje en casa	Bajo-Medio	Alto	Alto	Bajo-Alto	Alto	Bajo	Medio
Hospedaje online gratuito	Bajo	Bajo	Bajo	Bajo	Bajo	Alto	Bajo
Servicio de hospedaje online	Bajo-Medio	Bajo-Medio	Bajo	Medio-Alto	Medio	Alto	Alto
Hospedaje profesional	Alto	Bajo-Medio	Bajo	Alto	Medio	Alto	Alto
Hospedaje comercial	Bajo-Alto	Bajo-Alto	Bajo-Medio	Medio-Alto	Alto	Medio-Alto	Medio-Alto

Servicios gratuitos

En Internet existen varios servicios gratuitos de hospedaje. Detallo algunos de ellos aquí pero de ninguna manera es una lista completa, ya que cada día aparecen nuevos hosts. Antes de firmar, revise las características del sitio y las condiciones del servicio, lea comentarios del servicio y, si es posible, vea los sitios que utilizan el servicio de hospedaje gratuito. Recuerde que, aunque todos los sitios alojen su sitio Web de forma gratuita, tienen sus limitaciones. Los siguientes apartados describen algunos de los mejores servicios gratuitos para el hospedaje Web.

He asignado a los sitios Web un número para facilidad de uso y características. Un 1 es excelente, 2 es bueno, 3 es satisfactorio y 4 insatisfactorio.

Google Sites (sites.google.com)

Facilidad de uso: 1.

Características: 2.

Google Sites es gratuito y sencillo como su motor de búsqueda. El énfasis de Google con Google Sites es conectar personas en grupos de la forma más sencilla posible. Si está interesado en Google Sites, asegúrese de consultar el tutorial de introducción.

Google Sites (véase la figura 2.2) permite edición de texto, anexos y comentarios.

La herramienta de creación de páginas permite crear nuevas páginas, vínculos y añadir imágenes. Tiene múltiples plantillas para páginas creadas comúnmente. Google también le permite que otras personas cambien su sitio si trabaja en el sitio Web como un equipo.

Puede personalizar fácilmente sus páginas, y no se requiere HTML. Si le gusta Google Sites, también ofrece servicios ampliados por una cuota mensual.

Bravenet Hosting (http://www.bravenet.com/webhosting/hosting.php)

Facilidad de uso: 2.

Características: 4.

Bravenet ofrece un servicio limitado de hospedaje gratuito. Se trata más de una introducción a sus servicios de pago pero si lo que realmente necesita es alojamiento gratuito, puede funcionar. La configuración es bastante sencilla, permitiendo algunas características para su sitio Web y una cantidad limitada de espacio y ancho de banda.

Para permitir servicio gratuito, Bravenet inserta publicidad en su página. Si no está interesado en permitir publicidad en su sitio, Bravenet ofrece hospedaje de sitio sin publicidad por una cuota que incluye más características.

Figura 2.2. Google Sites permite que la creación de sitios Web sea rápida, sencilla y barata.

Batcave.net (http://batcave.net)

Facilidad de uso: 2.

Características: 1.

Batcave.net le ofrece un lugar para alojar los archivos de su sitio Web. También ofrece características más técnicas, como ejecutar scripts PHP y conectarse a una base de datos MYSQL. Si no sabe qué son estas cosas, no se preocupe: no tiene que hacerlo.

La idea es que necesita algo de conocimiento técnico para utilizar las características avanzadas de este sitio.

Batcave.net limita el número de archivos y la cantidad de ancho de banda que puede utilizar pero estas limitaciones no son inadecuadas para un sitio Web sencillo. Si tiene conocimientos técnicos pero no dinero, ésta puede ser una opción.

Sitios comerciales de bajo coste

Si está haciendo algo más que lo básico, probablemente debería invertir algo de dinero en una empresa de hospedaje Web comercial de bajo coste. Si va a gastar dinero en su sitio Web, éste debería ser el primer lugar al que dirigirse. Una buena empresa de hospedaje puede proporcionarle mucho en términos de características, espacio y tranquilidad de saber que tiene la tarifa mensual que merece la pena. Aquí tiene algunos de los más conocidos sitios comerciales de bajo coste. Cuentan con numerosas características y hacen que la creación de un sitio Web excelente sea mucho más sencilla. Éste es el tipo de hospedaje Web que suelo utilizar. Tengo el conocimiento técnico para disponer de un servidor Web propio pero no tengo ni el tiempo ni la energía para mantener mi propio servidor Web:

- ▶ DreamHost (`http://www.dreamhost.com`).

- ▶ Go Daddy (`http://www.godaddy.com`).

- ▶ Host Gator (`http://www.hostgator.com/`).

- ▶ A Small Orange (`http://www.asmallorange.com`).

- ▶ Blue Host (`http://www.bluehost.com`).

Otros recursos

Una cosa a destacar es que la gente está utilizando la Web para dar a conocer y recopilar información como nunca antes se había hecho. Cuando trata de decidir qué tipo de servicio de hospedaje Web utilizar, tómese su tiempo para leer lo que otras personas dicen al respecto. Fundamentalmente las reclamaciones de cada servicio al investigar dicho servicio.

Podría encontrar que un servicio Web que parece demasiado bueno, añade virus u otro software perjudicial para su equipo o sitio Web. Además, constantemente aparecen nuevos servicios de hospedaje Web. Realizar un seguimiento de todos ellos sería imposible, por lo que deje que otra persona lo haga por usted. Los sitios de hospedaje Web están siempre en revisión; aquí tiene algunos de los sitios Web que revisan esos servicios:

- ▶ Free Web Hosting (`http://www.free-webhosts.com`): Un sitio de clasificación para servicios de hospedaje Web.

- ▶ FreeWebspace.net (`http://www.freewebspace.net`): Una guía para buscar hospedaje Web gratuito.

▶ FindMyHost
(`http://findmyhost.com`):
Opiniones y clasificaciones de servicios
de hospedaje Web.

▶ Webhosting Geeks
(`http://webhostinggeeks.com`):
Opiniones de hospedaje Web desde una
perspectiva más técnica.

3. Planificar su sitio

En este capítulo aprenderá:

- ▶ ¿Qué tipo de sitio desea construir?
- ▶ Aprender de los sitios que visita.
- ▶ Objetivos del sitio Web.
- ▶ Tipos de organización de sitios Web.
- ▶ Mejores prácticas de organización del sitio Web.

La pregunta central que tiene que responder antes de comenzar cualquier proyecto de sitio Web es: "¿Por qué quiere crear un sitio Web?". Algunas veces, la respuesta puede ser sencilla: su jefe quiere que cree un sitio, desea estar en contacto con antiguos compañeros del colegio o desea promocionar su negocio. Al hacerse la pregunta, puede empezar a comprender la mejor estructura para el sitio que está creando. Por ejemplo, si está creando un sitio Web para su negocio, desearía que sus productos y servicios estén en sus propias páginas. También debería asegurarse de que la información de contacto esté en todas las páginas.

Este capítulo le proporciona algunos ejemplos de los sitios Web y, luego, lista las preguntas que debería formular cuando planifique la estructura de su sitio Web. Debería tratar de responder tantas como pueda, porque le ayudarán a tomar decisiones importantes sobre su sitio. No se limite simplemente a leer las preguntas y pensar en las respuestas, tome notas y desarrolle un plan formal. Si está creando este sitio para otra persona, esa persona probablemente quiera ver su plan de acción. Este plan de acción debe incluir los objetivos del sitio Web, los planes para el sitio y las páginas como también la fecha para finalizar los trabajos.

¿QUÉ TIPO DE SITIO DESEA CONSTRUIR?

Como todos sabemos, existen tantos sitios Web en Internet que es imposible hacer un seguimiento de todos ellos. Utilizamos sitios Web para reservar vuelos, hablar con los amigos y ponerse al día de los resultados de los partidos. Cuando piensa en por qué crea un sitio Web, también necesita saber qué tipo de sitio será. La mejor forma de familiarizarse con los tipos de sitios Web es navegar por la Web. Por lo general, llega a la Web con un objetivo determinado en mente, como alquilar un coche o enviar un mensaje de correo electrónico. Esta finalidad algunas veces hace que se pase por alto la estructura y propósito de los sitios que está visitando. Eche otro vistazo a algunos de sus sitios Web favoritos, y preste atención a la estructura y propósito de estos sitios. Se sorprenderá de lo que se aprende.

Tipos de sitios

Todos los días aparecen nuevos sitios Web sólo limitados por la imaginación de las personas que los crean. A continuación, se listan algunos de los tipos y subtipos de alto nivel. Si su sitio Web encaja en una de estas categorías, lea el listado y diríjase a los sitios de ejemplo prestando especial atención a la estructura y diseño de cada uno de ellos:

▶ **Sitios de negocios:** En los primeros días de Internet, se produjo una fiebre del oro virtual de empresas y organizaciones pensando que podían hacer una fortuna de la noche a la mañana. Esto, por supuesto, le sucedió sólo a unos pocos pero, lentamente, en la última década, las empresas han comenzado a entender cómo hacer negocio, atraer nuevos clientes y encontrar modelos de negocios online que funcionan. Así, en estos días, es casi imposible pensar en un negocio que no tenga un sitio Web, desde las grandes corporaciones a las tiendas de barrio.

▶ **Sitios corporativos:** Estos sitios están diseñados y creados para transmitir información sobre una empresa. A veces, las empresas tienen equipos de trabajo que trabajan en su sitio Web. Esto puede cubrir sus productos y servicios así como información de contacto de la empresa. Un ejemplo de esto es kodak.com (`http://www.kodak.com`; véase la figura 3.1).

▶ **Sitios de comercio electrónico:** Cualquier sitio de comercio electrónico podría o no ser parte de un sitio corporativo más grande. Estos sitios en realidad le permiten comprar o vender productos o servicios en Internet. Un ejemplo de esto es Amazon (`http://www.amazon.com`).

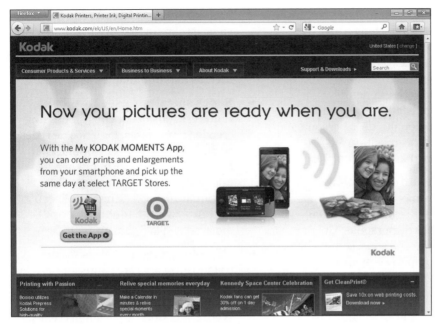

Figura 3.1. Kodak.com es un sitio corporativo típico.

► **Pequeños sitios de negocios:** Estos sitios los crean y mantienen pequeñas empresas que normalmente crean el sitio Web. Un ejemplo de ello es Darn Good Soup (`http://www.darngoodsoup.com/`).

► **Personal:** Antes de que los negocios invadieran la World Wide Web, las personas creaban sus propios sitios Web personales. Estos incluían sitios Web familiares, sitios de fans y sitios de revistas (como blogs). Esto, en realidad, es parte de los mayores efectos culturales de la World Wide Web. Cualquiera puede tener ahora voz en la Web. No tiene que tener mucho dinero para tener un gran sitio Web que atraiga mucha atención. Desde los ricos y famosos a las madres en casa, todo el mundo está creando sitios Web personales.

- ▶ **Sitios de perfil personal:** Este tipo de sitio Web promociona a una persona. Las celebridades los tienen pero cualquiera en la Web puede tener un sitio Web personal ahora. Aunque, algunas veces, llenos de ego, estos sitios pueden actuar como vehículos promocionales de la persona. Un ejemplo de ello es mi sitio Web (`http://www.markwbell.com/`).

- ▶ **Blogs:** Un blog es un diario online. Millones de personas cuentan con uno ahora y pueden ser seguidos por unas cuantas o millones de personas. Un blog es una lista de entradas, como un diario, que comparte con otras personas. Un ejemplo es Wonkette (`http://www.wonkette.com/`).

- ▶ **Sitios portfolio:** Son especialmente populares con los artistas. Este sitio se compone de una muestra de su trabajo artístico y puede incluso permitir que las personas compren su arte. Un ejemplo de ello es el sitio Web de Arthur Adams (`http://www.arthuradamsart.com/`).

- ▶ **Social:** Desde que los ordenadores se han conectado entre sí, han aparecido herramientas para las interacciones sociales. Facilitan que las personas se comuniquen entre sí por medio de sitios de redes sociales y sitios de correo electrónico. La Web se está haciendo más social cada día. Internet ya no es el refugio de los *frikis*, sino que ahora todo el mundo está haciendo de las conexiones sociales una de las fuerzas más dominantes de la Web.

- ▶ **Redes sociales:** Desde Facebook y Pinterest.com a pequeños sitios Ning creados para clases, los sitios de redes sociales han crecido en popularidad. Es muy difícil crear y mantener uno de estos sitios pero es posible gestionar uno. Un ejemplo es Facebook (`http://www.facebook.com/`), mostrado en la figura 3.2.

- ▶ **Microblogging:** Los blogs se han tratado en el apartado anterior pero los sitios de microblogging, como Twitter, están empezando a expandirse por la Web. Estos sitios le permiten crear y comunicarse con otros microblogeros. Un ejemplo es Twitter.com (`http://www.twitter.com/`).

- ▶ **Foros:** Los foros son como tablones de anuncios electrónicos donde las personas dejan mensajes y comentarios sobre otros. Una vez más, han estado a cargo de empresas pero, en los últimos años, el software de código abierto ha permitido que pueda gestionar su propio foro. Un ejemplo de software de foro que puede utilizar para crear sus propios foros es phpBB (`http://www.phpbb.com/`).

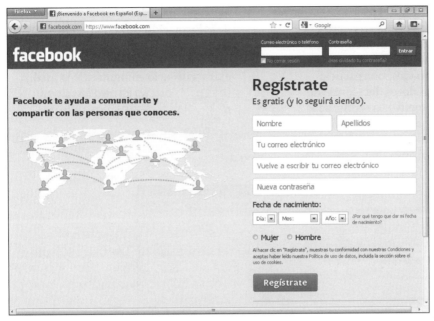

Figura 3.2. ¿Ha entrado en Facebook hoy?

▶ **Sitios de información:** Internet es un almacén de información. Algunos sitios existen meramente para ofrecerle información gratuita. Esta información es increíblemente de tanta utilidad que está cambiando el conocimiento y la educación de forma diaria. La Web cuenta con terabytes de información añadida de forma diaria por lo que nunca se puede estar al tanto de todo.

▶ **Sitios gubernamentales:** Si trabaja para el gobierno y se le pide que cree un sitio, querrá darle el mejor uso posible a un presupuesto limitado. Estos sitios funcionan mejor cuando proporcionan información actualizada en un formato de fácil acceso. Un ejemplo de ello es el sitio Web de los Servicios de ciudadanía e inmigración de EEUU (http://www.uscis.gov/).

► **Sitios de comunidad:** Las comunidades a las que pertenezca es posible que también necesiten un sitio Web. Esto incluye un club femenino que gestione su madre, una escuela o un sitio de seguidores del equipo de fútbol local. El objetivo es reunir a las personas y compartir información. Un ejemplo de ello es la Universidad de Indiana (`http://www.iu.edu`).

► **Wikis:** Una wiki es un almacén de información que cualquiera puede editar. Trato las wikis más adelante en el libro pero un extraordinario ejemplo es Wikipedia (`http://en.wikipedia.org/wiki/Main_page`) mostrado en la figura 3.3.

Figura 3.3. Wikipedia es una de las mayores obras de referencia de código abierto jamás creada.

APRENDER DE LOS SITIOS QUE VISITA

Como se ha mencionado anteriormente, puede que tenga que ejercitar una nueva perspectiva para ver la Web, más desde su estructura en lugar de sólo por su contenido. El siguiente ejercicio le obliga a esta perspectiva y le permite ver los sitios Web que visita de nuevas formas:

1. Abra su navegador y mire en su historial Web, una lista de los sitios Web que ha visitado recientemente. Normalmente se encuentra en un elemento de menú. En Internet Explorer o bien Firefox, utilice **Control-Mayús-H** (véase la figura 3.4).

2. Abra los últimos sitios que ha visitado.

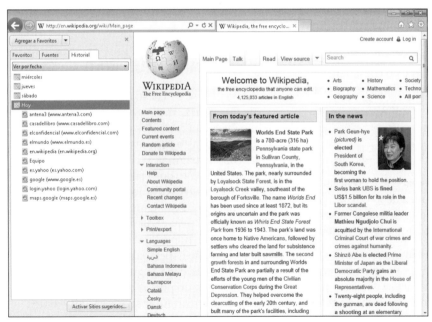

Figura 3.4. Explorador con la historia abierta.

3. A medida que visita cada uno de ellos, pregúntese lo siguiente:

   ▶ ¿Qué tipo de sitio es?

   ▶ ¿Cuáles son las partes del sitio Web?

   ▶ ¿Cómo me desplazo entre las páginas?

   ▶ ¿Tiene la sensación de que es un sitio Web completo y distinto de otros sitios en Internet?

Podría incluso tomar notas sobre estos sitios Web. ¿Qué hace que estos sitios funcionen? O, mejor aún, si encuentra un mal sitio Web, averigüe qué lo hace malo y no cometa los mismos errores. ¿Puede dibujar la estructura del sitio Web en un trozo de papel?

OBJETIVOS DEL SITIO WEB

Antes de que empiece a diseñar y crear su sitio Web, necesita una idea de lo que quiere conseguir con ello. Los objetivos que desea conseguir le ayudarán a tomar las decisiones.

Los objetivos serán aquello que desea conseguir con su sitio Web. Podrían ser cosas como dinero, atraer la atención o hacer una declaración. Debería tener objetivos para su sitio y sus contenidos (véase la figura 3.5).

También debería pensar en los objetivos a corto y largo plazo para su sitio. Empiece por examinar algunos de sus sitios favoritos y determinar sus objetivos.

Pregúntese:

▶ ¿Cuál es el objetivo global de este sitio Web?

▶ ¿Qué partes del sitio Web me muestran este objetivo?

▶ ¿Mi sitio Web será similar o diferente a este sitio?

ORGANIZAR SITIOS WEB

Cuando piensa en la estructura de su sitio, tiene que pensar tanto en el sitio como un todo como en cada una de las páginas. Recuerde que un sitio Web simplemente es una colección de páginas Web. Debería haber una unidad en lo que cree. Esta unidad debería ser aparente en el propio sitio y en cada una de las páginas. Por ejemplo, si crea un sitio Web familiar para cada miembro de la familia (mamá, papá, hijo e hija), cada página debería tener el mismo aspecto. Deberían mostrar una unidad. Si cada página es diferente, los visitantes al sitio podrían perderse. Podría empezar por examinar su propio sitio o una página.

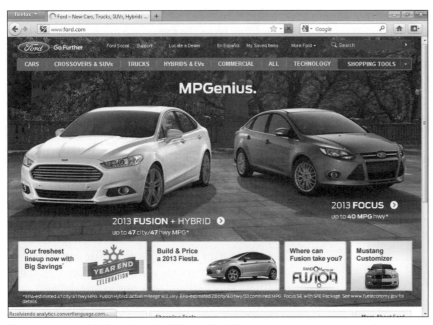

Figura 3.5. Los objetivos del sitio Web de Ford Motor Company son proporcionar información sobre sus productos y vender vehículos.

Organizar el sitio

Cuando empiezo a planificar un nuevo sitio Web, empiezo con una hoja de papel en blanco, en la que dibujo el sitio Web de la siguiente forma:

1. En un papel en blanco, dibuje un cuadro central y sitúe en él la Página principal.

2. Dibuje cuadros aparte alrededor de la Página principal para subtemas que quiera tratar en el sitio Web.

3. Si estos subtemas se dividen aún más, añada esos temas a la página al utilizar cuadros adicionales.

4. Determine qué garantiza una página independiente. Una página Web debería tener su propio contenido único que sea igual en cantidad al de otras páginas.

5. Dibuje líneas que conecten esas páginas con el cuadro de la Página principal.

6. Dibuje líneas entonces desde los subtemas de cada página con la propia página.

Ahora, tiene un boceto de lo que quiere hacer en su sitio Web. Consulte la figura 3.6 como ejemplo.

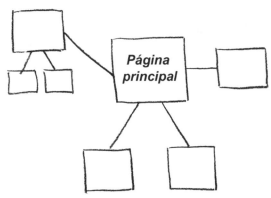

Figura 3.6. Un boceto de un sitio Web.

Página principal

Una página principal es la primera página que la gente ve cuando llega a su sitio Web. Esta página es la que se carga cuando la gente escribe su dirección de dominio. Recuerde que la gente no pasa mucho tiempo en un sitio Web, normalmente unos cuantos segundos, por lo que aquí es donde se llevan su primera impresión.

Organizar mi sitio personal

Creo que un ejemplo de cómo fue organizar mi sitio Web podría ser de ayuda aquí. Escribo libros sobre sitios Web, por lo que debería tener un buen sitio Web. Quiero que el sitio le diga quién soy, muestre mis libros, ofrezca información de los medios y le proporcione un modo de ponerse en contacto conmigo. Estas ideas se convierten en apartados en mi sitio Web. Éstos son los apartados de mi sitio Web:

▶ **Página principal:** Ésta es la página de bienvenida de mi sitio. Muestra la última edición de mi libro con algunas frases bonitas de críticos.

▶ **Acerca de:** Esta página cubre la información sobre mí, así como una biografía. Este permite que la gente sepa más sobre mí.

▶ **Libros:** Si le gusta un libro que he escrito y quiere saber qué más he escrito, le proporciono una lista de los libros que he publicado, de qué tratan y dónde puede comprarlos.

▶ **Notas de prensa:** Muchos autores tienen esto en sus sitios Web. Este apartado contiene mi biografía oficial y el uso de material multimedia.

▶ **Contacto:** Esta página le permite ponerse en contacto conmigo.

Todas estas páginas juntas forman parte de mi sitio Web personal online. Si le gustara mi libro y quisiera saber más sobre mí o mis libros, este sitio le ofrecería esa información y, por lo tanto, tendría éxito.

Organizar la página

Al igual que el sitio, empiezo por organizar cada página con una plantilla dibujada a mano. Lo mantengo lo más sencillo y genérico posible, de modo que puedo hacer que cada página se muestre como una página unificada en un sitio Web. Éste es el método que utilizo:

1. En otra hoja de papel en blanco, dibujo un rectángulo que es más largo que ancho y ocupa la mayor parte de la página. Este rectángulo representa una página Web que se ve con un navegador típico en una pantalla típica.

Encabezado y pie de página

Los apartados de encabezado y pie de página son los mismos en todas las páginas. Normalmente, encontrará vínculos a otras páginas e información de contacto en el encabezado y pie de página. Examine otras páginas Web y verá que muchas tienen encabezados y pies de página.

2. En la parte superior de esta página, dibuje una línea horizontal a lo largo de la página, que ocupe alrededor de un 15 por 100, y ése será su encabezado.

3. En la parte inferior de esta página, dibuje otra línea horizontal a lo largo de la página, que ocupe un 15 por 100. Ése será su pie de página.

4. Añada un boceto del aspecto que quiere que tenga el contenido en su sitio. Podría querer tener columnas o tablas. Tómese el tiempo que necesite para expresar su creatividad. La figura 3.7 le ofrece una idea general del aspecto que debería tener su sitio.

Podría tener la misma estructura organizativa para todo su sitio Web o podría tener un par de ellas diferentes para diferentes partes. Esto es, básicamente, una plantilla en papel. Una plantilla le permite mantener la consistencia entre múltiples páginas. Permita que su contenido defina la estructura.

Figura 3.7. Diagrama de página Web.

Diseños de página Web

Las páginas Web se presentan de muchas formas diferentes pero cuando empieza a verlas de forma estructural, muchas de ellas tienen características similares. El punto principal de esto es intentar adaptar su diseño con su contenido. Aquí tiene un par de ejemplos de diseños comunes de página Web:

▶ **Recto hacia abajo:** Algunas veces ve páginas Web que son básicamente un bloque de texto o imágenes que son casi un libro. El contenido se presenta recto hacia abajo en toda la página y se deja justificado o centrado. A menos que se realice para fines artísticos, debería evitar este diseño a toda costa.

▶ **Diseño de imagen central:** Una forma de diseñar su sitio es utilizar una imagen central. Esta imagen central puede actuar como un modelo o elemento de diseño para todas las imágenes de su sitio. Esto funciona especialmente bien si tiene algo como un logotipo o fotografía desde el que trabajar.

▶ **Diseño de columna:** El área entre el encabezado y el pie de página puede ser un gran bloque de contenido (diseño de una columna) o dividirlo en varias columnas. Dividir la página puede mantener sus vínculos de navegación de página separados de su contenido y, normalmente, es lo mejor cuando se utilizan dos o tres columnas (véase la figura 3.8). Una palabra de advertencia es no ir a más de tres columnas si puede evitarlo; utilizar cuatro o más columnas hace que parezcan silos inconexos de información.

Figura 3.8. Apple Store (http://store.apple.com/es) es un ejemplo de un diseño de tres columnas.

MEJORES PRÁCTICAS DE ORGANIZACIÓN DE SITIO WEB

Existen algunas reglas generales, o mejores prácticas, para organizar un sitio Web que debería recordar y tener en cuenta cuando organice su sitio. Estas reglas le ayudarán a evitar errores comunes.

Mantenga su sitio sencillo

Por encima de todo, especialmente cuando empieza la planificación para su sitio Web, mantenga las cosas lo más sencillas posibles. Intente que su sitio Web no sea muy complicado al principio. Siempre puede añadir cosas más adelante. Un sitio Web sencillo permite que su mensaje se entienda mejor y que sus objetivos se alcancen fácilmente (véase la figura 3.9). Si su sitio se hace demasiado complejo muy rápidamente, sus visitantes se perderán.

Figura 3.9. Flickr es un diseño de imagen central limpio y bien organizado.

Empiece con su contenido y trabaje a partir de ahí. ¿Su contenido se divide en bloques? Utilice estos bloques para definir su sitio Web. ¿Su contenido lleva a opciones naturales de diseño? Por ejemplo, un sitio Web para una empresa que diseña hoteles debería tener los mejores elementos de su diseño en su página. Si su página parece demasiado recargada, probablemente esté más llena de lo que cree y eso afecta a su diseño.

Mantenga su sitio Web consistente

Intente mantener su sitio Web como un todo unificado. Esto hace que parezca más profesional y ayuda a transmitir su mensaje. Un sitio Web repleto de páginas inconsistentes aleja a los visitantes. Un sitio que está unificado y es consistente de una página a otra conlleva el hecho de que el creador del sitio Web ha invertido gran cantidad de tiempo en presentar un sitio bien elaborado y concebido que tiene como objetivo su disfrute. Mantenga sus páginas despejadas y organizadas. Utilice estructuras consistentes en las páginas (como encabezados y pies de páginas), de modo que sus visitantes puedan fácilmente saber sobre qué trata su sitio Web y no se pierdan entre un conjunto de texto y vínculos desorganizados. Utilice el mismo esquema de color en las páginas y asegúrese de que sus fuentes y el tamaño de fuentes coinciden de una página a otra en todo el sitio.

Un usuario al que, de repente, se le presenta una página radicalmente diferente, puede pensar que ha abandonado su sitio o estar tan confundido que lo abandone. Haga que la experiencia sea lo más agradable posible para sus visitantes.

Mantenga su sitio Web fácil de mantener

Sitios Web bien organizados y bien diseñados son fáciles de mantener y mejorar. Si su sitio está desorganizado, puede causarle más trabajo a largo plazo. Y, si tiene un sitio complejo, necesita mucho tiempo para asegurarse de que todas las partes funcionan conjuntamente. Empezar de forma sencilla e intentar mantener esa simplicidad puede ser beneficioso a largo plazo. Mantener sus archivos de forma organizada con nombres de archivos fáciles de entender hará que su sitio Web sea más fácil de mantener. Igualmente, si crea código HTML bien organizado, solucionar errores e incorporar nuevo contenido será más sencillo.

4. Diseñar su sitio

En este capítulo aprenderá:

- ▶ Crear un sitio Web atrayente.
- ▶ Contenido antes que diseño.
- ▶ Diseño global.
- ▶ Colores.
- ▶ Fuentes.
- ▶ Imágenes.
- ▶ Hojas de estilo en cascada.
- ▶ Mejores prácticas de diseño.

Si ha pasado mucho tiempo navegando por la Web, probablemente habrá observado que unos sitios están mejor diseñados que otros. El diseño de su sitio es importante porque sienta las bases para su contenido y tiene el potencial de impedir que los visitantes abandonen su sitio demasiado pronto y no regresen. El diseño implica colores, fuentes, imágenes y organización de la página.

Este capítulo le muestra cómo tomar decisiones sobre el desarrollo de un diseño eficaz y dónde encontrar algunas ideas que le ayudarán a despertar su creatividad en el diseño.

NO SÉ CREAR UN SITIO WEB QUE SEA TAN BUENO

Si está leyendo este libro, probablemente no es un diseñador Web profesional. Yo tampoco. Sin embargo, no tiene que serlo para crear un sitio Web bien diseñado. Puede aprender del trabajo de otros, de los que tienen un gran talento y habilidad, que crean verdaderas obras de arte (véase la figura 4.1).

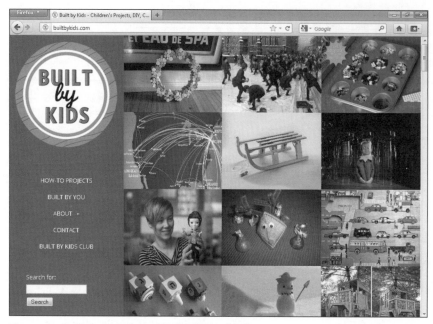

Figura 4.1. Built By Kids (http://builtbykids.com/) es un sitio Web bien diseñado por niños para niños.

La mayoría de los sitios Web atractivos y bien diseñados los ha creado un equipo bien formado y bien pagado. En comparación con estos sitios, su sitio parecerá poco profesional. Sin embargo, es importante recordar que éste es un proceso de aprendizaje y su presupuesto puede que sea prácticamente cero, por lo tanto mantenga las cosas en perspectiva. Aprenda de los sitios que están bien hechos y, lo que es más importante, no se desanime. Diviértase y sea creativo.

CONTENIDO ANTES QUE DISEÑO

Si hay un principio básico que guía todo mi diseño de un sitio Web es el contenido antes que el diseño. Esto significa recopilar el contenido para su sitio Web y luego dejar que ello guíe su diseño. Por ejemplo, si está creando un sitio Web para su equipo de bolos, considere primero el contenido. Su equipo quiere tener perfiles de los miembros, una planificación, resultados de partidos pasados, y el logotipo del equipo. Permita que esas cosas guíen el diseño de su sitio Web. Los sitios Web que ponen el diseño por delante del contenido por lo general tienen elementos de diseño que sientan mal al contenido. Por ejemplo, podría gustarle el color y sabor de los pimientos pero no son el elemento de diseño primordial en los que basar el sitio Web del zoo local. Por otro lado, el sitio de los bolos podría utilizar bolas de bolos en formas interesantes que unieran el diseño al contenido (véase la figura 4.2).

DISEÑO GLOBAL

Para empezar, consideremos el diseño global de su sitio. ¿Qué estado de ánimo quiere evocar con su sitio Web, quiere que sea divertido y brillante u oscuro? Tal vez ni siquiera lo sabe. El mejor lugar para comenzar es mirar otros sitios que estén bien diseñados.

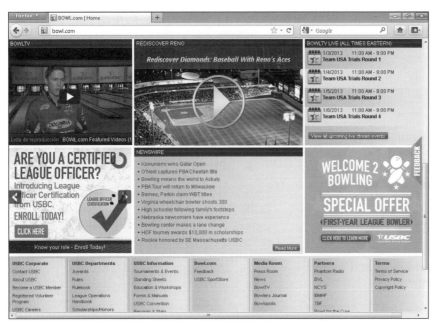

Figura 4.2. Bowl.com es un ejemplo de utilizar contenido para llegar al diseño.

Ideas de diseño

Siempre estoy buscando ideas de diseño.
Cuando encuentro un sitio que está bien
diseñado, lo agrego a mis favoritos y así,
cuando empiezo un nuevo diseño, lo puedo
revisar para obtener ideas para mi propio sitio.

Favoritos

La mayoría de los navegadores le permiten
agregar un sitio a su lista de favoritos, lo
que significa que mantiene un registro de un
determinado sitio Web de modo que pueda
regresar a él más adelante. Compruebe la
documentación de su navegador para saber
cómo crear un favorito en su navegador.

También compruebo los ganadores de
los premios de diseño y los sitios de esos
diseñadores Web. Puesto que estos sitios
están bien diseñados, puede aprender mucho
de ellos.

Aquí tiene algunos a considerar:

- ► Webby Awards
  (`http://www.webbyawards.com`).

- ► Design Licks
  (`http://www.designlicks.com/`).

- ► Razorfish
  (`http://www.razorfish.com`).

COLORES

La Web es un medio visual, por lo que el color
es importante. Invoca un estado de ánimo
y puede hacer que un sitio sea dinámico e
interesante y otro soso y aburrido. Tiene
disponibles millones de colores, por lo tanto
deje que su creatividad y estilo personal sean
su guía.

Los cuatro mágicos

Si va a un puesto de periódicos local y
mira los colores utilizados en las revistas,
probablemente verá los siguientes colores
dominantes:

- ► Rojo.

- ► Amarillo.

- ► Negro.

- ► Blanco.

Éstos son los colores mágicos en publicidad.
Estos colores atraen la mirada, facilitan la
lectura del texto y resultan familiares para
todos los visitantes (véase la figura 4.3).
Inmediatamente proporcionan a su sitio un
aire de refinamiento y profesionalidad, si bien
la exageración de cualquiera de ellos llevará a
una confusión en lugar de a un sitio Web bien
diseñado.

Figura 4.3. El sitio Web de la revista GQ (http://www.gq.com) utiliza los cuatro colores mágicos.

Si no está seguro sobre los colores a utilizar, empiece con uno de ellos. Por otro lado, si está buscando algo diferente y quiere un color que coincida con ciertas imágenes u otros elementos de diseño en su sitio, tiene multitud de opciones.

Color hexadecimal

Cuando trata con colores en Internet, necesita entender que las rosas no son "rojas" sino "#FF0000". Esto se denomina color hexadecimal, y tiene que acostumbrarse a ello cuando utiliza color en la Web. La notación en realidad es tres conjuntos de números: FF, 00 y 00.

Cada número de dos dígitos es un valor hexadecimal de un número más grande. Los tres conjuntos de números en un código hexadecimal representan el rojo, verde y azul (referido como RGB). Las etiquetas HTML utilizan el número hexadecimal para definir colores.

Cada color (rojo, verde y azul) tiene 256 valores posible, y tres de ellos juntos crean el resto de colores. Para determinar el valor hexadecimal para un número, puede utilizar una calculadora científica. Para Windows, siga estos pasos:

1. Pulse la tecla **Windows-R**.

2. En el cuadro Ejecutar, escriba **calc.exe** y haga clic en **Aceptar**.

3. Desde el menú Ver, seleccione Programador (véase la figura 4.4).

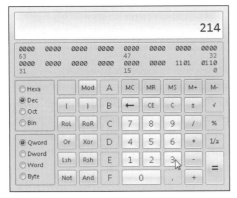

Figura 4.4. Calculadora de programador.

4. Escriba **214** y luego haga clic en la opción Hex.

El valor Hex de 214, que es D6, se muestra en pantalla. Muchas etiquetas HTML y otras aplicaciones utilizan código hexadecimal para describir colores.

En la práctica, encuentre los números RGB de su color favorito y conviértalos a hexadecimal.

Esquemas de color

Un conjunto de colores que se complementan entre sí se denomina esquema de color. Estos colores simplemente se ven bien juntos y probablemente contienen uno de los cuatro colores mágicos. Algunas veces, podría tener algo como un logo de empresa que tiene un color establecido. Puede utilizar un esquema de color para encontrar colores que vayan bien con ese color y no dominen o entren en conflicto con él. Por encima de todo, con color, utilice aquello que funcione y sienta bien. También podría querer mostrar su sitio a varias personas y recibir sus comentarios. Utilizo el esquema de color de la portada de mi último libro para mi sitio Web; de esta forma, la gente sabe que se encuentran en el sitio correcto para mi libro. Varias herramientas en la Web pueden ayudarle a combinar colores:

▶ **Color Combos** (http://www.colorcombos.com/): Este sitio Web trata sobre crear combinaciones de color para la Web (véase la figura 4.5). Puede utilizarlo para seleccionar combinaciones de color existentes, combinaciones de pruebas y navegar por su biblioteca de combinación de colores.

▶ **Color Palette Generator** (http://www.degraeve.com/color-palette/): Si tiene una imagen central alrededor de la cual quiere crear su sitio Web, todo lo que tiene que hacer es cargarla en este sitio Web, y la herramienta determina los colores utilizados en la imagen (véase la figura 4.6).

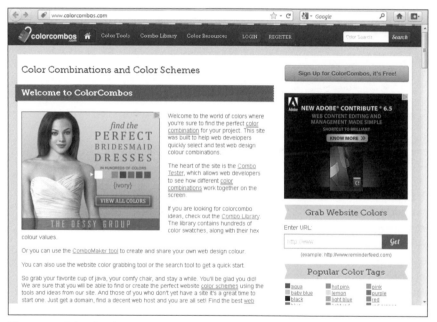

Figura 4.5. Color Combos es un sitio con muchas herramientas de color.

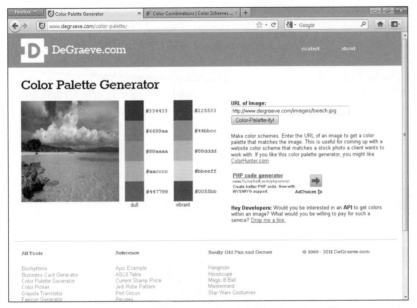

Figura 4.6. Color Palette Generator encuentra la paleta de color utilizada en una imagen.

▶ **ColorBlender** (http://colorblender.com/): Esta herramienta le permite crear combinaciones de colores y una paleta de color basada en un color que haya seleccionado. Si conoce el color central que desea usar, este sitio le proporciona opciones que puede utilizar con él.

▶ **colrpickr** (http://www.krazydad.com/colrpickr/): Este sitio encuentra imágenes en Flickr que coinciden con el color que elija.

▶ **COLOURlovers** (http://www.colourlovers.com/): Éste es un sitio Web y una comunidad dedicada al color en sitios Web (véase la figura 4.7). Estas personas se toman en serio el color y se divierten mucho con ello. También siguen tendencias de color Web. Puede encontrar buenos consejos de color en este sitio.

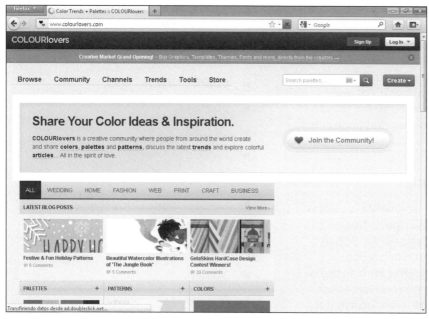

Figura 4.7. COLOURlovers es una comunidad muy colorida.

Daltonismo

Una cosa con la que tener cuidado cuando trabaja con color es que una parte de la población es daltónica y podría no ver los colores del sitio Web como usted. Esto es especialmente relevante con RGB. Intente no mezclar texto rojo, azul y verde y colores de fondo rojo, azul y verde. El texto y el fondo así pueden impedir que las personas daltónicas vean el texto.

Si es daltónico, asegúrese de que una persona que no lo sea compruebe los colores en su sitio.

La página Colorblind Web Page Filter (`http://colorfilter.wickline.org/`) puede mostrarle el aspecto que tendrá su sitio para una persona daltónica, por lo que dedique tiempo a ejecutar su página por medio de este filtro. Si utiliza esta herramienta en algunos sitios populares, como `cnn.com` y `huffingtonpost.com`, verá que el sitio sigue siendo fácil de leer y utilizar.

FUENTES

Siempre hay cierta cantidad de texto en una página Web. Algunas páginas tienen menos texto, otras tienen grandes cantidades. Este texto puede ser texto real o gráficos que aparecen como texto. Para empezar, trataré el texto como texto y luego pasaré al texto como imágenes.

Fuentes del sistema

Cuando utiliza texto en un sitio Web, podría inclinarse a utilizar algún tipo de fuente decorativa. Evite esto si es posible. Se han creado varias fuentes del sistema para mostrarse bien en las páginas Web. Si utiliza una fuente especial y la persona que ve su página no tiene esa fuente en su ordenador, su texto cambia a una fuente del sistema. Igualmente, las fuentes del sistema son diferentes en ordenadores Windows o Apple. (Algunas cosas nunca son fáciles.)

A continuación se detallan las fuentes del sistema predeterminadas en sistemas Windows:

- ▶ Arial.
- ▶ Book Antiqua.
- ▶ Calisto MT.
- ▶ Century Gothic.
- ▶ Comic Sans MS.
- ▶ Copperplate Gothic Bold.
- ▶ Copperplate Gothic Light.
- ▶ Courier.
- ▶ Courier New.
- ▶ Fixedsys.
- ▶ Georgia.
- ▶ Impact.
- ▶ Lucida Console.
- ▶ Lucida Handwriting Italic.
- ▶ Lucida Sans Italic.
- ▶ Lucida Sans Unicode.
- ▶ Marlett.
- ▶ Matisse ITC.
- ▶ Modern.
- ▶ MS Serif.
- ▶ MS Sans Serif.
- ▶ News Gothic MT.
- ▶ OCR A Extended.
- ▶ Small Fonts.
- ▶ Symbol.
- ▶ System.
- ▶ Tempus Sans ITC.
- ▶ Terminal.

- Times New Roman.
- Verdana.
- Webdings.
- Westminster.
- Wingdings.

A continuación están las fuentes del sistema predeterminadas en sistemas Apple:

- AmericanTypewriter.
- Andale Mono.
- Apple Chancery.
- Apple Symbols.
- Arial.
- Baskerville.
- BigCaslon.
- Brush Script.
- Chalkboard.
- Charcoal.
- Cochin.
- Comic Sans MS.
- Copperplate.
- Courier.
- Courier New.
- Didot.
- Futura.
- Gadget.
- Geneva.
- Georgia.
- Gill Sans.
- Helvetica.
- Helvetica Neue.
- Herculanum.
- Hoefler Text.
- Impact.
- Marker Felt.
- Optima.
- Papyrus.
- Skia.
- Symbol.
- Times New Roman.
- Trebuchet MS.
- Verdana.
- Webdings.
- Zapf Dingbats.
- Zapfino.

Una buena regla general es no especificar fuentes a menos que sea necesario. Si tiene que utilizar una fuente, asegúrese de que es una fuente del sistema. Por último, si necesita utilizar una fuente que sabe que no es una fuente del sistema, convierta el texto en una imagen.

Fuentes como imágenes

Por lo tanto, ¿qué sucede si ha encontrado la fuente perfecta a utilizar en su logo o imagen central y no es una fuente predeterminada del sistema? ¿O bien quiere utilizar una fuente no del sistema para un efecto que se estropearía si utilizara una fuente del sistema? Podría querer considerar convertir el texto en imagen. Lo que significa crear un gráfico que contenga el texto con la fuente que desea y lo presenta como texto, pero en realidad es una imagen. Podría querer hacer esto para algo como la cabecera de su sitio. La fuente CNN (véase la figura 4.8) no es una fuente del sistema, por lo que el logo es una imagen.

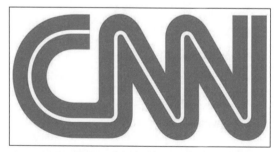

Figura 4.8. El logo para CNN.com es una imagen, no texto.

Sin embargo, este enfoque plantea algunos problemas. El texto ya no es seleccionable y los motores de búsqueda no lo pueden encontrar. Igualmente, estas imágenes pueden ralentizar el tiempo de carga de su página. El texto como imagen se puede utilizar para obtener grandes efectos, pero debe utilizarse con moderación.

Fuentes y color

También puede colorear el texto en su página Web. Cuando trata con texto, intente utilizar texto negro sobre fondo blanco. El texto coloreado y los fondos de color pueden dificultar la lectura. Es mejor evitar utilizar texto y fondos de colores pero, al menos, contraste el color del texto y el color de fondo de forma que sea fácil de leer. Algunos buenos ejemplos son texto verde sobre fondo negro o texto azul sobre fondo blanco.

IMÁGENES

Las imágenes probablemente serán una parte importante de cualquier diseño que cree. Sin embargo, es una buena idea no incluir demasiadas imágenes en sus páginas Web porque pueden ralentizar la velocidad a la que se cargan las páginas y visualmente las saturan. Intente encontrar algunas buenas imágenes que complementen bien su contenido.

HOJAS DE ESTILO EN CASCADA

La mejor forma de que el diseño de su página Web sea consistente es usar una CSS (*Cascading Style Sheet*, Hoja de estilo en cascada). Éstas actúan como guía para su página Web para formatear ciertos elementos. Si quiere que todos sus vínculos sean rojos y subrayados, puede configurar un elemento en la CSS y controlar el formato de todos los vínculos.

Mejores prácticas de diseño

No hay reglas rápidas en la creación de un diseño para una página Web, pero hay algunas buenas prácticas para ayudarle a evitar errores comunes. Recuerde mantener su diseño sencillo y consistente, y su sitio se verá bien.

El contenido lo es todo

Más que cualquier otra cosa, deje que su contenido guíe el diseño de su sitio. Si intenta vender cascos para ciclistas y su sitio Web no tiene imágenes de sus cascos o personas que los lleven, nadie vendrá a su sitio de nuevo.

Lo que sea nuevo delante y centrado

Un error común de los nuevos diseñadores Web es hacer que el contenido en sus sitios Web sea inaccesible para los visitantes. Sitúe todo lo que sea nuevo delante y centrado. Igualmente, dígales a sus visitantes que es nuevo y que su sitio está actualizado. Ésta es la forma en que su sitio creará visitantes que regresarán.

Manténgalo sencillo

Mantenga su diseño lo más sencillo posible. No quiere un sitio Web visualmente confuso o complejo que pierda o abrume a sus visitantes.

No utilice captadores de atención

Resista la tentación de utilizar elementos de diseño que capten la atención, como colores de neón y texto parpadeante. Como Times Square todo iluminado, los captadores de atención pueden ser abrumadores y desagradables para los visitantes.

Sea consistente

Mantenga sus colores, fuentes e imágenes consistentes. Por ejemplo, si utiliza ciertos colores en una página del sitio, utilice los mismos colores en las otras páginas. Igualmente, si su empresa ha establecido un logo o esquema de color, manténgase en consonancia con un diseño probado y aceptado. No quiera confundir a sus visitantes.

5. Hacerse con las mejores herramientas

En este capítulo aprenderá:

▶ Encontrar las herramientas correctas para realizar el trabajo.

▶ Sitios de herramientas y comentarios.

▶ Descargar nuevo software.

▶ Herramientas esenciales.

▶ Sistemas operativos.

▶ Navegadores Web.

▶ Suites de Office.

▶ Futuro de las herramientas Web gratuitas.

No importa lo que haga, siempre es importante tener las herramientas correctas para el trabajo. En este capítulo, le muestro las mejores herramientas de desarrollo Web que puede obtener de forma gratuita. Por herramientas, me refiero a utilidades de software o programas que puede utilizar para crear su sitio Web.

Ahora, estoy seguro de que está pensando que no puede conseguir algo por nada. Bueno, le mostraré una selección de programas, como editores gráficos, tan buenos, o incluso mejores, que el software comercial, y totalmente gratuitos. Se trata de software desarrollado por la comunidad que es código abierto, compartido y, lo mejor de todo, gratuito.

Las herramientas de desarrollo Web se presentan de muchas formas. Algunas son programas que descarga a su ordenador y otras son sitios Web a los que acude y utiliza como programas.

ENCONTRAR LAS HERRAMIENTAS CORRECTAS PARA REALIZAR EL TRABAJO

Probablemente se está preguntando dónde puede encontrar todas esas maravillosas herramientas gratuitas. Le mostraré algunos sitios Web donde puede encontrar y descargar excelentes utilidades de código abierto.

Para empezar, lo mejor que puede hacer es utilizar un motor de búsqueda para encontrar una alternativa gratuita o de código abierto a lo que está tratando de encontrar. Por ejemplo, si escribo en Google "alternativa a Photoshop de código abierto", recibo varias opciones, incluido el editor de gráficos de código abierto denominado GIMP. En este capítulo, realizo parte del trabajo de campo por usted y le proporciono algunas de mis fuentes de información y programas recomendados.

SITIOS DE HERRAMIENTAS Y COMENTARIOS

A continuación, tiene una lista de algunos buenos sitios Web que listan programas de software de código abierto. Estos sitios son lugares excelentes para encontrar la versión más actualizada de programas de software de código abierto. Clasifican las utilidades en categorías y proporcionan breves descripciones del software de modo que pueda encontrar fácilmente lo que está buscando. Puede encontrar casi cualquier cosa aquí, especialmente alternativas gratuitas a otros programas. Sin embargo, no mire sólo las alternativas; algunas veces el código abierto crea programas que las empresas de software tradicionales todavía no han pensado, como utilidades de podcasting y peer-to-peer. Estos sitios luego le proporcionan vínculos que van directamente a las versiones más actuales de las utilidades donde puede descargarlas.

- ► **Open Source Windows:** `http://www.opensourcewindows.org/`

- ► **Open Source Mac:** `http://www.opensourcemac.org/`

- ► **Open Source as Alternative:** `http://www.osalt.com/`

- ► **The Top 50 Proprietary Programs That Drive You Crazy, and Their Open-Source Alternatives:** `http://whdb.com/blog/2008/the-top-50-proprietary-programs-that-drive-you-crazy-and-their-open-source-alternatives/`

DESCARGAR NUEVO SOFTWARE

Las herramientas de software y las utilidades se agrupan en dos categorías: programas que descarga y luego instala en su ordenador y programas que residen en sitios Web a los que accede con su navegador. Descargar software podría ser un proceso nuevo para usted, por lo que las siguientes indicaciones le muestran cómo hacerlo:

1. Encuentre el sitio que tiene los archivos que quiere descargar e instalar. Cuando va a un sitio de utilidades de código abierto, se le proporciona información sobre el programa y un vínculo para descargar el software.

Asegúrese de que encuentra el vínculo para descargar la última versión estable del software que sea correcta para su sistema operativo.

2. Haga clic en el vínculo de descarga. Si se le dan múltiples opciones para descargar, asegúrese de que elige la correcta para su sistema operativo. (Para determinar qué versión de Windows utiliza, haga clic en el botón **Inicio** y escriba winver en el campo de búsqueda. Para Mac, haga clic en el logo de Apple en la barra de menú y seleccione Sobre este Mac).

Versión estable

La versión estable de software es una que se ha probado y está disponible para su lanzamiento. Es decir, se espera que el programa realice lo que se espera que haga. Podría ver software identificado como "beta" o "alfa". Esto simplemente significa que el software está actualmente en desarrollo. Casi todo el software de código abierto que encuentre estará en medio de algún proceso de desarrollo. Básicamente, se está actualizando y cambiando constantemente. Los términos alfa y beta identifican ciertos niveles de estabilidad. Software alfa está al principio del proceso, y beta está más adelantado. Puede esperar algunos problemas con el software alfa y menos con el software beta. Cuando descarga cualquier software a su ordenador desde Internet, existe una posibilidad de que ocurra algo malo. El software se puede instalar incorrectamente o, peor, afectar a los archivos existentes en su ordenador. Por otro lado, la comunidad de código abierto realiza un estupendo trabajo de policía de sí misma, y descargar e instalar software de código abierto es por lo general un proceso sencillo.

Cuando descarga archivos a su ordenador, normalmente se incluyen indicaciones de cómo instalarlos. Si no se encuentran en el sitio Web del que descarga el software, mire en la carpeta que contiene los archivos de instalación en busca de un archivo denominado Read Me. Dedique tiempo a leer estas indicaciones porque pueden proporcionar información de utilidad sobre cómo instalar y ejecutar el programa.

3. Después de descargar los archivos, siga las indicaciones para instalar el programa.

HERRAMIENTAS ESENCIALES

Para crear un sitio Web, necesita ciertas herramientas. Todo el software listado en los siguientes apartados es gratuito, de código abierto. Cada herramienta realiza una tarea importante para su sitio Web y le permite crear páginas Web y otro contenido.

Sistemas operativos

Para empezar, puede utilizar código abierto para hacer funcionar su ordenador. Normalmente, tendrá el sistema operativo Apple o Microsoft (Windows) en su ordenador pero existen otras alternativas de código abierto. Los sistemas operativos de código abierto tienen el beneficio de ser gratuitos y personalizables aunque pueden ser menos estables y sin mucho soporte. Utilizar un sistema operativo de código abierto puede ser arriesgado. No todos los programas funcionan en sistemas operativos de código abierto. Dicho esto, los sistemas operativos de código abierto son divertidos y solucionan muchos de los problemas que tienen otros sistemas operativos (por no hablar de su coste). Normalmente ejecuto uno o más sistemas operativos de código abierto en uno de mis viejos ordenadores para ver lo estable que son antes de cargarlos en uno de mis ordenadores nuevos:

► **Linux** (http://www.linux.org/): El abuelo de los sistemas operativos de código abierto.

► **Ubuntu** (http://www.ubuntu.com/): Un sistema operativo sólido y estable de código abierto.

► **Qimo** (http://www.qimo4kids.com/): Un divertido sistema operativo para niños que puede ejecutar en casi cualquier ordenador.

Navegadores Web

Tener un buen navegador es una de las herramientas esenciales en el diseño Web. Tiene que estar familiarizado con la forma en que la gente ve sus páginas Web. Éstas son algunas de las aplicaciones más estables y eficientes de código abierto, son esenciales:

► **Firefox** (`http://www.firefox.com`): El navegador de código abierto mejor y más popular.

► **Google Chrome** (`http://www.google.com/chrome`): El navegador de Google ha recorrido un largo camino para convertirse en líder en el mercado de los navegadores Web.

► **Opera** (`http://www.opera.com/`): Una excelente alternativa de navegador de terceros.

Suites de Office

Aunque no directamente relacionado con el diseño Web, las suites de Office son potentes colecciones de programas. Aquí tiene algunas alternativas de código abierto a Microsoft Office:

► **Apache OpenOffice** (Windows, Linux, y Mac): `http://www.openoffice.org`.

► **NeoOffice** (Mac): `http://www.neooffice.org`.

Programas de FTP

FTP (*File Transfer Protocol*, Protocolo de transferencia de archivos) es el nombre para el software que le permite transferir archivos fácilmente entre ordenadores en Internet. Cuando envíe sus archivos de su sitio Web a su servidor Web, necesita un cliente FTP, que es el programa que hace esto por usted.

Aquí tiene algunas recomendaciones:

► **FileZilla** (Windows, Linux, y Mac) (`http://filezilla-project.org/`): Este cliente FTP de código abierto ofrece gran cantidad de características (véase la figura 5.1).

► **Fetch** (Mac) (`http://fetchsoftworks.com/`): Este cliente FTP es gratuito. Es uno de los favoritos de los usuarios Mac.

► **Cyberduck** (Windows y Mac) (`http://cyberduck.ch/`): Un cliente FTP multifuncional, gratuito y de código abierto que viene en varios idiomas.

► **OneButton FTP** (Mac) (`http://onebutton.org/`): Un sencillo programa FTP gratuito dirigido a usuarios de Mac con pocos conocimientos técnicos que desean mover archivos lo más fácilmente posible.

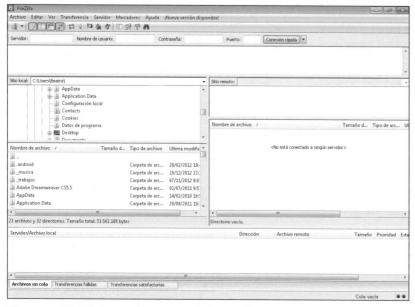

Figura 5.1. FileZilla le permite mover archivos a y desde Internet.

▶ **Net2ftp** (www.net2ftp.com/): Un cliente FTP gratuito que no requiere que se descargue en su ordenador y funciona en varias plataformas con diferentes navegadores.

Editores de texto

Cuando crea sitios Web, debe poder editar archivos de texto, incluidos archivos HTML (*Hypertext Markup Language*, Lenguaje de marcación hipertexto) o archivos de script.

Un archivo de texto simplemente es un archivo con palabras y números, y sin formato. Aquí tiene algunos de los mejores editores de texto:

▶ **Notepad** (Windows): Editor de texto estándar que viene con todas las versiones de Windows.

▶ **Notepad** ++ (Windows, Linux) (http://notepad-plus-plus.org/): Una excelente alternativa gratuita que tiene excelentes características, como números de línea y comprobación de texto (véase la figura 5.2).

- ► **TextWrangler** (Mac) (`http://www.barebones.com/products/textwrangler/`): Un excelente editor de texto para el Mac.

- ► **XEmacs** (Windows, Linux, UNIX) (`http://www.xemacs.org/`): Un editor de texto más técnico con algunas características avanzadas.

Editores gráficos

Un editor gráfico le permite crear, editar y formatear archivos gráficos. Esta utilidad es esencial para conseguir que su sitio Web tenga mejor aspecto al permitirle manipular fotos, dibujos. Podría querer cambiar un gráfico existente o crear algo nuevo. Esta utilidad permite creatividad ilimitada. Además, un editor de gráficos permite cambiar el tamaño y tipo de archivo de gráficos haciendo que su página Web se cargue más rápidamente.

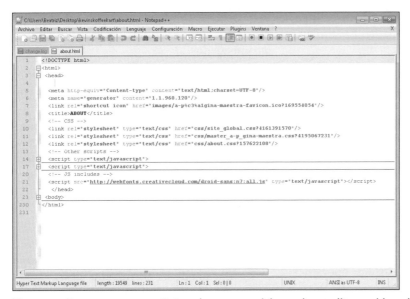

Figura 5.2. Un programa como Notepad ++ es esencial cuando se editan archivos de texto.

Aquí tiene algunos editores gráficos recomendados:

▶ **GIMP** (Windows, Mac, Linux) (http://www.gimp.org/): La utilidad de manipulación de imagen de código abierto más popular y mejor. Cuenta con muchas características, es fácil de utilizar y es GRATUITA.

▶ **Inkscape** (Windows, Mac) (http://inkscape.org/): Un programa de dibujo de código abierto. Si la vena artística se apodera de usted, ejecute este programa para convertir su idea en una realidad digital. Es similar a Adobe Illustrator.

▶ **Paint.Net** (Windows) (http://www.getpaint.net/): Un paquete de software de edición de fotografías de código abierto originalmente diseñado por estudiantes. Se ha convertido en un proyecto de software de código abierto a gran escala.

▶ **Seashore** (Mac OS X) (http://seashore. sourceforge.net/): Una versión simplificada de GIMP para una versión específica del sistema operativo Mac OS X.

Editores HTML

Los editores HTML se utilizan para crear y editar páginas Web. Algunos de ellos utilizan una GUI (*Graphical User Interface*, Interfaz gráfica de usuario) y otros son más sencillos y sólo le permiten editar el texto del archivo HTML. Si necesita editar el aspecto de una página Web o el código que hay por detrás, utilice un editor HTML. Un editor le proporciona métodos abreviados (como etiquetas ya formateadas y etiquetas de cierre) y formatea las páginas por usted para hacerle la vida más sencilla.

Aquí tiene algunos editores HTML recomendados:

▶ **KompoZer** (Windows, Mac, Linux) (http://www.kompozer.net/): Un editor multiplataforma WYSIWYG (*What-You-See-Is What-You-Get*, Lo que ve es lo que recibe) para páginas Web y gestión de sitios. Este programa es fácil de instalar y utilizar.

▶ **Quanta Plus** (Windows, Linux) (http://quanta.sourceforge. net/release2.php/): Un editor HTML con numerosas características. Tiene tanta cantidad de características que puede ser abrumador para los nuevos usuarios, por lo que suele ser para personas con mucho conocimiento técnico.

▶ **Bluefish** (Windows, Mac, Linux) (`http://bluefish.openoffice.nl/`): Un editor HTML con la posibilidad de escribir sitios Web y scripts en varios idiomas.

▶ **SeaMonkey** (Windows, Mac, Linux) (`http://www.seamonkey-project.org/`): Esta herramienta es algo diferente. Aparte de ser una herramienta para enviar correo electrónico, leer boletines de noticias, chatear y navegar por la Web, es una herramienta de edición HTML (véase la figura 5.3). Nos llega de las personas que crearon Firefox, y es una herramienta útil.

▶ **WaveMaker** (Mac) (`http://www.wavemaker.com/downloads/`): Una herramienta de desarrollo para las aplicaciones Web y cloud.

Figura 5.3. SeaMonkey es una herramienta multifunción.

▶ **OpenLaszlo** (Windows, Mac, Linux) (`http://www.openlaszlo.org/`): Para el desarrollo avanzado de las aplicaciones Web. Utilícelo para añadir programación e interacción a su sitio en lugar de simplemente proporcionar información. No es para todo el mundo pero merece una visita.

▶ **CSSED** (Windows, Linux) (`http://cssed.sourceforge.net/`): Una herramienta de edición de hojas de estilo en casada muy completa. Está pensada para un desarrollador de sitios Web más técnico. Si ya domina algunas otras herramientas, es posible que desee probar CSSED.

Grabadores de sonido

Si quiere utilizar audio en su sitio Web, podría necesitar un programa de grabación de sonido. Aquí tiene uno popular:

▶ **Audacity** (Windows, Mac, Linux) (`http://audacity.sourceforge.net/`): Si su sitio Web necesita sonido y necesita editar algunos archivos de sonido, esta herramienta le permite grabar, reproducir y editar archivos de sonido.

Edición de vídeo

La Web está cada vez más llena de vídeo. Hace unos años, añadir vídeo a un sitio Web era difícil, lento y costoso. Ahora el vídeo está por todas partes en la Web. Con cada vez más personas utilizando banda ancha, el vídeo es común en los sitios Web.

Estas herramientas le ayudan a capturar, editar y mostrar vídeo:

▶ **Blender** (Windows, Mac, Linux) (`http://www.blender.org/`): La primera herramienta de creación de contenido 3D de código abierto.

▶ **Cinelerra-CV** (Linux) (`http://cinelerra.org/`): Una herramienta estupenda pero sólo disponible para utilizarse en un sistema operativo Linux.

▶ **Avidemux** (Windows, Mac, Linux) (`http://fixounet.free.fr/avidemux/`): Una herramienta de edición de vídeo.

Herramientas avanzadas

Si cree que tiene los conocimientos para herramientas de desarrollo Web más avanzadas, lea esto. Observe que los programas con más características son más difíciles de aprender, instalar y utilizar. Aquí tiene algunas recomendaciones:

► **phpMyAdmin** (Utilidad Web) (`http://www.phpmyadmin.net/`): Si utiliza una base de datos MySQL, tiene que utilizar esta herramienta. Es la interfaz más completa y fácil de utilizar para una base datos MySQL.

► **EasyPHP** (Utilidad Web) (`http://www.easyphp.org/`): Una excelente herramienta para desarrollo y mantenimiento de scripts PHP que crean dinámicamente páginas Web.

FUTURO DE LAS HERRAMIENTAS WEB GRATUITAS

Todas las herramientas tratadas en este capítulo son gratuitas. Durante la última década y media hemos visto que cada vez más software gratuito se encontraba disponible online. En ese tiempo, la calidad de este software también ha mejorado. Esto hace que utilizar software Web gratuito para su proyecto sea una opción viable.

El software de código abierto se utiliza cada vez más. Constantemente aparecen nuevas herramientas con nuevas y mejores características. La mejor es la herramienta que ni siquiera sabe que necesita, en la que algún desarrollador de código abierto está trabajando en estos momentos. Siga buscando y disfrute del trabajo de todas estas personas.

6. Mover archivos a y desde Internet

En este capítulo aprenderá:

- ► Almacenar sus archivos.
- ► Enviar archivos a Internet.
- ► Descargar archivos desde un servidor FTP.

Una de las preguntas más comunes que se formula la gente cuando empiezan a crear sus propios sitios Web es cómo transferir archivos a Internet. Este capítulo le muestra que es más sencillo de lo que piensa.

La forma más sencilla de entender cómo se envían los archivos a Internet es darse cuenta de que todo lo que hace es mover archivos desde un ordenador a otro. Si ha movido archivos entre ordenadores en el trabajo o en casa, básicamente ha realizado todo lo que necesita hacer para mover archivos a Internet,

excepto en este caso, que el ordenador al que envía los archivos está a mucha distancia, incluso en otro país. Sin embargo, no se preocupe; mover archivos es sencillo de aprender e increíblemente útil.

Mover archivos desde Internet a su ordenador se denomina descargar. Cuando mueve archivos desde su ordenador a Internet, los envía a un servidor.

La mejor forma de transferir archivos a y desde Internet es por medio del protocolo FTP (*File Transfer Protocol*, Protocolo de transferencia de archivos). Un programa FTP le permite conectarse a un servidor en Internet que permite conexiones FTP. Cuando está conectado a un servidor FTP, puede mover archivos a y desde ese servidor. Este capítulo le dice cómo utilizar estos programas para mover sus archivos.

ALMACENAR SUS ARCHIVOS

Antes de empezar a mover sus archivos a y desde Internet, es importante dedicar algo de tiempo a organizar sus archivos en su propio ordenador. Mantener las cosas organizadas hace más sencillo encontrar las cosas y asegura menos errores cuando mueve archivos. Este apartado trata las mejores prácticas para el almacenamiento de archivos y le presenta una forma más eficaz de almacenar archivos.

¿Por qué no se muestran mis imágenes?

Enviar sus archivos al servidor Web no significa que todo será perfecto. Algunas veces, debido a la mala gestión de archivos, la gente comete errores en su código cuando crea referencias a cosas como imágenes (véase la figura 6.1). Un problema común con nuevos desarrolladores Web es que a menudo crean referencias de archivos incorrectas. Esto puede causar todo tipo de problemas y puede volverle loco si no organiza sus archivos. Un ejemplo común de ello es cuando hace referencia a imágenes en una página Web en su ordenador y no en el servidor Web. Si examina el código HTML y ve una referencia como `C:\users\Tom\webpagepics\cat.jpg`, el servidor Web no puede encontrar ese archivo porque no se encuentra en la misma ubicación en el servidor Web, por lo que devuelve un error.

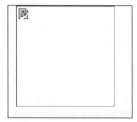

Figura 6.1. Ésta es el icono de imagen no encontrada. Significa que su servidor no puede encontrar la imagen.

Nombrar archivos

Una pregunta que normalmente se hace cuando crea archivos para utilizar en su sitio Web es: "¿Cómo debería nombrar este archivo?". En realidad, puede nombrar sus archivos como desee aunque existen algunas reglas que debería seguir.

Mantener los nombres sencillos

Intente mantener sus nombres lo más sencillos posible, que sean lo más descriptivos posible. La descripción podría ser el objetivo y las dimensiones del archivo. Por ejemplo, en lugar de llamar a un archivo gráfico `imagen01.jpg`, podría ser `logo125x125.jpg`. De esta forma, sabe que el archivo es un logotipo y conoce su tamaño sin tener que abrirlo.

Utilice siempre minúsculas

Con algunos servidores y hosts Web, el nombre del archivo en mayúscula o minúscula al que se hace referencia tiene que ser muy específico. Si un servidor tiene el archivo en mayúscula, `LOGO.gif`, y hace referencia en HTML al archivo utilizando minúscula, `logo.gif`, el servidor podría no saber que se está refiriendo al mismo archivo.

Al mantener todos sus nombres de archivo en minúscula, se asegura de que siempre va a tener referencias claras.

No utilice espacios

Utilizar espacios en un nombre de archivo no es una buena idea. Cuando un navegador se encuentra un espacio en un nombre de archivo HTML, lo completa con %20. De esta forma,

`http://www.bobshouseofpancakes.com/our menu.html`

se convierte en:

`http://www.bobshouseofpancakes.com/our%20menu.html`.

Ya que éste no es el nombre exacto de su página, hacer referencia a ello de esta forma hace imposible que el navegador encuentre la página. No tiene este problema si sus nombres de archivo no tienen espacios.

Si necesita utilizar un espacio, una solución es utilizar un carácter de subrayado (_). Esto cambia el nombre de archivo `reallylongconfusingfilename.html` a `really_long_confusing_file_name.html`. El nombre de archivo es fácil de leer y, sin espacios, no corre el riesgo de una mala dirección HTML.

Mantener todos sus archivos Web en un solo lugar

Esto podría parecer sencillo pero almacenar sus archivos en un lugar de su disco duro a menudo se pasa por alto. Mantener sus archivos HTML, imágenes y scripts en su ordenador va a facilitarle la vida en el largo plazo. Esto es especialmente cierto si trabaja con más de un sitio Web a la vez.

Cuando envía los archivos al servidor Web, los archivos no desaparecen de su ordenador. En realidad, envía una copia de los archivos. Esto significa que tendrá dos versiones en su sitio Web: uno en su ordenador local y otro en el servidor Web.

Tener una estructura organizativa

Después de tener todos sus archivos en un lugar, lo siguiente que querrá hacer es organizarlos. Esto facilita encontrar lo que está buscando y almacenar nuevos archivos.

Puede hacer esto de diferentes formas; cuando trabajo en múltiples sitios Web, utilizo carpetas para almacenar todos los elementos de un sitio Web en un lugar (véase la figura 6.2). Dentro de la carpeta del sitio Web, tengo carpetas para los archivos HTML, los gráficos y scripts multimedia. Al crear la misma estructura de directorio cada vez, encuentro las cosas más fácilmente y tengo menos errores de referencias en mi código.

Por ejemplo:

- ▶ Carpeta de sitio Web.
    - ▶ Carpeta Imágenes.
    - ▶ Carpeta Scripts.
    - ▶ Carpeta Multimedia.
    - ▶ Archivos HTML.

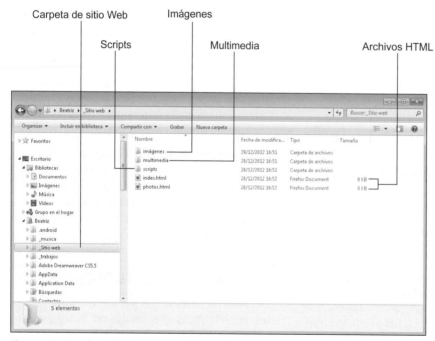

Figura 6.2. Un ejemplo de una estructura de almacenamiento de archivos.

Utilice un sistema de control de versiones

Si está creando múltiples sitios Web o está colaborando en uno con otras personas, podría querer considerar los sistemas de control de versión. Éstos almacenan, mantienen registro y monitorizan quién está utilizando archivos para sus proyectos y se asegura de que no sobrescriba accidentalmente los cambios que haya realizado otra persona. Subversion es un sistema de control de versión de código abierto gratuito que utilizan miles de desarrolladores de software.

Si está interesado, puede aprender más en los siguientes sitios Web:

- ▶ **A Visual Guide to Version Control:** `http://betterexplained.com/articles/a-visual-guide-to-version-control`.

- ▶ **Revision Control:** `http://en.wikipedia.org/wiki/Revision_control`.

- ▶ **Subversion:** `http://subversion.apache.org`: Éste es un sistema de control de versiones de código abierto que podría querer utilizar si varias personas trabajan en su sitio Web.

Realice copia de seguridad de sus archivos

Otra cosa que también podría hacer es una copia de seguridad de sus archivos. Hacer una copia de seguridad de sus archivos significa copiar esos archivos en una tercera ubicación. Esto significa una copia no en su ordenador o el servidor Web, sino en una tercera ubicación. Podría ser otro ordenador en su casa pero le sugiero utilizar un sistema de copia de seguridad online. Estos sistemas existen en la "nube" y mantienen a salvo sus archivos incluso si se quema su casa y su proveedor de servicio de Internet. Estos servicios le permiten almacenar una gran cantidad de archivos en sus discos y mantenerlos a salvo para usted. Algunos excelentes sistemas de copia de seguridad online son:

- ▶ **Dropbox** (`http://www.dropbox.com`) (véase la figura 6.3): Este servicio es gratuito y muy útil. Si tiene una dirección `.edu`, asegúrese de utilizarla para obtener espacio adicional.

- ▶ **Google Drive** (`http://drive.google.com/`): Un nuevo servicio de Google. Cuando configura una cuenta, obtiene 5 GB de espacio, que debería ser más que suficiente para usted.

Figura 6.3. Dropbox es gratuito y fácil de utilizar.

ENVIAR ARCHIVOS A INTERNET

Después de que su sitio Web esté terminado y listo para que el mundo lo vea, necesita mover los archivos a un ordenador (su servidor Web) en el que está conectado a Internet. Para ello, se conecta a un servidor que permite conexiones FTP. Muy a menudo, su servidor Web permitirá conexiones FTP.

Para ello, necesita un programa FTP como ya se ha comentado.

Para estos ejemplos utilizo FileZilla pero cualquier programa FTP podrá mover archivos a y desde su servidor FTP.

La nube

Puede que haya escuchado referencias a la nube (*cloud*). Una explicación sencilla de la nube es un servidor en el que almacena archivos en una ubicación remota. Esto mantiene sus archivos seguros.

Inicio de sesión

Antes de empezar, necesita cierta información que le facilitará su proveedor host, incluido el nombre del servidor FTP al que desea conectarse, el nombre de usuario y su contraseña. Puede que haya tenido que definir su nombre de usuario y contraseña cuando se registró en el servicio de hospedaje, pero podría necesitar comprobarlo para asegurarse de que el mismo nombre de usuario y contraseña son los que utiliza para su información de registro de FTP. Después de tener esta información, accede al servidor. La ventana del programa FTP tiene dos partes. Una muestra los archivos en su ordenador y la otra muestra los archivos en el ordenador del host Web. Para conectarse a un servidor FTP, realice esto:

1. En el campo Servidor, escriba su nombre de host.

2. Escriba su nombre de usuario y contraseña en los campos correctos.

3. A menos que su proveedor host le diga que utilice un puerto específico, deje el campo Puerto en blanco.

4. Haga clic en el botón **Conexión rápida**.

Ahora está conectado al servidor FTP en su host (véase la figura 6.4).

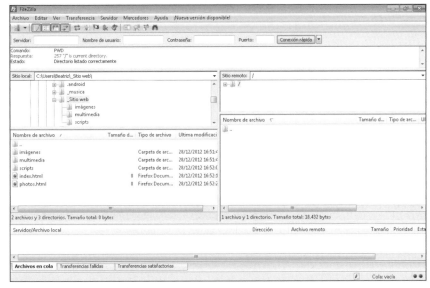

Figura 6.4. FileZilla conectado a un servidor.

Crear una lista de sitios FTP

Es posible que desee crear una lista de sitios FTP cuando se conecta por primera vez a su servidor. Una referencia de sitio FTP mantiene su nombre de servidor e información de acceso para que no tenga que facilitarlo cada vez que se conecta a su servidor Web (véase la figura 6.5). Una lista de sitios ahorra tiempo y dolores de cabeza en el futuro, especialmente si se conecta a muchos servidores FTP diferentes, por lo que asegúrese de que dedica unos segundos a crear una.

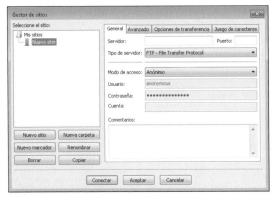

Figura 6.5. Lista de sitios FileZilla.

Añadir nuevos archivos

Después de conectarse a un servidor FTP, todo lo que tiene que hacer es arrastrar los archivos desde su ordenador al servidor.

Esto no elimina los archivos desde su ordenador, sino que sitúa una copia en el servidor FTP.

Nota: Cuando tenga duda, cancele un cambio para sobrescribir un archivo. De esta forma, no sobrescribirá algo por error.

Cambiar archivos existentes

Si intenta copiar un archivo que ya existe en el servidor FTP, el programa FTP le alerta de ello. Le ofrece la opción de sobrescribir el archivo o cancelar la transferencia (véase la figura 6.6). Tenga cuidado cuando realice esto porque no querrá sobrescribir los archivos equivocados.

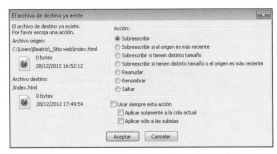

Figura 6.6. Esta ventana le permite sobrescribir el archivo o cancelar la transferencia.

DESCARGAR ARCHIVOS DESDE UN SERVIDOR FTP

¿Qué sucede si encuentra un archivo en Internet y quiere descargarlo? Si tiene acceso FTP al servidor que almacena el archivo que busca, necesita conectarse al servidor y hacer lo contrario del proceso de envío.

Un archivo o muchos

Cuando descarga un archivo o un grupo de varios, ambos se descargan de igual forma pero cuando descarga un grupo de archivos, puede que tenga que hacer algunas cosas más, como ejecutarlos o descomprimirlos para extraer los archivos individuales a su ordenador. Lo que tiene que hacer para diferentes tipos de archivos se trata en el siguiente apartado.

Descargar desde un navegador

La mayoría de los navegadores le permiten descargar archivos; simplemente haga clic en el hipervínculo o utilice un submenú para descargarlo. Esto funciona de forma similar a un FTP
con el que descarga una copia del archivo a su ordenador. Descargar un archivo desde Internet no afecta al archivo en Internet.

Tipos de archivos de descarga

Dependiendo del archivo y su sistema operativo, las descargas se realizan en diferentes tipos de archivos. Algunos de estos archivos son fáciles de gestionar mientras que otros requieren programas especiales.

> **Nota:** Si un archivo que ha descargado no tiene extensión o no está familiarizado con las extensión de archivo, tome la ruta segura e investigue la extensión de archivo antes de descargarlo a su ordenador. Este sitio lista cientos de extensiones de archivos en orden alfabético:
>
> `http://filext.com/alphalist.php ?extstart=^A`

Los archivos normalmente tienen dos partes: el nombre del archivo y el sufijo que es la extensión del archivo. La extensión del archivo viene detrás del punto (.) en el nombre de archivo. La extensión de archivo le dice el tipo de archivo. También le dice al sistema operativo el programa a utilizar para abrirlo por defecto. Así, por ejemplo, `logo.bmp` es un archivo denominado "logo" que es del tipo "BMP" o mapa de bits.

Los siguientes apartados describen algunos de los tipos comunes de archivos y sus usos.

Archivos de imagen (GIF, JPG, TIFF, BMP)

Los archivos gráficos no requieren que se realice nada especial con ellos después de descargarlo pero debe tener un programa de gráficos para verlos y editarlos. En estos momentos, la mayoría de los sistemas operativos pueden tratar con estos archivos y se los muestran pero puede que se encuentre con un archivo que no se abre de inmediato. El programa de gráficos GIMP (http://www.gimp.org/) de código abierto debería abrir cualquier cosa que necesite.

EXE (Windows)

EXE es una extensión utilizada para archivos ejecutables, que son archivos que se ejecutan cuando se hace clic en ellos. En Windows, todo lo que tiene que hacer es doble clic en el archivo descargado, y empieza a ejecutarse.

> **Nota:** Tenga cuidado con los archivos EXE: Archivos dañinos que pueden dañar su ordenador, pueden estar almacenados dentro de archivos ejecutables. Ejecute solamente los archivos que descargue de una fuente de confianza.

ZIP

Un archivo ZIP comprime uno o varios archivos en otro más pequeño. Este nuevo archivo más pequeño contiene los archivos y mantiene la estructura de archivo cuando se descomprime. La mayoría de sistemas operativos le permiten hacer doble clic en estos archivos para abrirlos (véase la figura 6.7).

DMG (Mac)

DMG es básicamente la versión Mac del archivo ejecutable. Cuando descarga un archivo así a su Mac, simplemente haga doble clic en él para ejecutarlo.

ISO

ISO es un tipo especial de archivo comprimido que toma la totalidad de un CD o DVD y lo sitúa en un archivo. Necesita un programa especial que pueda descomprimir estos archivos y le permita interactuar con los contenidos.

Mejores prácticas para la descarga de archivos

Como los archivos que utiliza para crear su sitio Web, mantener sus descargas organizadas es esencial. La organización le permite encontrar archivos que esté buscando y conservar espacio. Aquí tiene algunas buenas prácticas para la descarga de archivos:

Figura 6.7. Los contenidos de un archivo zip.

▶ **Utilice un escáner de virus en todas las descargas:** Internet está llena de gente estupenda pero existen algunas manzanas podridas. Asegúrese de que escanea todo lo que descargue en busca de virus antes de abrirlo en su sistema.

▶ **Mantenga todas sus descargas en un único lugar:** Cuando descarga muchos archivos, necesita mantenerlos en un lugar de modo que pueda encontrarlos después de descargarlos. Utilizo una carpeta denominada Downloads donde todos mis navegadores sitúan las descargas.

▶ **No descargue a su escritorio:** Un lugar a donde no debería descargar archivos es su escritorio. Esto simplemente va a saturar su escritorio y hacer que sea difícil encontrar algo.

▶ **Elimine paquetes de archivos grandes después de descomprimirlos:** Si descarga archivos grandes, como archivos ISO, debería eliminar el archivo después de descomprimirlo. No querrá comerse el espacio de su disco duro con archivos que se utilizan solamente una vez.

7. Elementos de un sitio Web

En este capítulo aprenderá:

- ▶ Contenido.
- ▶ Partes de una página Web.
- ▶ Partes de un sitio Web.
- ▶ Publicidad Web.

Antes de pasar a crear su sitio Web, necesita comprender sus partes. He tratado las definiciones de una página y un sitio Web anteriormente en este libro, pero estas definiciones hay que ampliarlas si vamos a tratar los elementos fundamentales de las páginas y sitios Web.

Este capítulo trata lo que crea un buen contenido de sitio Web, las partes de una página Web y las partes de un sitio Web. Por último, trata la publicidad Web y si tiene cabida en su sitio Web.

CONTENIDO

El contenido es lo fundamental de su sitio Web y es la razón por la que las personas acuden a él. Si tiene un contenido único y excelente, las personas no tienen ninguna razón para no escribir su URL o hacer clic en un vínculo que lleve a su sitio.

Este apartado trata algunas buenas prácticas para desarrollar el contenido de su sitio Web.

Mejores prácticas de contenido

La temática de su contenido depende de usted pero existen algunas buenas prácticas para cualquier contenido:

► **El contenido debería centrarse en su objetivo:** El contenido de su sitio Web debería centrarse en su objetivo. Nada desanima más a los visitantes que un contenido no centrado en el objetivo. Un sitio Web para máquinas de escribir antiguas no debería contener imágenes de los nuevos cachorros de su perro en la página principal. Defina lo que se va a tratar en su sitio Web y no se desvíe del tema.

► **El contenido debería ser personal:** Si es posible, haga que su contenido sea personal. Tiene personalidad y yo estoy interesado en lo que tiene que decir. De hecho, muchas personas estarán interesadas en lo que tiene que decir. Nadie ha tenido las mismas experiencias que usted, por lo que su contenido es único. Si su sitio es un sitio de negocios, aplique la personalidad del negocio en su contenido. Un sitio para una empresa de payasos debería ser diferente de un sitio de un asesor financiero.

► **El contenido debería ser de alta calidad:** Siéntase orgulloso de lo que está incorporando en su sitio. Asegúrese de que su contenido está bien escrito y no contiene errores. Proporcione el mejor sitio posible a sus visitantes.

► **El contenido debería ser único:** No sea un repetidor, sea innovador. Incluso si está publicando lo que otra persona ya ha publicado, díganos lo que piensa de ello; apórtenos su visión. La Internet Movie Database (véase la figura 7.1) ha tenido éxito gracias a su contenido único.

► **El contenido debería ser apropiado para la audiencia:** Piense en su audiencia cuando cree su contenido. ¿Qué espera su audiencia del contenido de su sitio? Si estuviera creando un sitio Web para niños en edad preescolar, no utilizaría un lenguaje de nivel universitario.

Estándares de contenido

No puede controlar quién visita su sitio Web. Puede ser su jefe, su abuela o un niño de ocho años que vive al otro lado de la calle. Estas personas podrían tener diferentes estándares de lo que es apropiado. No le voy a decir que censure su contenido pero tenga en cuenta que puede ser visto por una amplia variedad de personas. Si su sitio tiene cierto contenido "de riesgo" que es de carácter más maduro (como lenguaje, chistes o imágenes), el tipo de cosas que no quiere que vea su abuela, podría considerar etiquetar claramente ese contenido para advertir a aquellos que se pudieran sentir ofendidos por ello.

Figura 7.1. La Internet Movie Database tiene algunos de los mejores contenidos en Internet.

NSFW

Es posible que haya escuchado en mensajes de correo electrónico o en blogs que la gente hace referencia a cierto contenido como NSFW (*Not Safe For Work*, No apto para ver en el trabajo). La idea es que no es el tipo de contenido que debería ver en el trabajo sino que es mejor verlo en casa. Esto incluiría imágenes o contenido para adultos. Si no está seguro de si su contenido encaja en esa categoría, es posible que desee etiquetarlo como NSFW.

PARTES DE UNA PÁGINA WEB

Este apartado trata algunas de las partes estándar del diseño de una página Web. Estas partes son diferentes del contenido. Proporcionan contenedores para su contenido. No toda página Web cuenta con todos estos elementos pero una buena página Web contiene la mayoría de ellos.

Título

El título de una página Web aparece en la barra de título del navegador que muestra su página Web. Podría parecer algo a pasar por alto, pero puede ser importante. Ésta es la forma en que se identifica su página cuando los visitantes revisan los títulos en la barra de tareas. Cuando un navegador se minimiza o su página Web aparece en una pestaña, el título aparece en la pestaña o en la barra de programas (véase la figura 7.2).

El título se define por una etiqueta HTML en su código.

Cabecera

La cabecera de una página Web es un área que ocupa la parte superior de la página. No hay un tamaño establecido para ello pero una convención común dicta que la cabecera no sea más de un cuarto de la longitud total de la página y que ocupe el ancho de la página.

Figura 7.2. El título de Google Calendar se muestra en la parte superior de mi navegador y en la pestaña.

Figura 7.3. La parte de la cabecera de la página Twitter.com.

Una cabecera puede contener información del título del sitio y elementos de navegación (véase la figura 7.3). Una cabecera también se puede utilizar una y otra vez en cada una de las páginas para aumentar la consistencia del sitio Web. Si tiene un archivo de cabecera consistente para todas sus páginas, solamente tiene que cambiar ese archivo una vez para actualizar todo el sitio.

Cuerpo

El cuerpo es la parte principal de su página Web. La mayor parte de su contenido va en el cuerpo de la página. No existen estándares para el cuerpo de una página Web pero tenga en cuenta que su contenido debería ser visual, fácil de leer (véase la figura 7.4). Por ejemplo, si el cuerpo de una página Web ocupa todo el navegador, podría ser difícil de leer en algunas pantallas.

Figura 7.4. El cuerpo del sitio Web de IBM.

Pie de página

Al otro lado de la cabecera está el pie de página. Ocupa toda la parte inferior de la página y se puede utilizar para elementos de información o navegación (véase la figura 7.5). Igualmente, como la cabecera, es bueno replicarlo en cada una de las páginas del sitio Web para mantener la consistencia. Si tiene un archivo de pie de página consistente para todas sus páginas, solamente necesita cambiar ese archivo una vez para actualizar todo el sitio. También es un área común para la información de contacto.

Barras laterales

A los lados del área de contenido del cuerpo, podría querer añadir barras laterales. Se trata de columnas de contenido de sitio Web más altas que anchas. Como el encabezado y pie de página, estas barras laterales pueden contener cualquier cosa pero son buenas para campos de búsqueda y elementos de navegación (véase la figura 7.6).

Figura 7.5. El pie de página del sitio Web de Apple.com.

Figura 7.6. Este sitio Web tiene barras laterales a cada lado del cuerpo del contenido.

Elementos de navegación

Diferentes partes de su página Web pueden incluir elementos de navegación. Éstas son cosas importantes a incluir en toda página Web. Los elementos de navegación son los vínculos a las otras páginas del sitio Web. Sin los elementos de navegación, un visitante a su sitio Web no puede orientarse, moverse y acceder a todo su contenido.

Sus elementos de navegación pueden ser texto, botones o un menú. No existe un formato establecido para el aspecto que deberían tener sus elementos de navegación, si bien deberían ser completos y consistentes (véase la figura 7.7). Aquí tiene algunos requisitos básicos para sus elementos de navegación:

Figura 7.7. Este sitio tiene excelentes elementos de navegación.

- **Completos:** Asegúrese de que todas sus páginas en su sitio son accesibles desde todas las otras páginas en su sitio. Todo sitio debería contar con algunos elementos de navegación en cada página.

- **Consistencia:** Los elementos de navegación deberían aparecer en el mismo lugar y contener los mismo vínculos en cada página. Si elige desactivar el vínculo de la página, asegúrese de realizar eso en todas las páginas.

- **Fácil de leer:** Los elementos de navegación que utiliza deberían ser fáciles de leer y entender. Nadie quiere hacer clic en un vínculo que no lleva al contenido deseado.

- **Fácil de encontrar:** No oculte sus elementos de navegación en su página Web. Deberían ser fáciles de encontrar y estar en el mismo lugar en todas las páginas.

PARTES DE UN SITIO WEB

Igual que hay partes de una página Web, existen partes de un sitio Web. No todo sitio Web tiene todas estas partes pero debería conocerlas y determinar si su sitio Web las necesita.

Página principal

La página principal es la parte más importante de su sitio Web. La página principal es la página que se carga primero cuando se escribe el URL de su sitio Web en cualquier navegador.

Cuando escribe su URL en un navegador, éste conecta con su servidor Web y solicita su página principal. Por defecto, el servidor Web envía la página `index.htm` o `index.html` al navegador. Ésta es una convención que hace que la Web funcione tan bien.

La página principal es el lugar donde crea su primera impresión en sus visitantes, por lo tanto, asegúrese de que sitúa lo mejor en ella. La página principal también debería ser el punto central de su sitio Web. Sitúe su mejor contenido y más actualizado en su página principal (véase la figura 7.8). Las personas no van a pasar tiempo en su sitio Web a menos que haga que su página principal sea la mejor parte.

Páginas de contenido

Su sitio Web va a contener sus propias páginas únicas de contenido (páginas de producto, páginas de imagen, y ese tipo de cosas) pero este apartado lista un par de ejemplos de páginas estándar de contenido.

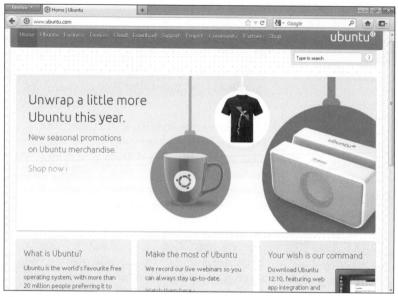

Figura 7.8. Un ejemplo de una página principal.

Página Sobre mí

La página Sobre mí es autoexplicativa. Debería incluir información sobre quién es y por qué ha creado el sitio Web. Asegúrese de que la información es clara, completa y está actualizada.

Páginas de productos

Si dirige un sitio comercial, podría querer crear páginas para cada uno de sus productos o categorías de productos.

Asegúrese de que la información está agrupada de tal forma que tenga sentido y sea fácil de encontrar.

Calendario

Si va a publicar cualquier tipo de información relacionada con fechas, es posible que desee tener un calendario de eventos. Esto podría ser tan sencillo como las horas en que está abierto. Lo importante a recordar es que si crea una página de calendario tiene que mantenerla actualizada.

Mapa del sitio

Un mapa del sitio es como un índice de todo su sitio Web. Normalmente es una lista jerárquica de las páginas que conforman su sitio. Si puede, debería utilizar una característica de búsqueda en lugar de los mapas de sitio aunque, si realmente desea tener uno, algunos visitantes podrían encontrarlo de utilidad.

Preguntas frecuentes

Puede tener una lista de las preguntas y respuestas más frecuentes (FAQ) acerca de la finalidad o contenido de su sitio Web (véase la figura 7.9). Esta lista debería incluir preguntas

y respuestas sobre sus productos o servicios o cualquier otra cosa sobre la que crea que sus visitantes pueden preguntar de forma frecuente. Esta lista permitirá a las personas encontrar la información que necesitan de forma rápida y organizada. Mantenga su FAQ actualizada.

Información de contacto

Añadir su información de contacto a su sitio Web permite que las personas se pongan en contacto con usted con comentarios y preguntas sobre su sitio. Esto puede incluir su nombre, dirección, número de teléfono, y dirección de correo electrónico.

Figura 7.9. Un ejemplo de una FAQ excelente de sitio Web.

> **Nota:** Tenga en cuenta que los spammers pueden encontrar y utilizar su información de contacto. Una forma de evitarlo es escribir su dirección de correo electrónico en palabras para que los programas de spam no lo encuentren. Por ejemplo, en lugar de mark@markwbell.com, intente utilizar mark en markwbell punto com.

¿CÓMO ORGANIZO MI SITIO?

Todo esto parece bastante fácil hasta que empieza a ponerse en práctica. Me he encontrado con numeroso contenido para un sitio y ninguna organización. ¿Qué hacer entonces? ¿Cómo organizar el contenido? Quiero ayudarle de dos formas. En primer lugar, hablo de las estructuras que puede utilizar para organizar el contenido y, en segundo lugar, una forma práctica y real de pensar en su contenido y conseguir que su organización sea más sencilla.

En primer lugar, para organizar algo correctamente, necesita una estructura. Esta estructura es como los huesos de su cuerpo. Proporciona apoyo y forma. Los huesos no le mueven pero proporcionan el soporte para el sistema que lo hace. En términos de organización, veo las estructuras como grupos de niveles. Para mí, el nivel superior es la temática y objetivo de su sitio. Por debajo están los encabezados que agrupan su contenido en bloques significativos. Por lo general, tengo dos niveles de contenido. Cada categoría o nivel tiene subniveles, y creo páginas para cada nivel de la categoría. Por ejemplo, en un sitio Web de un restaurante podría tener categorías para cosas como Comida, Ubicación y Horarios. Cada una de ellas las separaría en una página aparte. Luego, por debajo, utilizaría subencabezados para cada categoría. Para el sitio del restaurante, la página Comida podría incluir los menús de la comida y la cena. Lo importante a recordar es que su contenido debería definir sus encabezados y subencabezados. Dedique tiempo a analizar esto.

Por lo tanto, niveles, subencabezados, categorías y todo lo demás podrían confundirle. Un aspecto práctico que aplico como ayuda para organizar un sitio es situar bloques de mi contenido en fichas. Esto me ayuda a ver qué es lo que encaja bien junto o lo que debería ir solo. Utilizar fichas me permite moverlas y jugar con ellas y conseguir un nuevo enfoque. Una cosa que siempre intento hacer con este enfoque es, después de tener una estructura que me gusta, mover las fichas de nuevo y plantear un enfoque totalmente nuevo. Esto puede proporcionar una nueva idea o reforzar la idoneidad de las primeras. De cualquier forma, obtiene una nueva perspectiva del contenido.

Organizar contenido puede abrumarle. No tema mostrar su contenido a su jefe e implicarle en la estructura que funciona mejor y conduce a un sitio Web de utilidad y bien definido.

PUBLICIDAD WEB

Una forma en que puede subvencionar su sitio Web es mediante la venta de espacio de publicidad. En primer lugar, no es una forma rápida de hacerse rico. Generar ganancias por medio de la publicidad Web es difícil y poco probable pero podría subvencionar parte de los costes de su sitio Web.

> **Nota:** Ésa es una sencilla visión de conjunto de la publicidad Web. Si establece una relación comercial con otros (especialmente en Internet), asegúrese de evaluar todas las opciones.

Antes de que empiece a buscar anunciantes para su sitio Web, es posible que desee dedicar algo de tiempo y energías a hacer que su sitio sea lo mejor que pueda ser y atraer a los anunciantes de esta forma.

Anuncios en banners

Los anuncios en banners son publicidad que aparece en diferentes lugares en su sitio Web que permiten que la gente haga clic en ellos y se dirijan al sitio del anunciante. Básicamente se paga por proporcionar un vínculo a otro sitio Web.

Anuncios animados

En los últimos años, ha habido una tendencia en la publicidad de los sitios Web a crear anuncios animados o interactivos para atraer la atención de los visitantes a su sitio. Desafortunadamente, tienden a tener los efectos contrarios y simplemente molestan a los visitantes. Mi consejo aquí es no utilizar estos anuncios en su sitio Web.

Google AdSense

Una de las mejores opciones para utilizar anuncios en su sitio Web es utilizar el servicio Google AdSense (`https://www.google.com/adsense/`; véase la figura 7.10). Este servicio sitúa anuncios en su sitio Web basado en su contenido y le paga una pequeña cantidad por ellos. Estos anuncios son menos intrusivos que los anuncios de banner que captan la atención pero no tiene control sobre lo que se muestra o cuándo. Digamos que tiene un sitio basado en su afición a coleccionar sellos. Google AdSense analiza su página en busca de palabras clave y muestra anuncios en base a esas palabras clave (véase la figura 7.11). Google tiene reglas específicas con AdSense, por lo tanto, asegúrese de leer la letra pequeña antes de suscribir el servicio.

Figura 7.10. Página Web de Google AdSense.

Figura 7.11. Google AdSense utilizado en un sitio Web.

iSocket

Otro servicio de publicidad más reciente es iSocket. Comparte muchas de las características de Google AdSense, no tiene ningún contrato, le permite aprobar los anuncios antes de que se muestren y tiene un buen rendimiento.

Widgets de publicidad

Puede que haya observado en algunos sitios Web que existen widgets de publicidad que le permiten interactuar con las empresas directamente desde un sitio Web.

Los grandes minoristas online quieren atraer tráfico a sus sitios, por lo que ofrecen estos widgets para que los utilice y personalice. Amazon, por ejemplo, tiene una amplia variedad de widgets (véase la figura 7.12). Por ejemplo, tengo un widget de Amazon en mi sitio que muestra mis últimos libros. Si hace clic en el vínculo del libro, va directamente a Amazon, que lista los precios actuales de mis libros. Igualmente el widget de Amazon me da una pequeña comisión si la gente compra libros desde mi sitio. Si trabaja con una empresa de terceros para vender su producto, compruebe si hay un widget que pueda situar en su sitio Web.

Figura 7.12. Sitio Web del widget de Amazon.

8. Utilizar sitios Web existentes

En este capítulo aprenderá:

- ▶ Sitios de redes sociales.
- ▶ Otros sitios Web 2.0.
- ▶ Promocionar su sitio Web en otros sitios.

Muchos de ustedes han elegido este libro porque quieren crear su propio sitio Web. Pero algunos de ustedes simplemente quieren crear una presencia Web y no están interesados en crear todo un sitio Web, o podrían querer hacer crecer su sitio Web con una presencia en los medios sociales. Cualquiera que sea la razón, es afortunado. Existen sitios Web (facebook.com, twitter.com, pinterest.com) que le permiten crear un perfil, conocer otras personas, compartir imágenes y obtener información, todo ello sin tener que implicarse en la planificación del sitio, los servidores Web, el HTML o la navegación. En su forma más avanzada, estos sitios ofrecen blogs, álbumes de fotos, funciones de correo electrónico, mensajería instantánea, todo ello bajo el paraguas de un sólo sitio Web. Si ya tiene una cuenta en uno de estos sitios pero necesita algo más, probablemente necesita su propio sitio Web. Si no está seguro, regístrese en estos sitios y compruebe si cumplen sus necesidades.

Una de las ventajas de este tipo de sitio Web es que le permiten promocionar su sitio ante otras personas. Estos sitios son también buenos para aumentar toda su presencia Web. Esto significa que tiene un sitio Web que vincula con otros sitios donde también tiene cuentas. Cada uno de estos sitios tiene diferentes propósitos y, al trabajar de forma conjunta con todos ellos, puede mejorar su identidad en Internet.

Por ejemplo, su festival de música local necesita un sitio Web excelente pero también debería contar con una página en Facebook y una cuenta en Twitter. La página en Facebook proporciona a los organizadores y asistentes un lugar en el que compartir información e interactuar. La cuenta de Twitter podría permitir una comunicación más rápida con los músicos, ya que llega a una audiencia mayor. Soy miembro de todos estos sitios Web y, cuando publico una nueva entrada de blog o voy a dar una conferencia, utilizo estos sitios para promocionar estos eventos.

SITIOS DE REDES SOCIALES

Las redes sociales llevan en funcionamiento desde el principio de los tiempos. Los sitios Web de redes sociales empezaron a aparecer en Internet en 2002. Desde su aparición, estos sitios se han convertido en un tipo dominante de sitio Web, incluso han aparecido en la portada de la revista *Time*. La mayoría de la gente ha oído hablar de estos sitios, y son millones los usuarios que tienen abierta una cuenta.

Un sitio de red social le permite crear un perfil, conectarse con otras personas y compartir sus fotos. Un perfil de red social es como una página principal sobre usted. Contiene información personal (toda la que quiera proporcionar) y actúa como punto central para las otras características de los sitios de redes sociales.

Las redes sociales se podrían ver como algo que es para gente joven aunque cada vez más personas de todas las edades las utilizan.

Advertencia: Las características de estos sitios están sujetas a cambios sin previo aviso, por lo que podría encontrar algunas diferencias entre lo que ve en pantalla y lo que lee aquí.

Este apartado trata tres de las redes sociales más importantes y explica cómo utilizarlas. Si ya es miembro de alguno de estos sitios, revise ese determinado apartado para asegurarse de que está aprovechando al máximo su experiencia de red social.

MySpace

MySpace (`http://www.myspace.com`) comenzó en 2003 y surgió de una empresa de Internet denominada eUniverse. Tiene todas las características estándar de una red social y algunas otras que son similares a los sitios que le permiten crear sitios Web. Cuenta con millones de usuarios y fue muy popular en Internet. En 2005, MySpace se había vuelto tan popular que el conglomerado de medios News Corporation lo compró por 580 millones de dólares. Desde entonces, MySpace ha caído en tiempos difíciles. En estos momentos, es popular entre algunos nichos de mercado pero no es el sitio dominante que una vez fue.

> **Advertencia:** Como con cualquier información de cuenta, mantenga la confidencialidad. Compartir esta información permite a aquellos que saben hacer cambios en su cuenta MySpace.

Facebook

Mark Zuckerberg creó Facebook en 2004 como forma de conectar a los estudiantes de la Universidad de Harvard. Rápidamente se expandió a otras universidades y escuelas. Originalmente era necesario disponer de una dirección de correo electrónico asociada con una institución educativa para utilizar Facebook pero, en 2006, se abrió a todos los usuarios y no ha dejado de crecer desde entonces. Como MySpace, Facebook cuenta con millones de usuarios.

> **Advertencia:** Como con cualquier información de cuenta, manténgala confidencial. Compartir esta información permite a aquellos que saben hacer cambios en su cuenta Facebook.

Este apartado trata los fundamentos básicos de utilizar Facebook y algunas de las características de los sitios Web.

Crear una cuenta

Antes de poder crear su perfil Facebook, debe tener una cuenta. Esto le permite conectarse y autenticarse:

1. Abra un navegador y luego vaya a `http://www.facebook.com` (véase la figura 8.1).

2. Facilite entonces la información que necesita para crear una cuenta en Facebook.

3. Confirme su dirección de correo electrónico.

4. Haga clic en **Regístrate**.

5. Busque en sus contactos de correo electrónico otros usuarios Facebook e invite a otras personas (véase la figura 8.2).

6. Escriba la información para su perfil de Facebook.

7. Se muestra su página Facebook (véase la figura 8.3).

Figura 8.1. El sitio Web Facebook.com.

Figura 8.2. Utilice esta página para encontrar a sus amigos que podrían estar ya en Facebook.

Figura 8.3. Mi perfil en Facebook.

Personalizar tu perfil

Después de crear un perfil puede añadirle información variada sobre si mismo. Recuerde que todo el que tenga Facebook y le busque, tendrá acceso a esta información. Procure no publicar datos personales que le comprometan.

1. Para editar su perfil, haga clic en el vínculo **Actualizar información** en su perfil. Esto muestra la página de perfil (véase la figura 8.4).

2. Después de que haya editado su perfil, haga clic sobre el botón **Edición terminada**.

Conectarse con otros usuarios

Facebook le ofrece una serie de formas de conectarle con otros usuarios. Puede enviarles correo electrónico, chatear con ellos y unirse a grupos.

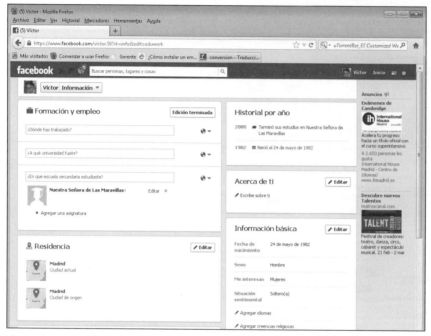

Figura 8.4. La página Editar perfil en Facebook.

▶ **Correo electrónico:** Facebook ofrece un sistema de correo electrónico interno totalmente funcional que también gestiona sus mensajes, solicitudes de amigos y otras conexiones.

▶ **Chat de Facebook:** Facebook le permite chatear con otros usuarios Facebook desde la página de Facebook (véase la figura 8.5).

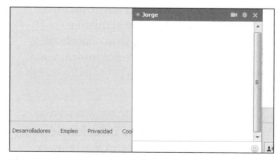

Figura 8.5. Utilizar el chat de Facebook.

▶ **Grupos de Facebook:** Facebook le permite conectarse con personas con intereses comunes. Recuerde: cuando se une a un grupo, se hace visible a otros usuarios Facebook.

Características del sitio Web

Facebook tiene algunas características de un sitio Web. Si todavía no las utiliza, deles una oportunidad.

▶ **Muro:** Si le gusta el perfil de alguien o quiere enviar a alguien un mensaje público, puede dejar un comentario en el muro de esa persona. Recuerde que el muro es público para otros; no publique nada demasiado personal.

▶ **Biografía:** Su perfil Facebook ahora se muestra como una biografía, permitiéndole ver todo lo que haya realizado en el sitio.

▶ **Notas:** Facebook le permite crear notas en su perfil que son como entradas de blog. Puede publicar vínculos de sitio Web o vídeos dentro de estas notas.

▶ **Galería de fotos:** Facebook le permite tener cientos de imágenes en su página que el público puede ver. Puede crear notas en estas imágenes y recopilarlas en albumen de fotos.

▶ **Aplicaciones:** Facebook inició la locura de las aplicaciones, que siguió MySpace. Para más información sobre las aplicaciones Facebook, consulte el sitio Web de desarrolladores Facebook en `http://developers. facebook.com/`. Véase la figura 8.6.

Twitter

Es posible que ya se haya hecho una idea de los que son los blogs, y con ello viene el *microblogging*, que permite enviar y publicar mensajes breves en sólo 140 caracteres, en una mezcla de sala de chat, blog y feed de noticias continuo. Aunque no para todo el mundo (podría no importarle cuándo sus amigos van a la frutería), puede llegar a ser maravillosamente adictivo. Twitter (Twitter.com) es, en estos momentos, el sitio de *microblogging* más popular. Lo utilizo para promocionar mis mensajes de blog y mis charlas, y compartir cosas que encuentro.

Desde la primera edición de este libro en 2009, Twitter ha despegado rápidamente. Se ha convertido en parte de eventos internacionales y en la vida diaria de millones de personas en todo el mundo. Recientemente, Twitter ha lanzado un botón Tweet (véase la figura 8.7). Este botón le permite situar código en su sitio Web y, cuando se pulsa, permite al visitante enviar un tuit automáticamente sobre su sitio.

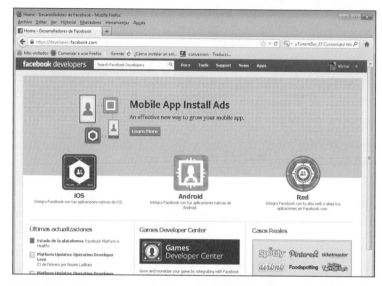

Figura 8.6. El sitio Web de los desarrolladores Facebook.

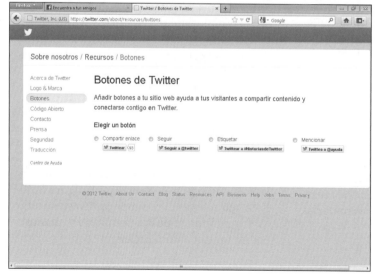

Figura 8.7. El nuevo botón de Twitter viene con todo lo necesario para añadirlo a su sitio Web.

También puede utilizar los plug-ins disponibles por medio de Twitter para situar su feed Twitter en su sitio Web. Esto permite a sus visitantes ver las cosas sobre las que tuitea y elegir seguirle.

OTROS SITIOS WEB 2.0

Web 2.0 es un bonito nombre para sitios Web que le permiten interactuar con otras personas por medio de su navegador Web. Facebook y MySpace le permiten conectarse con sus amigos. Otros sitios le permiten conectarse por medio de fotos y vínculos de sitio Web. Este apartado trata algunos ejemplos de sitios Web 2.0.

Las redes sociales no son los únicos sitios en Internet que son de utilidad para el desarrollo Web o la promoción. Otros sitios Web 2.0 le permiten compartir imágenes, vínculos y microblogs. (Sabrá más de esto en un minuto.) Este apartado trata algunos de estos.

Pinterest

Desde su lanzamiento a principios de 2010, Pinterest.com ha despegado rápidamente. El sitio le permite recopilar imágenes y vídeos al "pincharlos" en colecciones denominadas tableros (véase la figura 8.8) que puede compartir con sus amigos. En dos años,

Pinterest se ha convertido en una de las redes sociales más grandes de Internet, con más de 12 millones de usuarios habituales. La inmensa mayoría de usuarios de Pinterest son mujeres pero, ahora, empresas, gobiernos y organizaciones sin ánimo de lucro lo utilizan para aumentar su alcance y conciencia.

Flickr

Flickr (`http://www.flickr.com`) es el sitio Web de compartición de fotografías más grande del mundo (véase la figura 8.9).

Le permite crear un perfil, almacenar sus imágenes, mirar las imágenes públicas del resto de personas, abrir sus fotos personales sólo a la familia y amigos, y compartir sus imágenes con grupos de personas. El sitio está lleno de impresionantes y divertidas características, por lo que no deje de visitarlo.

Delicious.com

Este sitio Web (`http://www.delicious.com`) podría parecer sencillo al principio pero ofrece una forma de almacenar y organizar sus favoritos (al etiquetarlos) y le permite compartirlos con otros creando, de esta forma, conexiones en las que nunca hubiera pensado. Es una visita obligada para cualquiera que investigue la Web y para cualquiera que todavía no conozca esta magnífica dirección.

Figura 8.8. La página principal de Pinterest.com.

Figura 8.9. Flickr.com tiene algunas de las mejores fotografías en Internet.

PROMOCIONAR SU SITIO WEB EN OTROS SITIOS

Como se ha mencionado, los sitios de redes sociales y otros sitios Web 2.0 son lugares excelentes para que promocione su sitio Web. Esto no es tan sencillo como volver a publicar sus vínculos en tantos lugares como pueda. Aquí tiene algunas de las mejores prácticas de uso de sitios sociales para promocionar su sitio Web.

▶ **Mencione su sitio Web, pero también hable de otras cosas:** No querrá ser la persona en la fiesta que sólo habla de trabajo. Vuelva a publicar vínculos a su sitio Web pero también promocione y hable de otras cosas en los espacios sociales.

▶ **Hable de sus logros:** Si su sitio tiene contenido nuevo o ha recibido cierto reconocimiento, no dude en hablar de ello pero, de nuevo, no deje que sea la única cosa de lo que habla.

▶ **Promocione a otros:** Uno de los grandes usos de los medios sociales es la capacidad de cantar las alabanzas de los demás. Que el mundo sepa las cosas que le gustan, el buen karma vendrá de nuevo a usted.

▶ **Proporcione nuevo contenido en diferentes lugares:** No diga lo mismo en todos los sitios, utilice diferentes canales para promocionar diferentes mensajes. Al aprender la cultura de cada uno de estos sitios, se dará cuenta de cuál es la mejor información a promocionar en los mejores sitios.

9. Servicios de página Web

En este capítulo aprenderá:

- ▶ Google Sites.
- ▶ Weebly.
- ▶ Webs.

Quizá no esté seguro de si necesita un sitio Web en toda regla con su propio servidor Web, pero sabe que quiere algo más de lo que los sitios Web tratados en el capítulo anterior tienen que ofrecer.

Afortunadamente, existen muchas personas como usted que quieren la mayor parte de la funcionalidad de un sitio Web pero no quieren la complejidad del mantenimiento y carecen del conocimiento técnico necesario. Existe un tipo de herramienta de creación de sitio Web para este tipo de personas, comúnmente conocidas como servicios de página Web.

Estos servicios permiten a los usuarios crear sitios Web utilizando simplemente su navegador Web (véase la figura 9.1). Estos sitios tienen muchas características de un sitio Web independiente (páginas, imágenes, vínculos, widgets) pero no requieren que establezca un servidor Web o pague por tener un host. Si está interesado en crear un sitio Web barato y no va a recibir mucho tráfico, ésta es definitivamente su opción. No tendrá toda la parafernalia pero hará exactamente lo que necesita.

Este capítulo trata cómo registrarse y crear sitios que utilizan estos servicios de páginas Web, y trata las características y limitaciones de cada uno de ellos. Son gratuitos pero cada uno con sus características diferentes, por lo tanto explórelos todos antes de tomar una decisión.

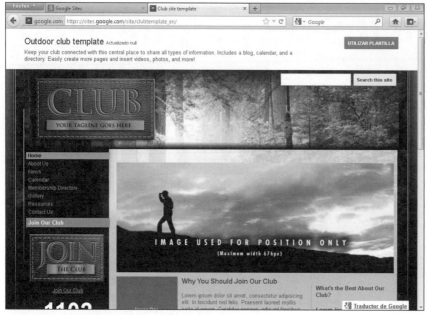

Figura 9.1. La plantilla Outdoor Club de Google.

> **Nota:** Estos servicios de página Web se están continuamente actualizando y mejorando, por lo tanto las indicaciones e imágenes en este libro podrían ser diferentes de lo que aparezca en la pantalla de su ordenador.

ANTES DE COMENZAR

Proporcionar servicios para páginas Web cuesta dinero a las empresas; estas empresas no son la excepción. Estos servicios cuentan con opciones gratuitas pero sea cauto, pues muchas veces se cobran cargos ocultos. Los servicios que he elegido para este capítulo tienen opciones gratuitas así como características adicionales por una cuota. Lea toda la información sobre estos sitios detenidamente antes de registrarse.

GOOGLE SITES

Todos sabemos que Google.com es prácticamente el estándar entre los motores de búsqueda Web pero ¿sabía que también tiene un servicio de página Web? El servicio de página Web se denomina Google Sites y se lanzó en 2008. Google Sites se basa en el servicio de página Web de una empresa Google denominada Jotspot.

Este apartado trata cómo registrarse en Google Sites, definir una dirección de sitio Web, crear páginas y aplicar temas.

> **Truco:** Si está trabajando en la Web, es esencial disponer de una cuenta Google. Le permite acceder a todos los sitios de Google, y es gratuita.

Registrarse en Google Sites

Google Sites utiliza una cuenta Google existente o le permite crear una nueva.

Si ya tiene una cuenta Google (para Gmail, Google Reader o Google Groups), todo lo que tiene que hacer es utilizar la misma dirección de correo electrónico y contraseña para Google Sites. Si tiene una cuenta Google, puede saltarse este apartado y dirigirse directamente a la creación de un sitio Google, que aparece más adelante en este capítulo.

Para abrir una nueva cuenta Google, empiece en la página principal de Google Sites:

1. Abra un navegador y luego escriba `http://sites.google.com/`. Esto abre la página principal de Google Sites (véase la figura 9.2).

2. Haga clic en el botón **Crear cuenta**. Esto le lleva a la página Crear una cuenta (véase la figura 9.3).

3. En el apartado Información obligatoria para la cuenta de Google, escriba una dirección de correo electrónico y una contraseña, y luego vuelva a escribir la contraseña.

4. En el siguiente apartado, tiene la opción de incorporar una ubicación. Existe también una palabra de verificación y puede leer las condiciones del servicio.

5. Escriba la palabra que ve en la imagen en el campo Verificación de la palabra.

6. Después de leer las Condiciones del servicio, haga clic en el botón **Aceptar** y luego en el botón **Crear mi cuenta**.

Figura 9.2. La página principal de Google Sites.

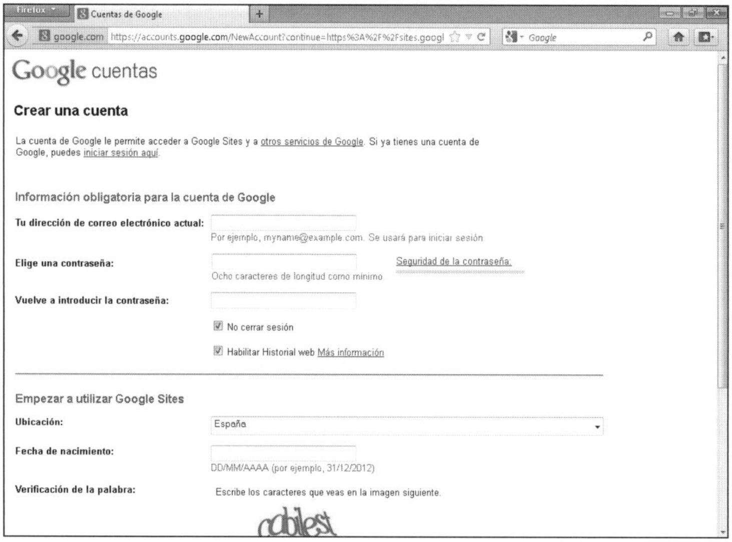

Figura 9.3. La página Crear una cuenta.

7. Se envía un mensaje de correo electrónico con la información de verificación de su cuenta a la cuenta de correo electrónico que haya proporcionado. Lea este mensaje y siga las instrucciones.

8. Después de que se haya registrado, deberá regresar a la página principal de Google Sites (`https://sites.google.com`).

Crear un Google Site

Tras acceder a su cuenta Google, regresa a la página principal Google Sites de modo que puede empezar a crear su primer Google Site:

1. Abra su navegador en `https://sites.google.com/` y haga clic en el botón **Crear**. Esto abre la página Crear sitio nuevo (véase la figura 9.4). Esta página le asiste en sus primeros pasos de configuración de Google Site.

Figura 9.4. La página Crear sitio nuevo.

2. Lo primero que Google Sites le pide que haga es seleccionar una plantilla. Una plantilla le facilita su trabajo, por lo tanto dedique un tiempo a revisarlas antes de elegir.

3. En el campo Nombre del sitio, escriba el nombre de su Google Site. Puede ser cualquier cosa que quiera, por lo que asegúrese de que es una buena representación de su contenido.

> **Nota:** No puede disponer de su propio nombre de dominio con Google Sites. Si quiere disponer de uno, este y otros servicios de página Web podrían no ser para usted.

4. Defina su URL. Así es cómo la gente podrá encontrar su sitio. Google Sites crea un URL basado en su sitio como sugerencia pero puede cambiarlo. El URL puede incluir números o letras (mayúscula y minúscula) pero no puede incluir espacios. Esto vendrá al final de `http://sites.google.com/site/`.

5. Haga clic en la flecha junto a Selección de un diseño. Google Sites cuenta con algunos temas de sitios. Estos temas proporcionan a su sitio Web color y personalidad. Existen dos decenas de temas en estos momentos, y Google añade más continuamente.

6. Haga clic en la flecha junto a Más opciones y escriba una descripción del sitio. Esto es lo que se muestra si alguien realiza una búsqueda de su sitio. También ayuda a disponer de una definición clara de su sitio Web.

> **Nota:** Por defecto, Google Sites establece dos páginas por usted. La primera es la página principal; la segunda es un mapa del sitio que crea automáticamente una lista de las páginas en su sitio Web y la forma en que están conectadas.

7. Si su sitio incluye o puede incluir contenido para adultos (gráficos, texto o sonido), seleccione la casilla de verificación Este sitio incluye contenido sólo para adultos.

8. Escriba el código de texto mostrado para verificar que es una persona real.

9. Haga clic en **Crear**. Esto crea la base para su sitio, le lleva al editor de página Web de Google Site y abre la página principal. El visualizador de Google Sites (véase la figura 9.5) es lo que utiliza para crear su sitio.

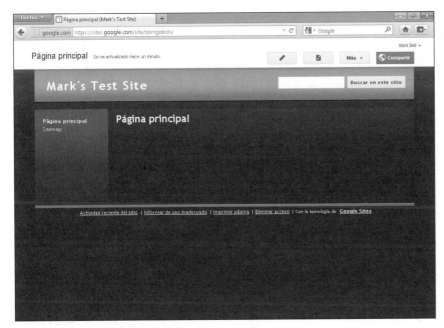

Figura 9.5. El visualizador de página de Google Sites.

Editar una página

Puede editar cada página en su Google Site por separado. Puede añadir elementos, incorporar y formatear texto, añadir una tabla o cambiar el diseño de página. Simplemente siga estos pasos:

1. Abra `https://sites.google.com` y luego seleccione su sitio de la lista Mis Sitios.

2. Seleccione Página principal de la lista de navegación.

3. Haga clic en el botón **Modificar la página** (se parece a un lápiz, en la esquina superior de la pantalla). Esto abre la herramienta de edición (véase la figura 9.6). Utilice esta herramienta para editar el texto en la página, incluido el título y texto del cuerpo.

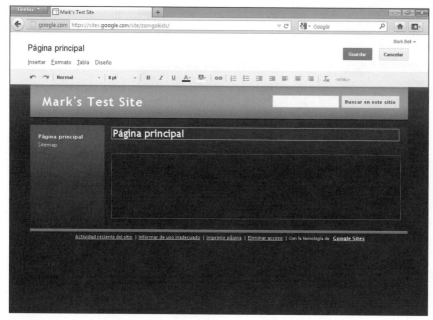

Figura 9.6. El editor de página Google Sites.

4. Si quiere cambiar el título de la página Web, haga clic en el área de título y edite el texto.

5. Para añadir o editar texto en el cuerpo de una página Web, haga clic en el área de cuerpo e incorpore el texto. Puede utilizar la barra de herramientas de formato de texto para establecer el tipo de fuente, tamaño, negrita, cursiva, subrayado, color del texto y color de fondo.

También puede utilizar esta barra de herramientas para ver y editar el HTML de la página.

6. Si quiere añadir algunas características especiales a la página Web, utilice el menú desplegable Insertar. Cada uno de los objetos disponibles es de utilidad en diferentes situaciones. Puede añadir lo siguiente a un sitio Web:

► Imagen.

► Enlace.

► Índice de contenido.

► Listado de subpáginas.

► Línea horizontal.

► Botón +1.

► Entradas recientes.

► Archivos actualizados recientemente.

► Elementos de lista recientes.

► Cuadro de texto.

► Cuadro HTML.

► Objeto Google AdSense.

► Gadget Apps Script.

► Calendario.

► Gráfico.

► Documento.

► Dibujo.

► Grupo.

► Mapa.

► Foto de Picasa.

► Presentación Web de Picasa.

► Presentación.

► Hoja de datos.

► Formulario de la hoja de datos.

► Vídeo (Google Video o YouTube).

7. Si desea formatear texto en alguna forma no disponible en la barra de formato de texto, seleccione el texto y luego utilice el menú desplegable Formato.

8. Si desea insertar una tabla o editar una existente, utilice el desplegable Tabla.

9. Si desea cambiar el diseño de la página, puede utilizar el desplegable Diseño para elegir un diseño de una o dos columnas.

10. Cuando haya terminado, haga clic en el botón **Guardar**. Su página ahora se muestra con los cambios.

Crear una página

Su Google Site comienza con su página principal pero es libre de añadir más páginas. Para añadir una nueva página, siga estos pasos:

1. Haga clic en el botón **Página nueva** (junto al botón **Modifica la página** de la parte superior derecha de la pantalla) para añadir una nueva página Web a su Google Site. Esto abre la pantalla Crear una nueva página (véase la figura 9.7).

Figura 9.7. La pantalla Crear una nueva página.

2. Seleccione el tipo de página que desea añadir: Página Web, Anuncios, Archivador, Lista.

3. En el campo Nombre, escriba el título de la página.

4. Si quiere que la página esté al mismo nivel que su página principal, seleccione **Coloca la página en el nivel superior**.

Si quiere que la nueva página Web esté debajo de su página Web, seleccione la segunda opción.

5. Haga clic ahora sobre **Crear**. Esto añade la página y la abre en modo edición.

Mover una página

Puesto que está creando más páginas, puede que necesite mover las páginas. Para mover una página, realice lo siguiente:

1. Desde el menú Más acciones, haga clic en Mover página. Aparece la pantalla Mover página (véase la figura 9.8). Utilice esta pantalla para arrastrar la página a dónde desee.

2. Haga clic en **Mover**.

Eliminar una página

Podría crear una página que, más adelante, no necesite. Para eliminar una página, realice esto:

1. Desde el menú Más acciones, haga clic en Suprimir página. Google Sites se asegura de que desea eliminar la página.

2. Haga clic en **Eliminar**. La página se elimina.

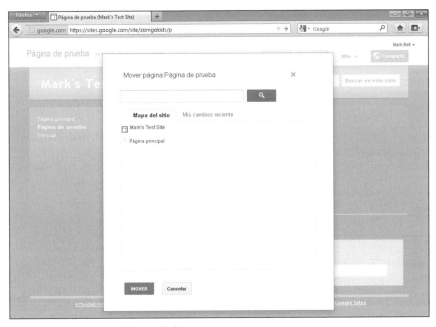

Figura 9.8. La pantalla Mover página.

Editar configuración de página

Cada página tiene su propia configuración. Esto incluye mostrar la página en barras de navegación, mostrar el título de la página y vínculos a otras páginas, y permitir comentarios. También puede cambiar el URL de la página. Para editar la configuración de página, siga estos pasos:

1. Desde el menú Más acciones, haga clic en Configuración de la página para abrir la pantalla del mismo nombre (véase la figura 9.9).

2. Edite la configuración que desee.

3. Haga clic en **Guardar**.

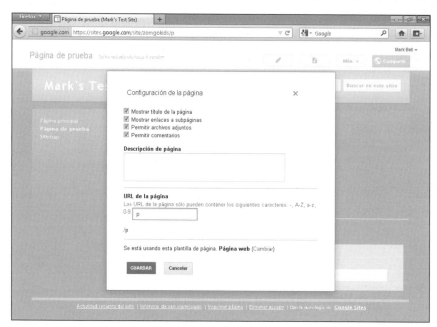

Figura 9.9. La pantalla Configuración de la página.

Editar configuración de sitio

Como con cada página, existen varios parámetros de Google Sites que puede cambiar. Estos incluyen los siguientes:

- ► Compartir sitio.
- ► Apariencia.
- ► Otra configuración, como las opciones que establece cuando configura el sitio.

Puede acceder a todas ellas por medio del botón **Más acciones** al seleccionar Administrar sitio.

Características y limitaciones de Google Sites

Tiene que conocer algunas de las características y limitaciones de Google Sites antes de tomar una decisión.

Características

- ► Creación de página con un sólo clic.
- ► No se necesita HTML.
- ► Diez gigabytes de almacenamiento.
- ► Temas.
- ► Compartir páginas.

Limitaciones

- ► No puede utilizar un nombre de dominio.
- ► Debe utilizar temas Google.
- ► Tiene una estructura limitada.
- ► No puede copiar partes del sitio.

WEEBLY

Otro servicio de página Web es Weebly (http://www.weebly.com/). Este servicio, lanzado en 2008, es un constructor de sitio Web de arrastrar y soltar, e incluye plantillas, blogs e integración con iPhone. Este apartado trata cómo registrarse en el servicio y editar páginas.

Registrarse en Weebly

Para utilizar Weebly, necesita crear una cuenta. Empiece en la página principal de Weebly:

1. Abra un navegador y luego vaya a http://www.weebly.com/. Esto abre la página principal Weebly (véase la figura 9.10).

2. Escriba su nombre completo, dirección de correo electrónico y contraseña en los campos apropiados.

Figura 9.10. La página principal Weebly.

3. Haga clic ahora sobre el botón **Sign Up. It's Free!** Esto le lleva a una página de creación de un sitio.

Crear un sitio en Weebly

Después de crear su cuenta Weebly, puede empezar a crear su primer sitio Weebly (véase la figura 9.11):

1. Escriba su título, seleccione un tipo de sitio y haga clic en **Continuar**. Esto abre la ventana de dominio de sitio Web.

2. Para un sitio Web gratuito, seleccione Usa un subdominio de Weebly.com. Haga clic en **Continuar**. Esto abre la pantalla de editar página. Aquí, puede utilizar las herramientas de edición de arrastrar y soltar para crear su página.

Figura 9.11. La pantalla de título.

Editar una página

Puede editar cada página en su sitio Weebly por separado.

Puede añadir una serie de elementos, incorporar y formatear texto o cambiar el diseño de la página. Para editar sus páginas, siga estos pasos:

1. Abra `https://www.weebly.com` y haga clic en Mis sitios. Seleccione el sitio que desea editar.

2. Haga clic en el botón **Modificar**. Esto abre la herramienta de edición de página (véase la figura 9.12). Esto se parece a su página, sólo que todo el texto es editable. Use esta herramienta para editar el texto en la página, incluido el título y el texto del cuerpo.

Figura 9.12. El editor de página de Weebly.

3. Cuando termine, haga clic en el botón **Publicar**. Su página ahora se muestra con los cambios.

Características y limitaciones

Debería conocer las características y limitaciones antes de tomar una decisión:

Características

▶ Interfaz elegante y sencilla.

▶ Temas.

▶ Fotos, vídeo y algo de HTML personalizable.

Limitaciones

▶ HTML limitado.

▶ Cuota para utilizar un nombre de dominio.

WEBS

Webs es otro servicio de creación de página Web. Ofrece un constructor de sitio sencillo con una interfaz de arrastrar y soltar, blogs, sitios para móviles y analítica. Webs.com ofrece algunas características de forma gratuita y le permite tener acceso a más opciones por medio de una cuota.

Registrarse en Webs

Para tener acceso a todas las ventajas de Webs, necesita registrarse y crear una cuenta. Esto permite que Webs recuerde toda su configuración.

Para registrarse en Webs, siga los pasos que se describen a continuación:

1. Abra un navegador y luego vaya a `https://www.webs.com/`. Esto abre la página de inicio predeterminada de Webs (véase la figura 9.13).

2. Para crear una cuenta, escriba su dirección de correo electrónico, contraseña y luego elija un tipo de sitio Web. Haga clic en el botón **Get Started**. Esto abre la página principal (véase la figura 9.14).

3. Escriba el título de su sitio, seleccione un tema y elija páginas para su sitio. Luego, haga clic en **Crear Mi Página Web**. Esto abre la pantalla de nombre de subdominio.

4. Para un sitio gratuito, escriba un nombre de subdominio que quiera utilizar y haga clic en **Crear mi sitio Web**. Esto abre el constructor de sitio y le permite editar páginas.

Figura 9.13. La página principal de Webs.com.

Figura 9.14. La página principal de Webs.com.

10. HTML 101

En este capítulo aprenderá:

- ▶ La estructura del HTML.
- ▶ Etiquetas HTML comunes.
- ▶ Editores HTML gratuitos.
- ▶ Recursos.
- ▶ Utilizar un editor de texto para crear HTML.

HTML (*Hypertext Markup Language*, Lenguaje de marcación hipertexto) es el idioma común de la Web. Se trata del lenguaje de programación de toda página Web en Internet. Para hacer cualquier cosa en Internet, necesita un conocimiento sobre cómo funciona HTML y cómo otros lo utilizan.

"Hipertexto" significa que hay vínculos entre los documentos y dentro de los documentos que interconectan los documentos. Las páginas vinculadas permiten que la Web se expanda constantemente y cada vez esté más conectada. Un lenguaje de marcación utiliza etiquetas para "marcar" el texto y aplicarle formato y estructura. Una etiqueta es esencialmente un marcador de texto que marca el inicio y final de un determinado tipo de formato.

HTML se creó en 1991 por Tim Berners-Lee, un investigador del CERN, en Suiza. Quería crear un sistema sencillo de organización de documentos simple y con referencias cruzadas. Cuando otras personas empezaron a utilizar HTML, despegó y nació así la Web como hoy la conocemos.

Si no ha programado antes, probablemente esté pensando que es muy difícil hacerlo en un sólo capítulo (véase la figura 10.1). Por el contrario, HTML es sencillo si entiende los fundamentos básicos y mantiene las cosas de forma sencilla. Mi formación no es en matemáticas o ingeniería. Como millones de personas, he aprendido HTML leyendo código y experimentando. HTML es un estupendo recurso con el que aprender cosas.

Este capítulo trata los fundamentos del funcionamiento de HTML, etiquetas HTML comunes y editores HTML. Todas estas cosas pueden ayudarle a crear páginas Web y entender lo que otras personas han creado.

HTML está también en constante estado de cambio. Por esta razón, he añadido información sobre la última versión de HTML y lo que significa para un desarrollador Web principiante.

LA ESTRUCTURA DEL HTML

Su primera mirada al código que subyace a una página Web puede ser desconcertante. ¿Por qué? Porque sin entender cómo funciona HTML, es difícil interpretar lo que está pasando. Por lo tanto, el primer paso para entender todo esto es aprender las partes básicas del HTML.

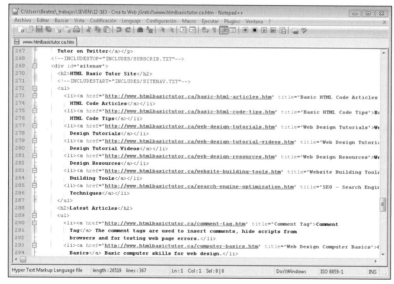

Figura 10.1. Una página HTML compleja.

Como se ha mencionado previamente, HTML es un lenguaje de marcación. Utiliza etiquetas para marcar el texto. Un navegador luego interpreta estas etiquetas, y el formato y las estructuras correctos se muestran en la página Web. El navegador no muestra el código, sino el contenido codificado, basado en el HTML que ha creado.

Elementos, etiquetas y atributos

Se utilizan numerosos términos probablemente nuevos para usted cuando se tratan las páginas Web. Tiene que conocer las palabras elementos, etiqueta y atributo porque tienen un significado específico en HTML.

Un elemento HTML consta de una etiqueta de inicio, contenido y una etiqueta de cierre.

Una etiqueta HTML está al principio y final de un elemento. Consta de un corchete de inicio (<), nombre del elemento, atributos y un corchete de cierre (>).

Un atributo HTML modifica un elemento HTML y se encuentra dentro de una etiqueta HTML. Se componen de un par nombre/valor.

Por lo tanto, HTML es una serie de elementos que definen etiquetas y atributos (véase la figura 10.2). En este ejemplo, todo lo que aparece entre las etiquetas <p> es el elemento. Las etiquetas <p> rodean el contenido.

La etiqueta <p> de inicio también incluye un atributo (class="info") y se compone de un nombre (class) y un valor ("info").

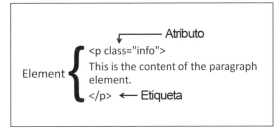

Figura 10.2. Un ejemplo de elemento, etiqueta y atributo.

La estructura de los elementos

Un elemento es una etiqueta de texto que se aplica a un bloque de texto. Un elemento tiene tres partes.

▶ **La etiqueta de inicio:** El comienzo de una etiqueta se representa con un signo <. Esto va seguido de un nombre de etiqueta y un >. Por ejemplo, <bold>.

▶ **El texto afectado por la etiqueta:** Cualquier cosa dentro de la etiqueta tiene aplicado el formato y estructura.

▶ **La etiqueta de cierre:** Esto termina la etiqueta que afecta al texto. Se compone de un < y luego un / para indicar el cierre, el nombre de la etiqueta, y luego un >. Por ejemplo, </bold>.

Por ejemplo, tome este bloque de texto:

```
El rápido zorro marrón saltó sobre el
perro.
```

Esto sólo es texto sin formato. Añada las etiquetas y se verá así:

```
El <bold>rápido</bold> zorro marrón saltó
sobre el perro.
```

Visto en el navegador, el texto se convierte en:

```
El rápido zorro marrón saltó sobre el
perro.
```

Las etiquetas se pueden anidar unas dentro de otras. Por ejemplo,

```
El <italics><bold>rápido</bold> zorro
marrón</italics> saltó sobre el perro.
```

produce texto que se convierte en:

```
El rápido zorro marrón saltó sobre el
perro.
```

La etiqueta </italics> se aplica a todo el texto dentro de la etiqueta, incluido el texto en negrita.

Esto es lo mismo para cualquier etiqueta o conjunto de etiquetas. Lo que hay dentro de la etiqueta tiene aplicado el formato de la etiqueta.

El siguiente apartado trata las etiquetas más utilizadas, qué hacen y cómo utilizarlas.

> **Truco:** Observe que las etiquetas no añaden espacios al texto. Es como si no estuvieran ahí. Recuerde esto cuando cree su HTML.

ETIQUETAS HTML COMUNES

Es importante familiarizarse con algunas etiquetas HTML comunes.

La siguiente lista contiene estas etiquetas HTML comunes, organizadas en categorías. Cada etiqueta se acompaña por una descripción, un ejemplo del código y un ejemplo del resultado donde sea apropiado.

Etiquetas de la estructura HTML

Los siguientes apartados describen las etiquetas que conforman la estructura de su página Web.

Doctype <!doctype>

Ésta es la declaración de tipo de documento y le permite decirle a los validadores HTML la versión de HTML que está utilizando. Debería aparecer en la primera línea de su documento pero no necesita una etiqueta de cierre.

HTML <html></html>

Todas las otras etiquetas HTML se deben encontrar en esta etiqueta. Ésta debería ser la primera y última etiqueta en su documento.

Encabezado <head></head>

Esta etiqueta define la estructura del encabezado del documento HTML. Nunca aparece en el navegador pero contiene información de título, scripts y otra información de formato.

Título <title></title>

Éste es el título de la página Web. Este texto aparece en la barra de título de su navegador. Debería aparecer dentro de la etiqueta de encabezado.

Cuerpo <body></body>

Éste es el cuerpo de su página Web. Cualquier cosa que quiera mostrar en la página debe encontrarse entre esta etiqueta.

Comentario <!-- -->

La etiqueta de comentario le permite documentar su código. Documentar significa añadir notas en su código que expliquen lo que hacen las diferentes partes del código. Los desarrolladores utilizan esto para comunicarse con las personas que leen su código o como notas para su propia referencia. Esto hace que sea más sencillo dar sentido a grandes documentos HTML. Documente su código tanto como sea posible. Los comentarios nunca se muestran en su página Web pero ayudan en el proceso de edición. Por ejemplo,

```
<!-- Éste es el apartado del cuerpo de mi página Web -->
```

División <div></div>

Esta etiqueta asigna divisiones al cuerpo de la página Web. Luego, puede aplicar formato a estas divisiones. La etiqueta <div> no se muestra en el navegador pero sí sus efectos. Utilícelo para aplicar formato a diferentes divisiones de su página Web.

Etiquetas de texto

Estas etiquetas afectan al texto en el cuerpo de su página.

Fuente <font></font>

Esta etiqueta define el tamaño, color y tipo de letra en la etiqueta. Cada uno de estos detalles específicos se define dentro de la etiqueta de inicio. Por ejemplo, si quiere texto Arial, tamaño 8, y rojo, la etiqueta debería ser:

```
<font face="arial" color="red" size="8">
</font>
```

Negrita

Esta etiqueta muestra el texto en negrita. Hace que el texto aparezca más oscuro y más grande que el texto normal.

Por ejemplo, El <bold>rápido</bold> zorro marrón produce:

El **rápido** zorro marrón

Cursiva

Esta etiqueta muestra el texto en cursiva. Hace que el texto aparezca inclinado hacia la derecha. Por ejemplo, El <italic>rápido</italic> zorro marrón produce:

El *rápido* zorro marrón

Tachado <strike></strike>

Esta etiqueta crea texto tachado, lo que significa que hay una línea que atraviesa el texto. Por ejemplo, El <strike>rápido </strike> zorro marrón produce:

El ~~rápido~~ zorro marrón

Subrayado <u></u>

Esta etiqueta subraya texto. Una línea aparece por debajo del texto.

Por ejemplo, El <u>rápido</u> zorro marrón produce:

El <u>rápido</u> zorro marrón

Subíndice

Esta etiqueta crea texto que aparece por debajo de la línea del resto de texto.

Por ejemplo, El _{rápido} zorro marrón produce:

El $_{rápido}$ zorro marrón

Superíndice

Esta etiqueta resulta en texto que aparece por encima de la línea del resto de texto.

Por ejemplo, El ^{rápido} zorro marrón produce:

El ^{rápido} zorro marrón

Centrar <center></center>

Esta etiqueta centra texto. Por ejemplo,
<center>El rápido zorro marrón
</center> produce:

<div align="center">El rápido zorro marrón</div>

Encabezado <h#></h#>
(# es un número de 1-6)

Esto formatea el texto contenido dentro de
la etiqueta en uno de los seis encabezados.
Estos encabezados organizan su texto de la
misma forma que en un documento típico.
Los encabezados corresponden a niveles
jerárquicos; por lo tanto, H1 es más grande
que H2, que es más grande que H3, etc. Por
ejemplo, <h1>El</h1><h2>rápido</h2>
zorro<h3>marrón</h3> produce:

El
rápido
zorro
marrón

Párrafo <p></p>

Esta etiqueta define un párrafo e incluye
formato y el espaciado del párrafo.

Por ejemplo, <p>El rápido zorro marrón
salta sobre el perro</p> produce:

El rápido zorro marrón salta sobre el
perro

Regla horizontal <hr>

Una regla horizontal cruza la página.

Por ejemplo, El rápido zorro marrón <hr>
produce:

El rápido zorro marrón
_____

Salto de línea

Esta etiqueta crea un salto de línea en el texto.
Podría querer utilizar esto para alinear el texto
y separarlo en la forma que desee en lugar de
dejar que el navegador lo divida por defecto.
Por ejemplo, El rápido
zorro marrón
produce:

El rápido
zorro marrón

Espacio indivisible

Esta etiqueta inserta un espacio en el
texto allí donde lo necesite. Por ejemplo,
El rápido añade un espacio entre las
palabras el y rápido.

Listas

Las listas en HTML se presentan de dos
formas: no ordenadas (es decir, con boliches) u
ordenadas (es decir, con números). Lo primero
que tiene que hacer es definir texto como
una lista y luego definir los elementos de esa
lista. Cada una de estas cosas tiene su propia

etiqueta y funciona con las otras etiquetas para crear la lista. En primer lugar, trato las etiquetas y luego muestro cómo situarlas juntas.

Lista ordenada <ol></ol>

Esto crea una lista que tiene números para cada elemento de lista.

Lista no ordenada <ul></ul>

Esto crea una lista que tiene boliches para cada elemento de lista.

Elemento de lista <li></li>

Esto define un elemento de lista.

Por lo tanto, éste es el aspecto que tiene el código HTML para una lista con elementos ordenados y no ordenados.

```
<ol>
<li> Elemento </li>
<li> Elemento </li>
<li> Elemento </li>
</ol>
<ul>
<li> Elemento </li>
<li> Elemento </li>
<li> Elemento </li>
</ul>
```

Y así es cómo se muestra la lista en la página Web:

1. Elemento.
2. Elemento.
3. Elemento.
* Elemento.
* Elemento.
* Elemento.

Tablas

Las tablas son como listas. Combinan varias etiquetas para crear una tabla, igual que varias etiquetas crean una lista. Las tablas se componen de filas y columnas. La tabla también puede tener una fila cabecera que actúa como una fila de título. Una vez más, describiré las etiquetas de tabla y luego las pondré juntas en código.

Tabla <table></table>

Esta etiqueta engloba la tabla y define sus límites. Las propiedades de la tabla también se definen dentro de esta etiqueta, como el borde, alineación y anchura.

Fila de tabla <tr></tr>

Esto define una fila de la tabla.

Celda de tabla <td></td>

Esto define cada celda en una fila de tabla.

Encabezado de tabla <th></th>

Esto define una fila como un encabezado y la muestra en negrita. Por lo tanto, para crear una tabla con tres filas y dos columnas, el código HTML se parecería a esto:

```
<table border="1">
    <tr>
        <th>Celda 1</th>
        <th>Celda 2</th>
    </tr>
    <tr>
        <td>Celda 3</td>
        <td>Celda 4</td>
    </tr>
    <tr>
        <td>Celda 5</td>
        <td>Celda 6</td>
    </tr>
</table>
```

Esto crea una tabla que se muestra así:

CELDA 1	CELDA 2
Celda 3	Celda 4
Celda 5	Celda 6

Las tablas pueden ser más complicadas que esto. Puede anidar tablas dentro de tablas para crear estructuras complejas para mostrar información.

La resolución de su pantalla puede hacer que su tabla se muestre diferente a lo esperado, por lo tanto recuerde realizar pruebas con las resoluciones más comunes.

Anidar

Una tabla anidada significa que una tabla se sitúa dentro de la celda de otra tabla. Esto le permite crear estructuras complejas necesarias para el formato de página.

Hipervínculos

Los hipervínculos se definen como anclas y referencias en HTML. Un ancla es el texto o gráfico en hipervínculo, y una referencia es a dónde se le lleva cuando hace clic en el hipervínculo. El texto y los gráficos pueden servir como anclas. Las referencias pueden ser dentro de un documento HTML o a otro documento.

Truco: No cree referencias a archivos en su disco duro. Esto puede suceder a veces cuando utiliza un editor WYSIWYG (*What You See Is What You Get*, Lo que ve es lo que recibe). Siempre haga referencia a la ubicación del archivo de imagen en referencia a la página en la que se encuentra. Si la imagen está en el mismo directorio, simplemente utilice el nombre del archivo. Tenga cuidado con las referencias que cree. Las referencias son fuentes comunes de error, por lo tanto compruébelo con cuidado.

Un hipervínculo se compone de estas partes: una etiqueta de ancla, una referencia y el texto o imagen que se convierte en hipervínculo. Por ejemplo:

```
Siga este <a href="http://www.flickr.com">
vínculo</a>
```

Esto crea un hipervínculo para la palabra vínculo que lleva a http://www.flickr.com.

Para abrir el vínculo en una nueva ventana, añada un destino en la etiqueta de ancla:

```
Siga este <a href="http://www.flickr.com"
target="_blank">vínculo</a>
```

El vínculo ahora se abre en una nueva ventana.

En el navegador, el texto en hipervínculo aparece en color azul y subrayado por defecto. Si es una imagen, muestra el reborde en azul. Cuando sitúa su ratón sobre un hipervínculo, pasa de una flecha a una pequeña mano.

Imágenes

Las imágenes no aparecen en código HTML. Lo que aparece son referencias a archivos. Estas referencias podrían estar en el servidor Web local o en algún otro sitio en la Web. Por ejemplo:

```
<img src="angry.gif" />
```

Esto muestra el archivo de imagen angry.gif si el archivo está en el mismo directorio que el archivo HTML.

EDITORES HTML GRATUITOS

Ahora que entiende los fundamentos básicos de HTML, querrá empezar a crear y editar código HTML. Puede utilizar una serie de editores HTML gratuitos, que se agrupan en dos categorías: editores de texto y editores WYSIWYG. Un editor de texto edita código HTML directamente; un editor WYSIWYG crea código HTML por usted.

Editores de texto

Los editores de texto le permiten trabajar directamente en el código HTML. Esto le facilita buscar en el documento de texto, encontrar exactamente lo que está buscando y realizar cambios rápidamente.

Con un editor WYSIWYG, el código que quiere cambiar puede ser difícil de encontrar. Prefiero editar código HTML con un editor de texto.

Aquí tiene algunos editores de texto comunes:

▶ **Bloc de notas (Windows):** Viene de forma estándar con el sistema operativo Windows.

- **Notepad ++ (Windows, Linux):** `http://notepad-plus-plus.org/`. El mejor editor de texto.

- **TextWrangler (Mac):** `http://www.barebones.com/products/textwrangler/index.html` (véase la figura 10.3). Un buen editor de texto para Mac.

- **XEmacs (Windows, Linux, UNIX):** `http://www.xemacs.org/index.html`. Otro extraordinario editor de texto.

Editores WYSIWYG

Los editores WYSIWYG le permiten crear páginas Web gráficamente y crean el código por usted. Es como utilizar un procesador de texto para crear sus páginas Web. Crea la página Web como se vería en el navegador, y los navegadores WYSIWYG crean el código por usted. Estos editores facilitan la creación de cosas como crear tablas complejas. Desafortunadamente, también pueden llenar su HTML con etiquetas innecesarias aunque son ideales para principiantes.

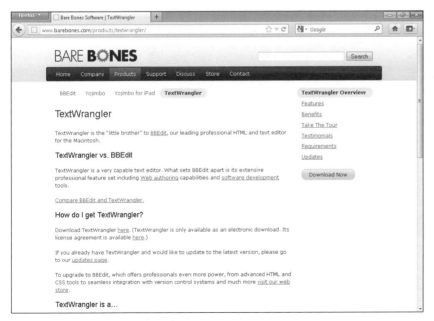

Figura 10.3. Un excelente editor de texto para Mac.

Aquí tiene los más importantes:

- ► **KompoZer (Windows, Mac, Linux):** `http://www.kompozer.net` (véase la figura 10.4).

- ► **Quanta Plus (Windows, Linux):** `http://freecode.com/projects/quantaplus`

- ► **Bluefish (Windows, Mac, Linux):** `http://bluefish.openoffice.nl`

- ► **OpenLaszlo (Windows, Mac, Linux):** `http://www.openlaszlo.org`

RECURSOS

Este capítulo simplemente aborda una pequeña parte del HTML. Hay tanto que aprender, y cuánto más aprende, más puede hacer con sus sitios Web. Aquí tiene algunos recursos para entender mejor el HTML:

Figura 10.4. Un editor gráfico HTML de código abierto.

▶ **W3Schools** (http://www.
w3schools.com): Probablemente la
mejor herramienta HTML en Internet
(véase la figura 10.5). Guarde este sitio
porque regresará a él a menudo.

▶ **Webmonkey HTML Cheat Sheet**
(http://www.webmonkey.com/
2010/02/html_cheatsheet):
Éste es otro excelente recurso para
principiantes.

▶ **HTMLGoodies: The Ultimate
HTML Resource** (http://www.
htmlgoodies.com/primers/
html/article.php/3478131):
Si no sabe nada sobre HTML, aquí
es por donde tiene que empezar. Este
sitio ofrece una excelente colección de
tutoriales HTML.

▶ **HTML Basic Tutor** (http://www.
htmlbasictutor.ca): Este sitio es
como tener su propio tutor HTML.

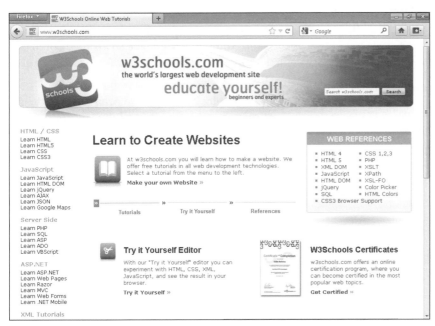

Figura 10.5. W3Schools es uno de los mejores recursos HTML en Internet.

UTILIZAR UN EDITOR DE TEXTO PARA CREAR HTML

Para la mayor parte de mi trabajo con HTML, utilizo Notepad++. Tiene línea de números, formato HTML y es gratuito. Quiero mostrarle cómo creo una sencilla página y cómo organizo el HTML para hacerme la vida más sencilla.

Para empezar, utilizo sangrías (al pulsar la tecla **Tab**) para alinear elementos HTML. De esta forma, si alguna vez me pierdo en un conjunto anidado de elementos, siempre puedo seguir visualmente dónde empieza cada elemento. Por ejemplo:

```
<!DOCTYPE HTML PUBLIC
"-//W3C//DTD HTML 4.01//EN"
"http://www.w3.org/TR/html4/strict.dtd">
<html>
    <title>Página de prueba</title>
    <h1> Encabezado 1 </h1>
    <ol>
        <li>Elemento </li>
        <li>Elemento </li>
        <li>Elemento </li>
    </ol>
</html>
```

El uso de pestañas ayuda a mantener mi código HTML organizado. Para mostrar dónde empieza la lista ordenada (<ol>) y dónde termina, se sangran.

Esto puede sonar una pérdida de tiempo, pero formatear adecuadamente su código hará que sea mucho más fácil de leer y editar.

Otra cosa que realizo cuando escribo código es crear la etiqueta de inicio y la etiqueta de fin al mismo tiempo y luego regreso al espacio entre ellas y añado el contenido. Con esto me aseguro de cerrar todos mis elementos.

Por último, cuando utilice un editor de texto, como Notepad++ y guarde su archivo como un documento HTML, el programa verificará el código por usted.

Por ejemplo, Notepad++ colorea todas las etiquetas correctas y le permite ver dónde empieza y termina una.

11. HTML5

En este capítulo aprenderá:

- ▶ ¿Qué es HTML5?
- ▶ Estándar HTML5.
- ▶ Elementos HTML5.
- ▶ Multimedia.
- ▶ Almacenamiento Web.
- ▶ Formularios.

¿QUÉ ES HTML5 Y POR QUÉ DEBERÍA PREOCUPARME?

Puede que haya escuchado algunos rumores acerca de HTML5. Alguien puede preguntar si su sitio es compatible con HTML5 o si está planificando utilizar algunos de los elementos nuevos. Sospecho que esto puede hacer que se pregunte qué es eso de HTML5 y si debería utilizarlo.

La respuesta sencilla es que, en estos momentos, no necesita utilizar HTML5. Es la última versión del estándar HTML actualmente desarrollado. Eso no quiere decir que pueda ignorarlo; de hecho, debería prestar mucha atención a HTML5 y los cambios que traerá.

ESTÁNDARES

La primera pregunta que podría hacerse es: ¿qué es un estándar HTML? ¿No utilizamos todos el mismo HTML? La estandarización tuvo su momento durante la guerra de los navegadores de los años 90. Podría sonar a una guerra civil espantosa pero esos días no fueron tantos. Diferentes navegadores utilizaban elementos diferentes para realizar lo mismo o, peor aún, utilizaban el mismo elemento para hacer cosas diferentes. Sus páginas podían tener diferente aspecto de un navegador a otro. La estandarización ayudó a ello. Bueno, en realidad, la aplicación de los estándares por los navegadores hizo que la Web fuera más estable y multinavegadora. Pero, ¿quién crea esos estándares?

WORLD WIDE WEB CONSORTIUM (W3C)

Después de que Tim Berners-Lee creara la Web, era evidente que se necesitaba que alguna organización se preocupara por los estándares, por lo que creó una y todavía la dirige en la actualidad. El principal trabajo del World Wide Web Consortium es definir y promover los estándares Web.

HTML y XHTML

Está familiarizado con HTML pero es posible que se haya encontrado con algo denominado XHTML (*Extensible HyperText Markup Language*). Se trata de una versión más limitada de HTML. Básicamente, le permite crear páginas que funcionan en la mayoría de los navegadores pero careciendo de la naturaleza dinámica y las características

del HTML. Cada vez más sitios se pasan al HTML5, por lo que no tiene que dedicar mucho más tiempo a preocuparse por ello.

ESTÁNDAR HTML5

Este apartado trata lo que necesita saber sobre el estándar HTML. Esto incluye cuánto ha cambiado, qué navegadores utilizan HTML5 y recursos. Este material puede parecerle demasiado general pero entender estas cosas le ayudará a utilizar HTML5 de forma más eficaz.

Alto nivel de cambios

Ahora que ya está al tanto de todo lo que hay disponible, ¿cómo puede hacerse la vida más sencilla como diseñador Web y sorprender a sus amigos? HTML5 (véase la figura 11.1) intenta mezclar la funcionalidad de HTML con el formato de CSS y la programación JavaScript. Las principales características de HTML5 son:

▶ Código estandarizado.

▶ Soporte multimedia mejorado.

▶ Almacenamiento Web.

▶ Geolocalización.

▶ Arrastrar y soltar.

Figura 11.1. El logo HTML del WC3.

Visión general de los navegadores

Se han desarrollado diferentes navegadores en diferentes momentos. Los principales navegadores ahora integran compatibilidad HTML5 con cada nuevo lanzamiento. Esto significa que cada navegador funciona con HTML5 de forma diferente y tiene que revisarse con frecuencia. Cuando desarrolle páginas que utilicen HTML5, preste atención a la versión del navegador y compruebe la compatibilidad con frecuencia. Es imposible mantenerse completamente al día en un libro como éste, pero los principales navegadores Web (Chrome, Internet Explorer, Firefox y Safari) están próximos al 100 por 100 de soporte de HTML5. Los navegadores móviles se están quedando atrás pero existe cobertura de la mayoría de las funcionalidades HTML5 básicas.

Si se está preguntando lo que puede o no hacer su navegador, vaya al sitio Web de prueba de HTML5 (http://html5test.com/), y le dirá lo que la versión del navegador que está usando puede o no puede hacer en HTML5.

Recursos HTML5

Puesto que el estándar HTML5 está en evolución, este capítulo destaca los cambios en HTML5. Muchos cambios son demasiado específicos o avanzados para esta introducción. Con ello en mente, si va a trabajar con HTML5, compruebe estos recursos para la información más actualizada.

- ▶ **Especificación HTML del W3C** (http://www.w3.org/standards/ techs/html#w3c_all): Ésta es la especificación actual de HTML y el lugar al que acudir para la información más actualizada.

- ▶ **Tutorial HTML5 del W3 Schools** (http://www.w3schools.com/ html5/default.asp): Posiblemente el mejor tutorial de HTML5 en la Web.

- ▶ **HTML5 Rocks** (http://www. html5rocks.com/en/): Un buen sitio sobre HTML5.

- ▶ **Página de Wikipedia HTML5** (http://en.wikipedia.org/ wiki/HTML5): Una referencia actualizada sobre HTML5.

ELEMENTOS HTML5

La estructura básica de elementos, etiquetas y atributos HTML es siempre la misma en HTML5, si bien una serie de etiquetas han cambiado para hacerle la vida más sencilla y que sus páginas Web tengan mejor aspecto. Existen algunos cambios en la estructura HTML que consiguen páginas Web más organizadas y mejores.

Elementos de estructura

Estos elementos le ayudan a organizar y estructurar documentos HTML5. Debería familiarizarse y utilizar estos elementos allí donde quiera crear mejores documentos.

Doctype <!DOCTYPE>

Como ya le presenté en el capítulo anterior, el DOCTYPE puede resultar confuso y complicado. HTML5 ha facilitado mucho todo esto. Cuando cree una página HTML5, empiece su documento con el siguiente DOCTYPE:

```
<!DOCTYPE html>
```

¿No es esto mucho más sencillo?

<header></header> y <footer></footer>

Estos elementos definen el encabezado y pie de página de su página Web, respectivamente. Es mejor para contener información común de página:

```
<!DOCTYPE html>
<html>
    <body>

        <header>
            <h1>Welcome to my website...</h1>
        </header>

        <p>Here is the main content of this
            web site.</p>

        <footer>
            <p>Created by Mark Bell in
                2012.</p>
        </footer>

    </body>
</html>
```

<section></section>

Este elemento es un elemento organizativo que le permite definir secciones de su documento como capítulos, párrafos o áreas:

```
<!DOCTYPE html>
<html>
    <body>

        <section title="Chapter 1">
            <h1>Chapter 1</h1>
            <p>This is the content for
                Chapter 1.</p>
```

```
    </section>
  </body>
</html>
```

<article></article>

Como `Section`, este elemento define un bloque de contenido. La diferencia es que debería ser posible distribuir el artículo separado del resto del sitio. Esto funciona para blogs, mensajes de foros o noticias:

```
<article title="Chapter 1">
   <h1>Why I use HTML5</h1>
   <p>This is the content for the
      article.</p>
</article>
```

<nav></nav>

El elemento `nav` le permite definir sus elementos de navegación. Esto ayuda a mantener su documento organizado. Me gusta porque puedo encontrar fácilmente elementos `nav` y cortar y pegarlos donde necesite en otras páginas.

Este elemento también permite más opciones a los navegadores que leen sitios Web (para personas ciegas):

```
<nav>
   <a href="/About/">About Us</a> |
   <a href="/Locations/">Locations</a> |
   <a href="/hours/">Hours</a> |
   <a href="/contact/">Contact Us</a>
</nav>
```

<summary></summary> y <details></details>

Estos elementos le permiten crear una sección de texto con un resumen sobre el que se puede hacer clic para ampliar los detalles (véase la figura 11.2). Es de utilidad proporcionar información importante en el resumen y adicional en los detalles que no todo el mundo necesita. Sin embargo, cuidado, porque esta etiqueta no funciona en todos los navegadores:

```
<details>
   <summary>Copyright 2012.</summary>
      <p> - by Mark Bell. </p>
</details>
```

Figura 11.2. Un ejemplo del resumen cerrado y abierto.

<figure></figure> y <figcaption></figcaption>

Los elementos `figure` y `figcaption` le permiten definir imágenes con títulos (véase la figura 11.3) independientes del flujo principal del documento, y se pueden eliminar sin afectar al flujo del documento.

```
<figure>
    <img src="seaside.jpg" alt="The Beach">
    <figcaption>Fig1. - The beach where we
        stayed.</figcaption>
</figure>
```

Figura 11.3. Una figura con un título.

<mark></mark>

`Mark` es una etiqueta de formato que le permite resaltar cierto texto (véase la figura 11.4). Esto puede ser eficaz para hacer que destaque cierto texto pero se debería uar con moderación:

```
<p>I want you to notice <mark>this</mark>
    on my website.</p>
```

Figura 11.4. Un ejemplo de texto resaltado.

Elementos multimedia

Uno de los impactos más importantes de HTML5 es en la gestión multimedia, especialmente en las áreas de dibujo, audio y vídeo. Este apartado presenta algunos de estos elementos pero, si trabaja con multimedia, debería explorar y buscar recursos multimedia HTML5.

<canvas></canvas>

El elemento Canvas le permite definir un área en el que dibujar sus propias imágenes y, luego, especificar formas geométricas (líneas, círculos o cuadrados). Lo mejor es que estos objetos pueden ser 2D o 3D, por lo que permite ilustraciones 3D en una página Web.

<audio></audio>

Este elemento le permite reproducir un sonido desde un archivo o escucharlo con el reproductor incorporado en el navegador (véase la figura 11.5). Este elemento es una forma mucho más sencilla de reproducir audio que los métodos anteriores que requerían plug-ins adicionales:

```
<audio controls="controls">
    <source src="mysong.mp3"
        type="audio/mp3" />
    Your browser does not support the audio
        element.
</audio>
```

Figura 11.5. El reproductor de audio HTML5.

Video

Como el elemento audio, el elemento video utiliza un reproductor de vídeo incorporado en el navegador, por lo tanto, no se tiene que descargar ningún plug-in de terceros (véase la figura 11.6).

```
<video width="320" height="240"
controls="controls">
    <source src="mymovie.mp4"
        type="video/mp4" />
    Your browser does not support the
        video tag.
</video>
```

Figura 11.6. El reproductor de vídeo HTML5.

Formularios HTML5

Los formularios siempre han sido una parte importante de HTML pero nunca han sido fáciles de utilizar. HTML5 ha evolucionado mucho para simplificar los formularios. Este apartado trata los tipos de entrada de datos, atributos de formulario y almacenamiento Web.

Tipos de entrada de datos

Como los elementos multimedia, HTML5 ha simplificado las entradas de formularios al proporcionarle una serie de tipos de entrada de datos ampliados. Lo que esto significa es que si selecciona un tipo de entrada de datos `color`, el HTML accede a un selector de color complejo incorporado en su navegador, de modo que puede estar seguro de que sus visitantes van a elegir el color correcto (véase la figura 11.7).

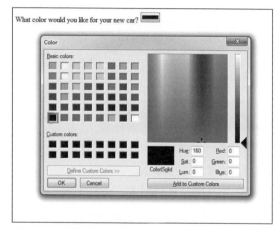

Figura 11.7. El selector de color utilizado para el tipo de entrada de datos color.

Los nuevos tipos de entrada de datos son:

- color.
- date.
- datetime.
- datetime-local.
- email.

- month.
- number.
- range.
- search.
- tel.
- time.
- url.
- week.

Para utilizar cualquier de estos tipos de entrada de datos, todo lo que necesita hacer es declararlo en la etiqueta `input`:

```
<form>
    What color would you like for your
        new car? <input type="color"
        name="carcolor" />
</form>
```

\<datalist>\</datalist>

Este elemento le permite listar una lista predefinida de opciones, de tal forma que cuando sus usuarios empiezan a incorporar información en el campo, autocompletará la información. Esto facilita la incorporación de datos y que el usuario cometa muchos menos errores. Por lo tanto, por ejemplo, escribir la primera letra de un elemento en el `datalist` sugerirá elementos de una lista (véase la figura 11.8).

```
<form>

    <input list="boysnames"
        name="boysnames" />
    <datalist id="boysnames">
        <option value="Bob">
        <option value="Frank">
        <option value="Chris">
        <option value="Pete">
        <option value="Sam">
    </datalist>

</form>
```

Figura 11.8. La característica autocompletar cuando utiliza el elemento <datalist>.

Nuevos atributos de formulario

La etiqueta <form> puede tener varios atributos. HTML5 tiene muchos nuevos atributos que puede utilizar para modificar la etiqueta form. El mejor lugar para buscar la lista más actualizada de los nuevos atributos es el WC3.

Almacenamiento Web

Es posible que haya oído hablar de las cookies. Utilizar una cookie es el método actual de almacenar datos en su ordenador que utilizan los sitios Web. Ésta es la forma en la que un sitio Web puede "recordar" su nombre de usuario y acceso al sitio. Existen muchos problemas con este método de almacenamiento de datos. Es lento, no seguro y no integrado en el navegador. HTML5 está cambiando todo esto. El almacenamiento Web es un método mejor de almacenamiento de datos por medio de su navegador Web, que es más rápido y más seguro. Este almacenamiento Web se presenta en dos formas: local y sesión. El almacenamiento local almacena los datos sin fecha de caducidad. Los datos de sesión guardan los datos sólo para la sesión actual.

Si su página Web almacena datos localmente, debería considerar utilizar almacenamiento Web HTML5 tan pronto como sea posible.

Material divertido

HTML tiene una serie de características que mantienen la promesa de cambiar la Web. Estas nuevas características incluyen geolocalización y arrastrar y soltar.

Geolocalización

HTML5 le permite localizar la ubicación actual de sus usuarios. Esto puede ayudarle a proporcionarles contenido localizado, como ubicaciones u horarios de comercios. La característica geolocation utiliza una API (*Application Programming Interface*, Interfaz de programación de aplicaciones) que le permite enviar y recibir comandos basado en la dirección IP del usuario. Ésta es una buena función pero siempre recuerde pedir esta información antes de utilizarla.

API

Es un pequeño programa que le permite enviar llamadas a ciertas bibliotecas de comandos. Centraliza toda la programación en un único lugar y, si se adentra en la programación Web, las encontrará de utilidad.

Arrastrar y soltar

Ya utilizamos la característica de arrastrar y soltar en nuestro ordenador pero HTML5 le permite arrastrar y soltar elementos en sitios Web. Esto le permite realizar todo tipo de cosas interesantes en HTML5, como crear juegos (véase la figura 11.9) y sitios Web interactivos.

Elementos eliminados

Hay una serie de elementos a los que HTML5 ya no proporciona soporte. Debería dejar de utilizar estos elementos ahora, porque van a dejar de funcionar en un futuro próximo.

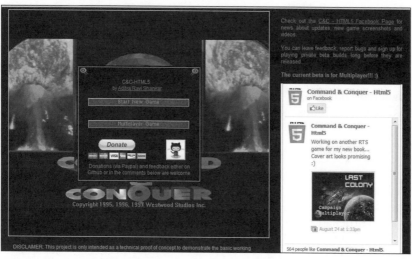

Figura 11.9. Con HTML5, este sitio Web recrea un juego de estrategia en tiempo real.

Aquí tiene una lista de algunas de las etiquetas retiradas de HTML5:

- ▶ <basefont>.
- ▶ <big>.
- ▶ <center>.
- ▶ <dir>.
- ▶ <font>.
- ▶ <frame>.
- ▶ <frameset>.
- ▶ <noframes>.
- ▶ <strike>.

12. Trabajar con imágenes

En este capítulo aprenderá:

- ▶ Gráficos Web.
- ▶ Optimizar imágenes.
- ▶ Encontrar imágenes.
- ▶ Utilizar sus propias imágenes.

Lo crea o no, antes de 1993, Internet estaba principalmente basado en texto. Para algunos de ustedes, esto podría parecer casi increíble. Desde entonces, Internet se ha convertido en un lugar muy visual, lleno de colorido y vivas imágenes.

Este capítulo trata los diferentes tipos de imágenes, los programas que puede utilizar con ellas, cómo utilizarlas en las páginas Web y dónde encontrarlas.

Debería entender algunos términos antes de empezar:

- ▶ **Píxeles:** Como los átomos que forman la materia, los píxeles forman imágenes digitales. Un píxel es la medida más pequeña de información en una imagen digital y es de un color. Toda imagen se puede describir como cierto número de píxeles de alto y de ancho (véase la figura 12.1).

Figura 12.1. Esta imagen tiene 150 píxeles de alto y 300 píxeles de ancho.

► **Resolución:** La resolución de una imagen es el número de píxeles. Cuanto mayor sea la resolución, mayor será el tamaño del archivo. La resolución más común es 72 píxeles por pulgada.

► **RGB (*Red, Green, Blue*, Rojo, verde, azul):** Es el modo de crear colores al mezclar rojo, verde y azul en ciertas cantidades. Cada uno de estos colores tiene valores desde 0 a 255. Con este método, tiene disponibles más de 16 millones de colores.

► **Hexadecimal:** Un método de tomar números RGB de tres dígitos y convertirlos a números de dos dígitos que puede entender HTML.

CREAR GRÁFICOS

Existen tanto tipos de archivos de imagen utilizados en la Web como páginas Web. Este apartado trata los tres formatos de archivo más importantes. A menos que esté haciendo algo fuera de lo normal, debería usar estos formatos:

Compresión: Con pérdida y sin pérdida

Le recomiendo que siempre intente mantener el tamaño de los archivos lo más pequeño posible. Un archivo HTML con 100 palabras puede ser tan pequeño como 8,192 bytes mientras que un pequeño archivo de imagen de 100 píxeles por 100 píxeles (aproximadamente, el tamaño de un sello) puede tener casi la mitad de bytes. La compresión con pérdida degrada un poco la imagen para que el tamaño del archivo sea más pequeño. La compresión sin pérdida no tiene degradación, por lo que normalmente el tamaño del archivo no es tan reducido como en la compresión con pérdida. Aquí tiene una lista de los tipos de archivo más comunes:

► **GIF (Graphics Interchange Format):** Este formato de archivo sin pérdida es común en la Web. Estos archivos se pueden guardar con un máximo de sólo 256 colores, haciendo que sea un mejor formato de archivo para los gráficos en lugar de fotografías (véase la figura 12.2). Puede crear un `.gif` transparente y puede animar archivos `.gif`. Los `.gif` animados se tratan más adelante en este capítulo.

Figura 12.2. Un ejemplo de un gráfico que se podría guardar como .gif.

► **PNG (Portable Network Graphics):**
Este formato de imagen sin pérdida
está sustituyendo a `.gif` y cada vez es
más común en la Web. Como `.gif`, un
`.png` puede ser transparente. Puede
ser más grande que un archivo `.gif`
o `.jpg`.

► **JPG (Joint Photographic Experts
Group):** Éste es un formato de archivo
con pérdida pero eso no significa que
sea malo. Simplemente utiliza las
matemáticas para determinar patrones
y poder reducir el tamaño de imagen.
Sin embargo, más compresión significa
menos calidad de imagen. Un `.jpg`
o `.jpeg` puede mostrar millones de
colores a la vez. Este formato se utiliza
principalmente para fotografías. Es
el formato de archivo más común
utilizado en la Web. La figura 12.3 es un
ejemplo de un gráfico guardado como
un archivo `.jpg`.

Editar imágenes

Existen muchos editores de imagen que puede
utilizar para manipular imágenes. El más
famoso es Adobe Photoshop. El problema es
que este programa cuesta dinero. La mejor
herramienta gratuita que hace casi todos los
que hace Photoshop es GIMP (*GNU Image
Manipulation Program*), un editor de imagen de
código abierto. Se lanzó en 1996, por lo que es

un veterano en el mundo del código abierto.
Este apartado trata muchas cosas que puede
hacer con GIMP.

Figura 12.3. Un ejemplo de un gráfico que
se podría guardar mejor como .jpg.

Cambiar tamaño de imágenes

No cambie el tamaño de sus imágenes en
HTML. Las etiquetas `height` y `width`,
mencionadas anteriormente, no se deberían
utilizar nunca. Si utiliza estos atributos para
cambiar el tamaño de una imagen, se cargará
la imagen original y, luego, se le cambiará de

tamaño, por lo que no tiene ningún beneficio utilizar estos atributos. El archivo sigue ocupando espacio en el disco duro y algunos cambios en los atributos pueden distorsionar la imagen.

Guardar imágenes

Cuando guarda un archivo en GIMP, por defecto lo guarda con una extensión de archivo .xcf. Éste es un formato de archivo nativo pero no el más útil para las imágenes Web. No todos los navegadores pueden utilizar el formato .xcf. Puede almacenar archivos de esta forma pero puede querer optimizar las imágenes para la Web.

Guardar un archivo en GIMP

Podría querer guardar un archivo gráfico en el formato nativo GIMP. Para ello, siga estas indicaciones:

1. Después de terminar de editar su imagen, haga clic en File>Save As (Archivo>Guardar como).

2. Esto abre un cuadro de diálogo donde puede nombrar su archivo. Haga clic en **Save** (Guardar) para guardar el archivo con la extensión .xcf (véase la figura 12.4).

3. Escriba un nombre en el campo Name (Nombre) y haga clic en **Save**.

Figura 12.4. La ventana Save Image de GIMP.

Optimizar imágenes

Como se ha mencionado anteriormente, su sitio debería tener las mejores imágenes con el tamaño de archivo más pequeño.

Algunas veces, esa fotografía de alta resolución con millones de colores hace que su sitio parezca espectacular pero, otras veces, es importante contar con un sitio que se cargue lo más rápido posible. GIMP le permite guardar muchos tipos de archivo, incluido .gif, .jpg y .png.

Formato de archivo nativo

Un formato de archivo nativo es una forma elegante de decir que el formato de archivo que utiliza un programa es único para esa aplicación. Este formato de archivo se va a utilizar exclusivamente con la aplicación y puede no funcionar con otra aplicación.

Guardar un archivo de otro tipo en GIMP

Puede que quiera guardar un archivo gráfico en un formato gráfico más amigable. Para hacerlo, siga estas indicaciones:

1. Después de terminar de editar su imagen, haga clic en File>Export To (Archivo>Exportar a). Esto abre un cuadro de diálogo donde puede asignar un nombre al archivo que va a guardar.

2. Escriba un nombre para su archivo en el campo Name.

3. Haga clic en el signo más (+) junto a Select File Type (By Extension) (Seleccionar tipo de archivo (por extensión)) para abrir la ventana de tipo de archivo (véase la figura 12.5).

4. Seleccione el tipo de archivo que quiere utilizar, como JPEG Image.

5. Haga clic en **Export** (Exportar).

Figura 12.5. La ventana Save Image de GIMP con la ventana File Type abierta.

Cuándo utilizar diferentes tipos de archivos

Como se ha mencionado anteriormente, siempre que sea posible utilice el nivel de compresión más alto y el menor número de colores que pueda. Las fotografías deberían ser `.jpg` y los gráficos `.gifs`.

Recortar imágenes

Si tiene una imagen central grande para su sitio Web, podría tardar mucho tiempo en cargarse. Recuerde: cuanto mayor sea el archivo, más lento se cargará. Una forma de solucionarlo es recortar su imagen más grande en una serie de archivos más pequeños.

La forma en que se recorta una imagen y luego se reúne todo es un ejercicio inteligente de codificación que realiza su software de edición de imagen por usted. Básicamente, la imagen se divide en archivos de imagen separados y luego utiliza una tabla HTML para reunirlos todos de nuevo en una imagen.

Un buen editor de imagen, como GIMP, no solamente recortará la imagen por usted sino que creará los archivos más pequeños y el código HTML que tiene que utilizar para mostrar la imagen recortada.

Recortar una imagen

Podría querer utilizar GIMP para recortar una imagen grande en piezas más pequeñas para agilizar la carga. Para ello, siga estas indicaciones:

1. Abra la imagen que quiere recortar.

2. En primer lugar, debe establecer las guías donde desea recortar la imagen. Haga esto al hacer clic en las reglas horizontal y vertical y arrastrar las guías hasta la imagen (véase la figura 12.6).

Figura 12.6. Una imagen con las guías.

3. Seleccione el filtro Slice (Recortar). Esto abre la ventana para establecer la configuración para su recorte. Esto incluye ubicaciones de archivo y tipos (véase la figura 12.7).

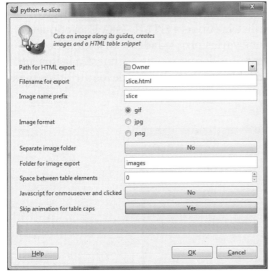

Figura 12.7. La ventana Slice Settings (Configuración del recorte).

4. Cuando haya establecido su configuración, haga clic en **OK**. Esto genera los archivos de imagen y código HTML de su imagen recortada. Recuerde: éste no es un archivo HTML completo pero puede cortar y pegar el código en su documento HTML principal.

Mapas de imagen

Un mapa de imagen es una estructura HTML que le permite especificar coordenadas en una imagen conectadas a hipervínculos. Un mapa de imagen puede ser del lado del servidor (es decir, hay archivos almacenados en el servidor que ayudan con el mapa de imagen) o del lado del cliente (toda la información para el mapa de imagen se almacena en el archivo HTML). La imagen del lado del cliente usa las etiquetas MAP y AREA dentro del código HTML para definir las acciones a realizar cuando se hace clic en cierta área de la imagen. GIMP cuenta con una excelente utilidad de mapa de imagen que podría probar. Puede incluso encontrar sitios online para ayudarle a crear su mapa de imagen. El Online Image Map Editor (`http://www.maschek.hu/imagemap/imgmap`), mostrado en la figura 12.8, le permite definir fácilmente mapas de imagen del lado del cliente y genera el código por usted.

GIF animados

Son una serie de archivos `.gif` guardados en un archivo `.gif` más grande que se anima cuando se carga en un navegador Web. Utilice esto con moderación porque pueden ser archivos grandes que ralentizan la carga de su página y se perciben como captadores de atención. Si necesita añadir un .gif animado, utilice un creador de .gif animados online, como Gickr (http://gickr.com/).

IMÁGENES Y HTML

La Web es un lugar muy visual. Los sitios Web que sólo tienen texto son aburridos y, a menos, que la información sea increíblemente

importante la gente no regresará. Las imágenes hacen que su sitio Web cobre vida, por lo tanto explore y experimente con ellas.

La etiqueta de imagen

Para añadir imágenes a una página Web, utilice la etiqueta HTML IMG. Esta etiqueta tiene varias propiedades o atributos. Los atributos definen cómo se muestra la imagen. La tabla 12.1 lista algunos de los atributos más comunes.

Figura 12.8. El Online Image Map Editor.

Tabla 12.1. Tabla de atributos de la etiqueta de imagen.

ATRIBUTO	DESCRIPCIÓN	NOTAS	EJEMPLO
src	Un atributo obligatorio que es la ubicación del archivo y el nombre completo de la imagen que desea mostrar.	Tiene que ser la ubicación exacta del archivo en relación al archivo HTML en el servidor.	`<img src= "logo.gif" />`
alt	Texto alternativo a mostrar si no se muestra la imagen.		`<img src="logo.gif" alt="Logo" />`
align	Especifica cómo se sitúa la imagen en relación al texto. Los valores pueden ser top, bottom, middle, left, y right.	Ajusta el texto alrededor de las imágenes.	`<img src="logo.gif" align="top" />`
border	El ancho en píxeles del borde alrededor de la imagen.	El borde siempre es negro.	`<img src="logo.gif" border="3" />`
height	Cambia la altura de la imagen a este número de píxeles o porcentaje de la imagen original.	Esto expande o reduce la imagen a este tamaño de píxeles sin escalar el ancho, por lo que la imagen se puede distorsionar. No lo utilice si es posible.	`<img src="logo.gif" height="300" />`
width	Cambia la anchura de la imagen a estos píxeles o porcentaje de la imagen original.	Esto expande o reduce la imagen a este tamaño de píxeles sin escalar la altura, por lo que la imagen se puede distorsionar. No lo utilice, si es posible.	`<img src="logo.gif" width="300" />`

ATRIBUTO	DESCRIPCIÓN	NOTAS	EJEMPLO
ismap	Designa la imagen como un mapa de imagen del lado del servidor.		
usermap	Designa la imagen como un mapa de imagen del lado del cliente.		
longdesc	Un vínculo a un URL que contiene la descripción de la imagen.	Apenas se utiliza.	`<img src="logo.gif" longdesc= "longdesc.htm" />`
hspace	Define el espacio horizontal alrededor de la imagen en píxeles.	Esto añade un margen de espacio a los lados de una imagen.	`<img src="logo.gif" hspace="2" />`
vspace	Define el espacio vertical alrededor de la imagen en píxeles.	Esto añade un margen de espacio en la parte superior e inferior de una imagen.	`<img src="logo.gif" vspace="2" />`

Observe las imágenes en diferentes sitios Web (al ver el código fuente del sitio Web) y vea cómo utilizan la etiqueta de imagen. Como ejemplo, esta etiqueta de imagen proviene de un sitio de noticias:

```
<img hspace="0" height="239" border="0"
width="265" vspace="0" alt="A "
src="images/candidate.jpg"/>
```

Imágenes en línea

En la tabla 12.1 puede que haya observado en atributo align. Este atributo establece cómo se mostrará la imagen en relación al texto. Esto le permite situar texto alrededor de una imagen, como puede ver en un periódico o revista (véase la figura 12.9). Esto hace que el texto, especialmente en las entradas de blog, parezca más interesante.

Figura 12.9. Imagen establecida en línea con la alineación a la derecha.

Imágenes de fondo

Puede utilizar una imagen como el fondo de toda una página. Las imágenes de fondo utilizan la etiqueta BODY y el atributo background. Aunque esto estaba de moda cuando se introdujo, se considera ya algo anticuado. Si va a utilizar una imagen de fondo, utilice una hoja de estilo en cascada (CSS).

ENCONTRAR IMÁGENES

Podría sentirse como un niño en una tienda de chocolates cuando busca imágenes en la Web. Es muy fácil encontrar imágenes pero no es legal o moral utilizarlas sin el permiso de la persona a la que pertenecen.

Las personas añaden imágenes a la Web constantemente y no se dan cuenta que hay personas ahí fuera que se hacen con ellas sin preguntar. Permítame ser claro. Es ilegal utilizar imágenes de las que no haya obtenido permiso.

Imágenes gratuitas

Algunos sitios ofrecen imágenes gratuitas. Esto es bueno porque puede utilizar las imágenes de forma gratuita y con el permiso del propietario. El problema es que normalmente no son las mejores imágenes y pueden aparecer en otros sitios Web. Si tiene intención de utilizar imágenes gratuitas, tiene que buscar seriamente lo que necesita aunque eso puede superar el precio.

Cuando utilice imágenes de estos sitios, recuerde leer toda la letra pequeña. Aquí tiene algunos de los mejores sitios de imágenes gratuitas:

- ▶ **Creative Commons** (`http:// search.creativecommons. org`): Un grupo dedicado a cambiar derechos de autor y propiedad. Este sitio le permite buscar contenido bajo la licencia Creative Commons.

- ▶ **Kave Wall** (`http://www. kavewall.com`): Un grupo para fondos y texturas gratuitos.

- ▶ **Freestockphotography** (`http:// www.adigitaldreamer .com/gallery/index.php`): Imágenes que son gratuitas y sin derechos de autor.

- ▶ **Visipix.com** (`http://visipix. dynalias.com/index_hidden .htm`): Imágenes de alta resolución con derechos de autor gratuitos para uso privado y comercial.

Imágenes de otras personas

Si encuentra una imagen en la Web que quiere utilizar, contacte con la persona propietaria la imagen y explíquele quién es, qué imagen desea utilizar, de qué trata su sitio Web y por qué quiere utilizar esa imagen. Si se le concede el permiso, asegúrese de citar al propietario de la imagen. Si no recibe el permiso o no obtiene respuesta, no utilice la imagen.

UTILIZAR SUS PROPIAS IMÁGENES

Una solución a encontrar imágenes para su sitio Web es tomar sus propias imágenes o crear sus propios gráficos. Esto, sin duda, hace que sea más fácil para usted citar al creador de las imágenes pero, como he dicho antes, alguien podría tomar sus imágenes. Si sus imágenes le importan, tenga cuidado con dónde las sitúa.

Aquí tiene algunas buenas prácticas cuando se refiere a utilizar sus propias fotografías:

- ▶ Antes de hacer nada con sus fotografías en la Web, tómese el tiempo para realizar copias de seguridad de las imágenes en su formato original. Tener una copia segura de un archivo antes de manipularlo ha sido un salvavidas para mí en el pasado. Siempre puede volver a manipular la foto pero normalmente es imposible volver a tomarla.

▶ Cuando toma una fotografía con su cámara digital, la cámara quiere tomar la mejor foto posible, por lo tanto utilice la resolución más alta y los tamaños de archivos más grandes. Esto es exactamente lo contrario a lo que debe hacer cuando utiliza esas imágenes en la Web. Preste atención al tamaño de archivo y la resolución cuando utilice fotografías de una cámara digital.

▶ Cuando suba sus imágenes a su sitio Web, use un programa FTP y elija el nombre del archivo de modo inteligente. Si va a hacer referencia a la imagen en HTML, podría querer cambiar el nombre predeterminado de texto y números que le asigna su cámara.

▶ Cualquier fotografía que no quiera que se utilice en el trabajo de otra persona nunca debería aparecer en Internet. No importa lo seguro que sea o el cuidado que tenga, siempre hay formas de copiar imágenes de Internet.

13. Trabajar con multimedia

En este capítulo aprenderá:

▶ Archivos de audio digital.

▶ Archivos de vídeo digital.

Como todos sabemos, la Web es mucho más que texto e imágenes, también es multimedia. La multimedia es la combinación de múltiples formas de medios digitalizados, incluidos archivos de vídeo y audio. Por ejemplo, una canción de un sitio Web y el tráiler de una película independiente (véase la figura 13.1) son formas de multimedia.

Cuando se utiliza adecuadamente, la multimedia aumenta la experiencia del usuario. Cuando no se utiliza adecuadamente, puede arruinar un sitio Web. Este capítulo le muestra cómo preparar objetos multimedia para utilizarlos en su sitio Web.

Una consideración importante cuando trata con archivos multimedia es el tamaño del archivo. Los archivos multimedia son, por lo general, grandes, y existe una batalla constante entre mantener el tamaño de archivo pequeño y una alta calidad. Aunque el acceso por banda ancha es cada vez más común, muchas personas siguen utilizando conexiones a Internet lentas. No asuma que todo el mundo tiene conexiones rápidas para descargar archivos de película de gran tamaño.

Otra consideración es que los archivos multimedia pueden ser específicos del sistema operativo. Tener una página Web que intenta reproducir un archivo que no funciona en la mayoría de sistemas operativos va a molestar a sus visitantes. Cuando tenga que elegir, asegúrese de considerar diferentes sistemas operativos y elija tipos de archivos que se ejecuten en la mayoría de ellos.

Figura 13.1. QuickTime.com realiza un extraordinario trabajo en la utilización de la multimedia.

Digitalizado

Cualquier multimedia utilizada en la Web se tiene que digitalizar, lo que significa que tiene que codificarse en un formato de archivo que entienda cualquier ordenador.

Además, no todos los visitantes de su sitio pueden tener el hardware para utilizar la multimedia. Puede que no tengan los altavoces o las tarjetas gráficas que permiten reproducir toda la multimedia de forma eficaz. No deje a esta gente fuera. Haga que la multimedia sea una mejora en su sitio Web y no un requisito.

Por último, los archivos multimedia se pueden descargar o reproducir en streaming. Un archivo multimedia que se descarga se transfiere a un ordenador que lo reproduce. Los archivos multimedia en streaming se reproducen mientras se descargan, normalmente por medio de un navegador. Lo que utilice depende del tamaño y contenido de sus archivos multimedia.

Este capítulo trata los objetos multimedia que puede utilizar en páginas Web. Esto incluye cómo crear, digitalizar, subir al servidor, editar y utilizar objetos multimedia para su sitio Web.

ARCHIVOS DE AUDIO DIGITAL

Cuando se utiliza correctamente, el audio puede mejorar el estado de ánimo. Un poco de audio bien situado engancha a su audiencia y les implica en la experiencia Web. Un mal audio realiza lo contrario. Si el audio está demasiado alto o es intrusivo, aleja a los visitantes. Si el audio es repetitivo o no está relacionado con el sitio Web de alguna forma que tenga sentido, molesta a sus visitantes en lugar de darles la bienvenida.

Algunas personas utilizan el audio para añadir música (como una banda sonora) a su página pero el uso más común del audio en la Web estos días es el podcasting que es, básicamente, la creación de programas de audio sobre diferentes temas y su distribución en la Web.

Este apartado trata qué tipos de archivos de audio se encuentran disponibles, cómo reproducirlos y cómo digitalizarlos.

Formatos de audio

Como se ha mencionado previamente, los archivos de audio se presentan de diferentes tipos. Estos tipos de archivos funcionan con algunos sistemas operativos pero no con otros. Lo que usted quiere es el tamaño de archivo más pequeño posible en el mayor número de sistemas operativos. Como con los archivos gráficos, los archivos de audio pueden tener diferentes tipos de compresión. Igualmente, los archivos de audio pueden tener diferentes niveles de calidad de audio.

► **.wav:** Éste es el tipo de archivo de audio Windows predeterminado. Aunque es el predeterminado para Windows, puede utilizarlo en la mayoría de sistemas operativos. Está sin comprimir, por lo que puede dar lugar a tamaños de archivos más grandes y mantener una excelente calidad.

► **.mp3:** Éste es el formato de archivo más común. Se ejecuta en casi cualquier ordenador que se conecte a Internet, está comprimido (por lo tanto tiene tamaños de archivo pequeños) y produce resultados de alta calidad.

► **.wma (Windows Media Audio):** Este formato propietario de Windows es de alta calidad y tiene buena compresión pero no se reproduce en todos los sistemas.

Ésta no es una lista exhaustiva pero la mayoría de los archivos que encuentre y quiera utilizar estarán en estos formatos. Si elige otro formato, asegúrese de averiguar sus beneficios y limitaciones antes de usarlo, Puede encontrar una lista más exhaustiva de formatos de archivo de audio en `http://www.fileinfo.net/filetypes/audio`.

Reproductores de audio

Después de tener un formato para el audio que va a utilizar, necesita tener un reproductor en su ordenador. Un reproductor es un software, que puede o no estar en su navegador, que reproduce archivos de audio. La mayoría de los sistemas operativos ahora tienen un reproductor de audio incorporado pero algunos reproductores de audio gratuitos de código abierto tienen algunas características diferentes:

▶ **Songbird** (`http://getsongbird.com/`): Este reproductor de audio de alta calidad de código abierto utiliza el mismo software con el que funciona el navegador Firefox (véase la figura 13.2).

Figura 13.2. Songbird es un excelente reproductor de música.

- **Winamp** (`http://www.winamp.com/`): Este reproductor multimedia cuenta con una robusta comunidad de desarrolladores y cientos de características.

Digitalizar audio

Para empezar el proceso de utilizar audio para su sitio Web, necesita digitalizar algo de audio. Puede hacer esto de varias formas:

- **Grabar el suyo propio:** Mediante un micrófono o instrumento musical conectado a su ordenador, puede grabar sus propios archivos de sonido y utilizarlos en su sitio Web.

- **Copiar CD:** La mayoría de los reproductores de audio y multimedia le permiten copiar CD. Esto significa que toma el audio del CD y lo sitúa en su ordenador.

Advertencia: Existen obviamente leyes de propiedad intelectual relacionadas con los archivos de audio. No copie y utilice música en su sitio Web de aquello para lo que no tenga derechos. A menos que sea Elton John, no utilice su música en su sitio.

- **Utilizar música sin derechos de autor:** Existen diferentes fuentes para audio que no tienen derechos de autor, tanto en la Web como por medio de CD. El audio sin derechos de autor es gratuito y se puede utilizar de cualquier forma. Busque en la Web el tipo de audio que necesite.

Edición de audio

Después de digitalizar su audio, probablemente querrá recortar el principio o final, limpiar algo de ruido o añadir algunos efectos. Para ello, necesita un programa de edición de audio. Por supuesto, existen muchos costosos editores de audio de gama alta ahí fuera pero otros son gratuitos y de código abierto.

Uno de esos editores es Audacity (`http://audacity.sourceforge.net/`). Es el grabador y editor de audio más popular de código abierto. Tiene numerosas características y se ejecuta en Windows, Mac y Linux (véase la figura 13.3).

Después de editar su archivo de audio, necesita guardarlo en el formato que mejor se adapte a sus propósitos.

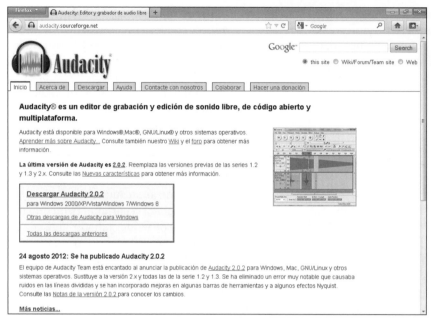

Figura 13.3. Audacity es un favorito de los desarrolladores Web multimedia.

Audio en streaming

Una forma en la que puede añadir audio a su sitio Web es almacenando los archivos en un ordenador de terceros y difundirlo en streaming en su sitio Web. Un sitio Web excelente para esto es SoundCloud (`http://soundcloud.com/`). Este sitio le permite almacenar archivos de audio, difundirlos en streaming en su sitio Web e interactuar con sus oyentes. Esto es especialmente de utilidad para grupos y otros artistas que quieren mostrar su trabajo. Puede incorporar un archivo SoundCloud en su sitio Web al utilizar las herramientas que se proporcionan en el sitio Web (véase la figura 13.4). SoundCloud también actúa como una red social que permite a las personas comentar audio mientras se reproduce.

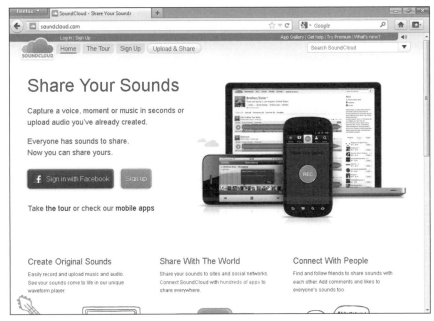

Figura 13.4. SoundCloud le permite difundir audio en streaming en su sitio.

Recursos de audio

La Web está llena de recursos de audio increíblemente útiles. Los expertos de audio han adoptado la tecnología y les encanta compartir su conocimiento y habilidades. Aquí tiene algunos vínculos de utilidad:

► **How to Record Audio for the Web** (http://www.j-learning. org/present_it/page/how_to_ record_audio_for_the_web/):

Un buena visión general de cómo grabar audio para la Web.

► **Podcast Recording Questions** (www.jellycast.com/help-recording.html): Una excelente introducción al podcasting.

► **Podcasting in Plain English** (http://commoncraft.com/ podcasting): Un excelente vídeo que describe los fundamentos del podcasting.

ARCHIVOS DE VÍDEO DIGITAL

Hoy en día, parece que todo el mundo crea podcasts de vídeo. Ahora están en todas partes en la Web. Además, la gente ha empezado a grabarse a sí misma, sus amigos y sus mascotas, para regocijo de todos nosotros, y publican estos vídeos en la Web.

Antes, el proceso de filmar y editar una película era un proceso complicado. Ya no es así. Hoy en día, las personas pueden grabar vídeo digital de alta definición, editarlo con herramientas de calidad profesional y publicarlo en YouTube para que lo vean millones de personas. Como el audio, el vídeo tiene sus propios problemas, como una calidad pobre y largos tiempos de carga.

Este apartado trata los tipos de archivos de vídeo que se encuentran disponibles, cómo reproducirlos y cómo digitalizarlos.

Formatos de vídeo

Como el audio, el vídeo también se presenta en muchos formatos, y el que elija afecta al tamaño de los archivos y la calidad del resultado. Nadie quiere ver un vídeo diminuto que sea borroso, ni tampoco quieren esperar 15 minutos a ver un vídeo casero debido al gran tamaño del archivo. Es importante elegir el tipo de archivo correcto para hacer esto. Aquí tiene algunos de los tipos de archivo de vídeo más comunes:

▶ **.avi:** Un formato de vídeo común que se puede utilizar con Windows. Se puede comprimir sin mucha pérdida de calidad.

▶ **.mov:** El formato de película de QuickTime creado por Apple. El reproductor estándar (y gratuito) QuickTime se utiliza para reproducir estos archivos tan comprimidos en Mac o Windows.

▶ **.mpeg:** Un formato de vídeo independiente del sistema operativo que proporciona tamaños de archivo pequeños y excelente calidad.

▶ **.wmv:** Un formato de vídeo Windows que cada vez es más común y cuenta con una compresión excelente.

Recuerde que querrá utilizar un formato de archivo amigable para la mayoría de visitantes. Si elije otro formato, asegúrese de investigar sus beneficios y limitaciones antes de utilizarlo.

Para una lista más exhaustiva de formatos de archivo de vídeo, vaya a `http://www.fileinfo.net/filetypes/video`.

Reproductores de vídeo

La mayoría de los sistemas operativos ahora vienen con reproductores de vídeo incorporados. Windows Vista tiene Media

Center y el Mac tiene iTunes. También podría querer probar algunos reproductores de vídeo de código abierto que tienen diferentes características:

▶ **VideoLAN** (`http://www.videolan.org/`): Un reproductor de vídeo de código abierto multiplataforma que reproduce varios formatos de vídeo (véase la figura 13.5).

▶ **Miro** (`http://www.getmiro.com/`): Este reproductor multimedia de código abierto reproduce archivos de vídeo y tiene cientos de canales de contenido.

▶ **Kaltura** (`http://corp.kaltura.com/technology/video_player`): Esta utilidad no es sólo para reproducir vídeos, sino que le permite anotarlos y compartir sus anotaciones con otros.

Figura 13.5. Descargar VideoLAN aquí.

Multiplataforma

Multiplataforma significa que se ejecuta en más de un sistema operativo (los sistemas operativos a veces se denominan plataformas). Por lo tanto, si un programa puede ejecutarse en un ordenador Windows y Mac, es multiplataforma.

Digitalizar vídeo

Es fácil digitalizar vídeo estos días. Lo que solía llevar meses y mucho dinero ahora es relativamente barato y lleva solamente unos cuantos minutos. La tecnología detrás de la digitalización de vídeo ha recorrido un largo camino. Aquí tiene varias formas de obtener vídeo digitalizado en su ordenador:

Tarjeta SD

Una tarjeta SD es un pequeño disco multimedia que almacena datos, incluidas imágenes y vídeo. La mayoría de los ordenadores vienen con un lector de tarjeta SD, por lo que puede transferir sus datos desde su cámara a otro ordenador.

▶ **Utilizar una cámara de vídeo digital:** Hoy en día, es barato y fácil tener una cámara de vídeo que grabe directamente en soportes digitales como una tarjeta SD.

▶ **Grabación en vídeo e importar a su ordenador:** La mayoría de las tarjetas de vídeo cuentan con entradas de audio y vídeo para ayudarle a digitalizar vídeo.

Nota: El vídeo ocupa una gran cantidad de espacio en disco, por lo que podría considerar hacerse con un disco duro externo para ampliar su capacidad de almacenamiento.

▶ **Utilice una webcam:** En la actualidad, puede comprar una cámara que se conecta directamente a su ordenador y digitaliza a medida que graba.

▶ **Digitalizar vídeo analógico:** Un vídeo capturado en una cámara de vídeo y almacenado en una cinta probablemente sea contenido analógico. Para capturar estos datos, utilice un conversor analógico como Dazzle de Pinnacle (http://www.pinnaclesys.com/PublicSite/us/Products/Consumer+Products/Dazzle/).

Edición de vídeo

Si no sabe nada de películas o vídeo, sabe que utilizar imágenes de vídeo no siempre es acertado. Necesita añadir títulos, reorganizar planos, añadir música y comprobar el audio.

Existen varios editores de vídeo bastantes costosos disponibles pero nunca debería pagar por algo que puede obtener de forma gratuita. Aquí tiene el mejor editor de vídeo gratuito de código abierto:

> ► **Avidemux** (`http://www.avidemux.org/`): Se trata de un programa de software de edición de vídeo sencillo y multiplataforma.

Si quiere probar algo nuevo, YouTube ahora ofrece un sencillo editor de vídeo (`http://www.youtube.com/editor`). Este sitio le permite combinar clips y añadir audio con una sencilla interfaz de arrastrar y soltar. Antes de hacer algo con esta página, hago una copia de seguridad de mis archivos multimedia; sin embargo, el sitio es divertido y sencillo de utilizar.

Esperemos que, en un futuro cercano, veamos más características del producto. Después de editar su archivo de vídeo, necesita guardarlo en el formato que mejor se adapte a sus necesidades.

Sitios de hospedaje de vídeo

Cuando tiene su vídeo listo, puede utilizar un sitio de hospedaje de vídeo para compartirlo. Estos sitios han aparecido en los últimos años y se han convertido en los sitios más populares en Internet. Aquí tiene tres de los mejores sitios para compartir vídeo:

> ► **YouTube** (`http://youtube.com`): Se trata del sitio de hospedaje de vídeo más conocido en la Web en la actualidad. Le permite subir vídeos, compartirlos con otros y comunicarse con sus visitantes.

> ► **Ustream.tv** (`http://www.ustream.tv/`): Un sitio Web que le permite compartir vídeos o vídeo en streaming desde su ordenador (véase la figura 13.6).

> ► **Vimeo** (`http://vimeo.com/`): Otro sitio de compartición de vídeo que le permite conectarse con su audiencia.

Trabajar con YouTube

YouTube es el sitio de vídeos número uno en Internet. Este apartado trata sobre algunas de las cosas más útiles que puede hacer en YouTube. Se asume que tiene una cuenta YouTube (que también puede ser su cuenta Google). Si no tiene una, dedique un momento a registrarse antes de realizar estas funciones:

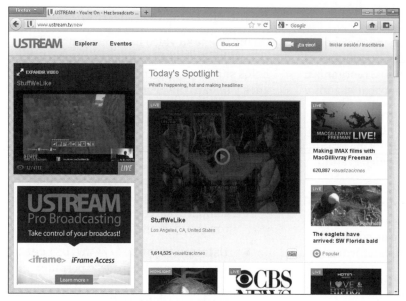

Figura 13.6. Puede reproducir vídeos en Ustream.

Subir un vídeo

1. Regístrese en su cuenta YouTube.

2. Haga clic en su nombre de usuario en la parte superior derecha y seleccione Gestor de vídeos (véase la figura 13.7).

3. Haga clic en el botón **Subir vídeo**. Esto le lleva a la pantalla de envío (véase la figura 13.8).

4. Seleccione un archivo de su ordenador o grabe de una webcam.

5. Cuando se envíe su vídeo, complete los detalles.

Editar un vídeo

1. Acceda a su cuenta YouTube.

2. Vaya a `http://www.youtube.com/editor`. Esto abre el editor de vídeo YouTube.

Esta herramienta le permite editar, combinar, reorganizar, añadir música, añadir texto y añadir transiciones a proyectos de vídeo.

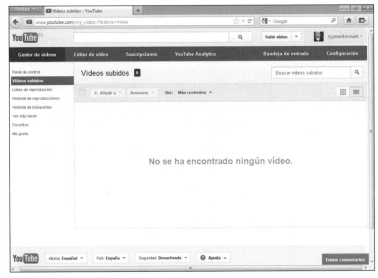

Figura 13.7. Gestor de vídeos de YouTube.

Figura 13.8. Pantalla para subir archivos de vídeo.

Incorporar un vídeo

1. Vaya a la página del vídeo.

2. Haga clic en el botón **Compartir** debajo del vídeo.

3. Haga clic en el botón **Insertar**. Esto abre el código HTML a utilizar en su página para incorporar el vídeo (véase la figura 13.9).

4. Copie y pegue este texto en su código HTML.

Recursos de vídeo

Como se ha explicado, la tecnología detrás del vídeo cada vez es más sencilla y fácil de utilizar y no requiere tanto conocimiento técnico como solía ser. Sin embargo, sigue habiendo cosas que aprender sobre ella, por lo que le aconsejo que siga leyendo sobre este tema. Cuanto más sepa, mejores serán sus vídeos. Existen numerosos sitios Web con numerosa información sobre tecnología de vídeo de personas con mucha experiencia.

Figura 13.9. El texto incorporado para un vídeo.

Aquí tiene algunos a considerar:

- ▶ **Video Files & Editing Tutorial:**
  `http://www.fluffbucket.com/`
  `othettutorials/video/`
  `format.htm`

- ▶ **Web Multimedia Tutorial:**
  `http://www.w3schools.com/`
  `media/default.asp`

- ▶ **Web Video Tutorials:**
  `http://www.webvideozone.com/`
  `public/department22.cfm`

MEJORES PRÁCTICAS DE MULTIMEDIA

Prepárese para el cambio. La multimedia cambia muy rápidamente en Internet, por lo tanto prepárese para los cambios con poco o ningún aviso.

Siempre ofrezca opciones al usuario. Siempre permita a los usuarios controlar los medios. Si quieren detener o bajar el volumen, deberían poder hacerlo. Otra cosa con la que tener cuidado es no establecer el audio o vídeo en reproducción automática. A nadie le gusta un sitio Web que hace sonar música o vídeo sin previo aviso.

Intente mantener los tamaños de archivos lo más pequeños posible. Es una lucha constante por proporcionar la multimedia de la mejor calidad pero, a veces, eso crea archivos enormes que hace que los usuarios esperen mientras descargan. Asegúrese de que mantiene sus archivos lo más pequeños posible sin sacrificar la calidad.

Asegúrese siempre de que los elementos multimedia a su sitio aportan valor añadido. A nadie le gusta ir a un sitio Web lleno de multimedia que no tiene nada que ver con el sitio Web. Utilice multimedia para mejorar su mensaje, no para oscurecerlo.

14. Crear un sitio con HTML

En este capítulo aprenderá:

- ▶ Cómo funcionan las páginas Web.
- ▶ Hipervínculos.
- ▶ Hojas de estilo en cascada.
- ▶ Juntarlo todo.
- ▶ Scripts.
- ▶ Utilizar plantillas.

Ahora que ha realizado todo el trabajo preparatorio de su página Web, está listo para crear uno con HTML (*Hypertext Markup Language*, Lenguaje de marcación hipertexto).

Aunque puede ser poco común ahora utilizar solamente HTML para crear un sitio, es un buen ejercicio para los fundamentos básicos de la creación de un sitio Web. Aprender estos fundamentos básicos le ayudará a entender cómo editar el HTML detrás de su entrada de blog o sitio Web. Utilizar HTML sigue siendo una de las mejores formas de crear una página Web sencilla, y entender cómo funciona le ayudará a realizar las modificaciones que producen los resultados que busca.

Este capítulo trata algunos de los fundamentos básicos de crear páginas y sitios Web en HTML. Verá el código fuente que hay por detrás de una página en HTML.

> **Nota:** Antes de empezar a crear páginas en HTML, debería familiarizarse con los fundamentos de HTML.

CÓMO FUNCIONAN LAS PÁGINAS WEB

En toda página Web en Internet hay, al menos, algo de HTML. Incluso un sitio que utilice un programa como Flash tiene una etiqueta HTML contenedor que lo engloba.

Contenedor

Un contenedor es algo que rodea otra cosa. Un contenedor HTML funciona de forma similar. Rodea algo, como un objeto Flash en código HTML para que un navegador Web pueda "reconocerlo".

Archivo de página

Toda página Web es un archivo. Se puede hacer referencia a otros archivos pero sigue siendo uno sólo. La página Web es un archivo de texto de comandos HTML. Este archivo es pequeño, por lo que se carga tan rápidamente.

Extensiones

Una página Web, como la mayor parte de archivos, tiene una extensión. Las extensiones para las páginas Web son .htm o .html. Cualquiera de ellas funciona bien pero debería elegir una para su sitio Web y mantenerla.

Cuando cree hipervínculos, necesitará utilizar el nombre del archivo y la extensión correctos, por lo que utilizar siempre una misma extensión facilita la creación de referencias.

Estas extensiones le dicen a un navegador Web que el archivo contiene HTML y se debería mostrar como una página Web.

Herramientas para crear páginas Web

Puede utilizar varios tipos diferentes de herramientas para la creación del HTML. Éstas incluyen editores de texto y editores WYSIWYG (*What You See Is What You Get*, Lo que ve es lo que recibe). La mayoría de los desarrolladores Web utilizan una combinación de éstas. Por ejemplo, una modificación rápida normalmente se realizará con un editor de texto mientras que la creación de una tabla es mejor realizarla con un editor WYSIWYG. Es importante entender las ventajas únicas que ofrece cada editor para que pueda decidir fácilmente qué herramienta funciona mejor para el trabajo particular que esté realizando.

▶ **Editores de texto:** Las herramientas más sencillas para crear archivos HTML. Todo lo que tiene que hacer es escribir el HTML, guardarlo y ya ha terminado. Los editores de texto se han vuelto muy sofisticados en los últimos años. Por ejemplo, Notepad++ tiene un plug-in HTML incorporado que colorea sus etiquetas y formatea texto para facilitarle la creación de sus páginas (véase la figura 14.1).

► **Editores WYSIWYG:** Le permiten crear páginas Web al trabajar directamente con la página sin necesidad de preocuparse por el código HTML. Su página se muestra igual que en un navegador y el editor crea el HTML por usted. Los editores WYSIWYG (véase la figura 14.2) pueden ser un gran ahorro de tiempo pero también pueden llevar a páginas con etiquetas propietarias o páginas que no se muestran correctamente en todos los navegadores.

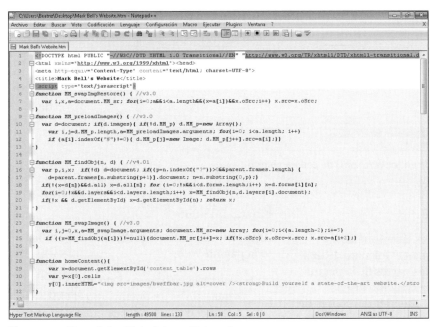

Figura 14.1. Una página Web vista en Notepad++.

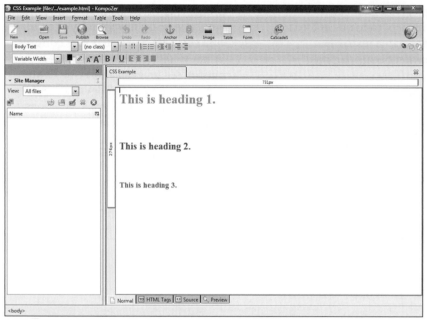

Figura 14.2. KompoZer es un editor WYSIWYG de código abierto.

Partes de una página

Por lo tanto, examinemos las etiquetas y estructuras que conforman el formato de una página Web. Entender las partes de la página es algo muy valioso en la creación de sus propias páginas y para aprender del código de página Web de otras personas. Este apartado trata esas etiquetas básicas y otras formas en las se pueden estructurar las páginas HTML (etiquetas <div>, tablas, marcos y capas).

Partes básicas

Aquí tiene algunas etiquetas que debe tener toda página Web:

► <html></html>: Esta etiqueta dice que esto es un documento HTML. Es esencial y viene al principio y final de un documento HTML.

- ▶ `<head></head>`: Esta etiqueta es para la parte del encabezado del archivo HTML. Nada de lo que aparece en la etiqueta `<head>` aparece en el cuerpo de su página Web.

- ▶ `<title></title>`: Esta etiqueta define el título del sitio Web según aparece en la barra de título del navegador. La etiqueta `<title>` aparece dentro de la etiqueta `<head>`, de modo que el texto no aparece en el cuerpo de la página Web.

- ▶ `<body></body>`: Ésta es la parte principal de su página Web. Todo lo que haya aquí es lo que se muestra en el navegador Web.

Por lo tanto, si juntamos todo ello, el código HTML se parece a esto:

```
<html>
   <head>
      <title>This is the title of this web
            page.</title>
   </head>
   <body>
      This is the body of the HTML
            document.
   </body>
</html>
```

Observe cómo he utilizado la sangría en este ejemplo para asegurarme de que las etiquetas de inicio y fin se alinean. Esto se realiza con pestañas para mantener el código alineado.

Hipervínculos

El potencial de Internet viene no sólo de proporcionar contenido a sus visitantes sino también de vincular con otro contenido. Este contenido puede ser otra página Web u otra parte de la misma página Web. Un hipervínculo le permite hacer clic en un texto que, si todavía no se ha visitado, aparece de color azul y subrayado por defecto y va a un área diferente de contenido. Todos los hipervínculos se ejecutan con el elemento de ancla, y se abrevia en `<a>`. Existen dos tipos de hipervínculos. Uno envía al visitante a otra página Web (ya sea en el primer sitio o en un sitio completamente diferente). El segundo tipo de hipervínculo actúa como un marcador a otra ubicación dentro del mismo documento HTML. Esto es especialmente de utilidad si tiene un documento largo y algo como una tabla de contenido al principio de la página.

Hipervínculo a otro documento

Para crear un hipervínculo a otro documento, establece el atributo `href` en la etiqueta `<a>` a un vínculo exterior. Por lo tanto, si quisiera crear un vínculo a la página principal en mi sitio, se parecería a esto:

```
<a href="home.html">Home</a>
```

Esto crea un hipervínculo a la palabra `Home` que vínculo con la página Web `home.html` en el mismo directorio.

Pero, ¿qué pasa si quiero abrir una página Web que no está en mi sitio? La forma más sencilla de hacer esto es añadir el URL completo en el atributo `href`. Por ejemplo:

```
<a href="http://www.google.com/">
The Google Homepage</a>
```

Puede que también quiera abrir el otro documento en otra pestaña u otro navegador mientras mantiene la página original en el navegador. Realiza esto al establecer el atributo `target`. Por ejemplo:

```
<a href="http://www.google.com/"
target="_blank">This link opens the Google
homepage in a new window or tab</a>
```

Este vínculo abre la página principal de Google en una pestaña o ventana aparte (dependiendo del navegador que utilice).

Hipervínculos al mismo documento

Para utilizar marcadores dentro de un documento, primero debe definirlos. Esto se realiza al utilizar la etiqueta de ancla y el atributo `name`. Cuando establece esto en su código HTML y, luego, crea un hipervínculo a él, el navegador va a ese punto en el documento. Por ejemplo, un marcador es:

```
<a name="chapter12">Chapter 12</a>
```

Y ahí, un hipervínculo de ancla a ello se parecería a esto:

```
<a href="#chapter12">Go to Chapter 12</a>
```

Observe aquí que el atributo `href` tiene un símbolo # delante del nombre del marcador. Esto permite que el navegador sepa que está creando un vínculo con un marcador, no con otro documento.

Colores de hipervínculo

Puede que haya observado que los hipervínculos se presentan de varios colores. Es una buena idea recordar que los siguientes colores son los establecidos por defecto:

- ► Azul y subrayado: Vínculo no visitado.
- ► Morado y subrayado: Vínculo visitado.
- ► Rojo y subrayado: Vínculo con el ratón sobre él.

Documentar su código con comentarios

Un buen desarrollador Web documenta su código. Cuando desarrolla una página sencilla, todo es muy sencillo pero, a medida que su página se vaya complicando, necesitará añadir notas en el código para ayudarle a recordar por qué hizo ciertas cosas. Igualmente, si trabaja con otras personas en su página Web, comentar les permitirá saber qué es lo que hizo si examinan su código sin que esté presente. Para añadir notas, utilice la etiqueta de comentario. La etiqueta de comentario tiene esta forma:

```
<!--Éste es un comentario-->
```

Este texto nunca se mostrará en la página Web; sirve solamente como una nota para el desarrollador Web.

Tablas

Las tablas no son solamente de utilidad para almacenar información sino que también se utilizan como una herramienta estructural para el diseño. Normalmente, una tabla crea una cuadrícula de información así:

FRUTAS	VENTAS
Manzana	15 euros
Naranja	10 euros

Sin embargo, las tablas no son siempre así de sencillas. Algunos desarrolladores Web utilizan tablas para estructurar sus páginas Web. De hecho, las tablas pueden ser esenciales para espaciar adecuadamente elementos en los sitios Web. Las tablas pueden contener texto, imágenes y otros elementos, y se pueden anidar unas dentro de otras. Examinemos algunos ejemplos sencillos. En primer lugar, en base a las estructuras de página Web descritas anteriormente (encabezado, cuerpo, pie de página y barras laterales) en este capítulo, se puede crear con una tabla en una página Web. El siguiente código HTML produce una sencilla página Web que utiliza tablas:

```html
<html>
    <head>
        <title>Sample Page using Tables
            </title>
    </head>
    <body>
        <table border=1 cellspacing=0
            cellpadding=0>
            <tr>
                <td width=73 valign=top>
                <br/>
                </td>
                <td width=168 valign=top>
                <br/>Header
                </td>
                <td width=84 valign=top>
                <br/>
                </td>
            </tr>
            <tr>
                <td width=73 valign=top>
                <br/>Sidebar 1
                </td>
                <td width=168 valign=top>
                <br/>Body
                </td>
                <td width=84 valign=top>
                <br/>Sidebar 2
                </td>
            </tr>
            <tr>
                <td width=73 valign=top>
                <br/>
                </td>
                <td width=168 valign=top>
                <br/>Footer
                </td>
                <td width=84 valign=top>
                <br/>
                </td>
            </tr>
        </table>
    </body>
</html>
```

Esta tabla produce una estructura de página Web sencilla (véase la figura 14.3).

Si añade más contenido, mantiene la estructura de tabla inicial y su contenido permanece en su lugar. Anidar tablas es una forma de hacer esto.

HTML le permite crear tablas que se anidan dentro de otras tablas. Estas tablas dentro de tablas pueden proporcionarle incluso más control sobre su contenido. Por lo tanto, por ejemplo, en la página mostrada en la figura 14.3, podría anidar otra tabla dentro del cuerpo de la tabla más grande para crear una estructura dentro de la parte del cuerpo de la tabla.

Las tablas anidadas son difíciles de codificar a mano y se deberían dejar en manos de los maestros de las tablas HTML. Su mejor opción es utilizar un editor WYSIWYG que le ayude a crear la tabla, por lo que no tiene que meterse con el código HTML.

Si es lo suficientemente valiente y quiere aprender más sobre el código para las tablas, consulte los siguientes sitios:

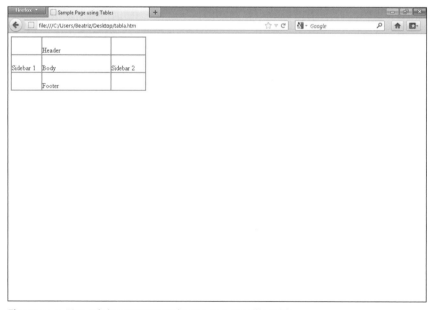

Figura 14.3. Una página estructurada con una sencilla tabla.

- ▶ **W3Schools:** Tablas HTML, `http://www.w3schools.com/html/html_tables.asp`.

- ▶ **HTML Code Tutorial:** `http://www.htmlcodetutorial.com/tables`.

- ▶ **Quackit.com:** Tutorial de tablas HTML, `http://www.quackit.com/html/html_table_tutorial.cfm`.

Etiquetas <div>

Una etiqueta común utilizada para estructurar su página Web es `<div>`. Esta etiqueta actúa como un divisor para los apartados de su página Web. A estas secciones divididas se les puede luego aplicar un formato específico, lo que le proporciona un gran control. Por ejemplo, este código utiliza la etiqueta `<div>` para formato:

```
<html>
   <head>
      <title>Sample Page using DIV tags
            </title>
   </head>
   <body>
      <div style="text-align:center">
      <h1>This is centered heading 1</h1>
      <p>This is a centered paragraph</p>
      </div>
   </body>
</html>
```

Este código alinea en el centro del navegador todo el texto en la etiqueta `<div>`. No importa si el texto es un encabezado o texto normal. El código anterior produce la página Web que se muestra en la figura 14.4.

Para la información más completa sobre la etiqueta `<div>`, consulte `http://www.w3schools.com/tags/tag_DIV.asp`.

> **Advertencia:** Teóricamente, los marcos parecen una forma ideal de crear páginas Web; sin embargo, han demostrado ser problemáticos y, por lo general, se les ve como un mal diseño y estructura en estos momentos. Utilice tablas, etiquetas `<div>` y CSS (*Cascading Style Sheets*, Hojas de estilo en cascada) para obtener mejores resultados. En cualquier caso, debe tener en cuenta los marcos, porque otros desarrolladores los utilizan, pero recuerde que existen formas mejores de estructurar una página.

Marcos

Los marcos son otra forma de crear estructura en su página. Básicamente crean múltiples páginas Web que se muestran dentro de una página Web. Igual que una tabla contiene celdas de contenido, una página Web que usa marcos se divide de forma similar, si bien cada celda actúa como una página Web aparte.

Figura 14.4. Ésta es la página Web que resulta de utilizar etiquetas <div> en el código.

Para utilizar marcos, necesita crear varias páginas Web y utilizar un conjunto de etiquetas en una página para crear un sitio que utiliza marcos.

Las siguientes indicaciones le muestran cómo crear algunas páginas y, luego, crear un sencillo documento HTML que las muestra todas a la vez.

Para crear páginas Web de ejemplo que utilicen marcos, siga estos pasos:

1. Cree una página Web que contenga este código:

    ```
    <html>
      <head>
        <title>Frame1</title>
      </head>
      <body>
        This is frame 1
      </body>
    </html>
    ```

2. Guarde ahora esta página como `frameone.html`.

3. Cree una página Web que contenga este código:

```html
<html>
  <head>
    <title>Frame2</title>
  </head>
  <body>
    This is frame 2
  </body>
</html>
```

4. Guarde entonces esta página como frametwo.html en el mismo lugar que frameone.html.

5. Cree una página Web denominada frames.html que contenga el código:

```html
<html>
  <frameset cols="90,*">
    <frame src ="frameone.html" />
    <frame src ="frametwo.html" />
  </frameset>
</html>
```

6. Guarde ahora esta página como frames.html en un lugar diferente de frameone.html y frametwo.html.

7. Vea frames.html en su navegador (véase la figura 14.5).

Figura 14.5. Esta página Web de muestra utiliza marcos.

Capas

La etiqueta `<layers>` crea capas de elementos de página Web que se pueden mostrar dinámicamente y apilar unas encima de otras. Imagine las capas como pilas de documentos en su escritorio. La capa superior no deja ver las capas por debajo. Como los marcos, esto parece ser una buena idea pero la etiqueta `<layers>` no funciona correctamente en todos los navegadores. Esto lleva a problemas porque no sabe qué navegador usa la gente cuando visita su sitio.

> **Advertencia:** Los marcos y conjunto de marcos dejan de contar con soporte en HTML5, por lo que debería pensar en otra forma de diseñar su sitio Web.

HOJAS DE ESTILO EN CASCADA

Una CSS es un archivo que contiene el formato para cómo se muestran los elementos HTML en una determinada página Web. Es un archivo que sitúa en el servidor Web y contiene esa información. Un archivo CSS mantiene su sitio Web organizado, coherente y mucho más fácil de mantener.

La palabra "cascada" podría desanimarle pero lo que significa es que la hoja de estilo puede controlar el formato de todo su documento desde un único lugar. Utilizar una CSS significa que tiene todo el control sobre el formato hasta el nivel más detallado, o que puede dejar que CSS se ocupe de ello. Así, por ejemplo, si quiere que el texto del cuerpo de su documento sea texto normal, puede dejar que la CSS defina eso pero, si tiene una palabra que quiere que se muestre en cursiva, puede hacerlo mediante el uso de una etiqueta alrededor del texto. Existe una prioridad para el formato, lo que significa que el formato en el nivel más cercano al código tiene prioridad sobre el formato más alejado del código. La siguiente lista le muestra la prioridad del formato:

1. Navegador predeterminado.
2. Hoja de estilo externa (CSS).
3. Formato interno (en la etiqueta `<head>`).
4. Formato aplicado específicamente.

Así, en la lista anterior, puesto que la cursiva se aplica de forma específica (4), anula todo el otro formato (1, 2, 3).

Formato de una hoja de estilo

El formato de una hoja de estilo externa (un archivo aparte) o una interna (contenida en el archivo HTML) es el mismo. Puede estar en una hoja de estilo aparte o en la etiqueta `<head>` de una determinada página Web.

El formato es simplemente:

```
etiqueta {propiedad: valor}
```

Éstas son las diferentes partes:

- ▶ **Etiqueta:** Ésta es la etiqueta HTML a la que quiere aplicar una etiqueta.

- ▶ **Propiedad:** Ésta es la propiedad (color del texto, tamaño o formato especial) del texto que quiere aplicar a la etiqueta.

- ▶ **Valor:** Éste es el valor de la propiedad (rojo, negrita, subrayado) que quiere aplicar a la etiqueta.

Por lo tanto, por ejemplo, si quiere que todas las etiquetas <H1> sean rojas:

- ▶ **Etiqueta:** h1.
- ▶ **Propiedad:** color.
- ▶ **Valor:** red.

Todo junto en el código se parece a esto:

```
h1 {color: red}
```

Esto cambia todas sus etiquetas <H1> para que el texto sea rojo. Si quiere que el color sea azul, simplemente cambie la referencia a:

```
h1 {color: blue}
```

Todos sus encabezados <H1> ahora serán azules.

Crear y vincular una hoja de estilo

Este apartado trata cómo crear los archivos y vínculos en documentos HTML para utilizar una CSS. Una hoja de estilo vinculada le permite controlar el formato en múltiples documentos desde un lugar centralizado. Si utiliza una CSS para controlar el formato en varias páginas y quiere cambiar todas las páginas a la vez, simplemente necesita cambiar la CSS.

Para vincular con una hoja de estilo externa, necesita situar un vínculo en el área <head> de su página Web. Este vínculo toma esta estructura:

```
<link rel="stylesheet" type="text/css"
href="site.css" />
```

En este caso, un vínculo a un archivo (con el tipo text/css) denominado site.css es el nombre de su CSS. Para practicar la creación de una CSS, siga estos pasos:

1. Cree un archivo de texto que contenga este código:

```
h1 {
color:red;
}

h2 {
color:blue;
}

h3 {
color:green;
}
```

2. Guarde esta página como `site.css`.

3. Cree una página Web denominada `example.html` que contenga este código:

```html
<html>
  <head>
    <title>CSS Example</title>
    <link href="site.css"
          rel="stylesheet"
          type="text/css">
  </head>
  <body>
    <h1>This is heading 1.<h1>
    <h2>This is heading 2.<h2>
    <h3>This is heading 3.<h3>
  </body>
</html>
```

4. Guarde ahora esta página como `example.html` en el mismo lugar que `site.css`.

5. Abra `example.html` en un navegador, y verá el texto en color.

Más información sobre CSS

Esto simplemente es una muestra de cómo funciona CSS. Puede obtener más información sobre formatear y crear páginas Web complejas en los siguientes sitios Web:

► **W3C School** (`http://www.w3schools.com/css/default.asp`): Éste es uno de los mejores sitios de tutoriales en Internet. No sólo puede encontrar un extraordinario

tutorial de CSS aquí, sino de varios tipos, incluidos HTML y JavaScript. Recuerde este sitio.

► **The CSS Tutorial** (`http://www.csstutorial.net/`): Un tutorial de CSS sencillo y claro.

► **CSS Tutorial** (`http://www.echoecho.com/css.htm`): Se trata de un tutorial CSS bien escrito y completo.

JUNTARLO TODO

Bueno, le he descrito muchas de las partes que conforman los sitios Web, y puede que se pregunte cómo encaja todo esto. Este apartado toma un sencillo sitio Web y le muestra cómo todas estas partes funcionan juntas con un sencillo archivo CSS.

Este sitio Web constará de tres sencillas páginas Web y una CSS que controla el formato en esas tres páginas. Las páginas incluyen encabezados, vínculos e imágenes. Recuerde que este ejemplo no es para mostrarle contenido, sino para ver cómo funciona un sitio.

Empecemos con la página principal. Esta página será el punto central de este sitio Web y vincula con las otras páginas.

En primer lugar, añado el doctype y los elementos HTML:

```
<!DOCTYPE HTML PUBLIC "-//W3C//DTD HTML
4.01//EN" "http://www.w3.org/TR/html4/
strict.dtd">
<html>
```

Luego, añado un elemento head y un elemento title.

```
<head>
   <title>My Home Page</title>
</head>
```

En el elemento body, añadiré una imagen, algunos encabezados, texto de párrafo y vínculos a otras páginas:

```
<body>
   <p><img src="picture.gif" /></p>
   <h1>Welcome to my home page...</h1>
   <h2>A place I call home.</h2>
   <p>This is an example of web page text
      content.</p>
   <p><a href="personal.html">Personal
      Information</a> | a href="events.
      html">Events Calendar</a>
</body>
```

Con todo ello junto, tiene una página Web básica completa (véase la figura 14.6).

```
<!DOCTYPE HTML PUBLIC "-//W3C//DTD HTML
4.01//EN" "http://www.w3.org/TR/html4/
strict.dtd">
<html>
   <head>
      <title>My Home Page</title>
   </head>
   <body>
      <p><img src="picture.gif" /></p>
      <h1>Welcome to my home page...</h1>
      <h2>A place I call home.</h2>
      <p>This is an example of web page
         text content.</p>
```

```
      <p><a href="personal.html">Personal
         Information</a> | <a
         href="events.html">Events
         Calendar</a>
   </body>
<html>
```

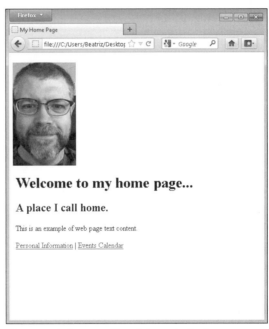

Figura 14.6. Una sencilla página principal.

Se tiene que crear la página "Personal Information" (personal.html) que se hace referencia en los hipervínculos. Es similar a la página principal pero tiene un título y contenido de cuerpo diferente (véase la figura 14.7).

Figura 14.7. La sencilla página de información personal.

Por lo tanto, el código se parecerá a esto:

```
<!DOCTYPE HTML PUBLIC "-//W3C//DTD HTML
4.01//EN" "http://www.w3.org/TR/html4/
strict.dtd">
<html>
   <head>
      <title>Personal Information</title>
   </head>
   <body>
      <h1>Personal Information</h1>
      <h2>Details</h2>
      <h3>Age</h3>
      <p>The author is 40 years old.</p>
      <h3>Gender</h3>
      <p>The author is male.</p>
      <p><a href="home.html">Home Page</a>
         | <a href="events.html">Events
         Calendar</a>
   </body>
<html>
```

La tercera página es un calendario de eventos (`events.html`) que contiene una sencilla tabla (véase la figura 14.8). El código se parecerá a esto:

```
<!DOCTYPE HTML PUBLIC "-//W3C//DTD HTML
4.01//EN" "http://www.w3.org/TR/html4/
strict.dtd">
<html>
   <head>
      <title>Events Calendar</title>
   </head>
   <body>
      <h1>Events Calendar</h1>
      <table border="1">
         <tr>
            <th>Date</th>
            <th>Event</th>
         </tr>
         <tr>
            <td>06/25/2013</td>
            <td>Party</td>
         </tr>
         <tr>
            <td>07/12/2013</td>
            <td>Trip to Dallas</td>
         <tr>
      </table>
      <p><a href="home.html">Home Page</a>
         | <a href="personal.html">
         Personal Information</a>
   </body>
<html>
```

Figura 14.8. La página de calendario de eventos.

Éstas son páginas Web funcionales aunque no demasiado emocionantes. También me quiero asegurar de que el formato es el mismo en todas las páginas, por lo que creará una CSS para establecer los estilos para todas estas páginas. Quiero cambiar los encabezados 1 y 2 así como el formato de la tabla.

En primer lugar, crearé el archivo CSS denominado `site.css`:

```
h1 {
text-align:center;
font-size:40px;
}

h2 {
color:red;
font-size:20px;
}

table, th, td
{
border: 1px solid black;
}

th
{
background-color:green;
color:white;
}
```

A continuación, añado esta línea en el elemento `<head>` de cada archivo:

```
<link href="site.css" rel="stylesheet"
type="text/css">
```

Esta línea afecta a todas las páginas que he creado en este pequeño y sencillo sitio Web.

Luego, tendrá que enviar todos estos archivos a su servidor Web (por medio de un programa FTP como FileZilla). Cuando las páginas estén en el servidor, Internet contará con un nuevo sitio Web.

SCRIPTS

Los scripts son pequeños fragmentos de código a base de unas pocas líneas de texto. Ese script es código de programación que se añade a un sitio Web. Los scripts son más complejos que las etiquetas HTML. Algunos ejemplos son JavaScript, VBScript y Perl. Para algunos, podría parecer una palabra aterradora. Podría decirse a sí mismo: "No sé programar".

Utilizar scripts dentro de su HTML no es pan comido pero tampoco es imposible. En la Web se utilizan diferentes lenguajes de script (JavaScript, Perl, VBScript), y pueden hacer que sus páginas sean interactivas y divertidas. Las claves cuando experimente con los scripts es investigar, hacer copia de seguridad de su trabajo y probar tanto como pueda. En esta edición, he añadido todo un capítulo sobre JavaScript.

Aquí tiene algunos recursos básicos sobre scripts en Internet:

▶ **Tizag.com:** Este sitio tiene muchos tutoriales para principiantes. Puede aprender a programar en JavaScript, PHP, Perl, Ajax, ASP y VBScript.

▶ **Web-Wise-Wizard.com:** Este sitio tiene un tutorial JavaScript fácil de seguir.

▶ **Webmonkey.com:** Como se ha mencionado previamente, éste es un sitio estupendo para principiantes que le ofrece la revista *Wired* con excelentes tutoriales.

UTILIZAR PLANTILLAS

Ahora que entiende cómo crear una página Web con HTML, probablemente le sorprenderá saber que algunos sitios ofrecen plantillas de sitio Web de forma gratuita, con páginas completas y CSS. Le recomiendo empezar con estas plantillas y, luego, aplique lo que ha aprendido en este capítulo para mejorar su sitio. Las plantillas Web le pueden ahorrar mucho tiempo (y dinero) pero también presentan complicaciones que no necesita, como el formato o imágenes que no le gustan.

> **Advertencia:** Nunca pague por una plantilla de sitio Web. Internet está repleto de sitios que regalan plantillas de sitios Web.

15. JavaScript para principiantes

En este capítulo aprenderá:

- ► ¡Sí!, ¡puede ser programador!
- ► Proceso de programación.
- ► Herramientas de programación.
- ► Fundamentos básicos de JavaScript.
- ► El elemento script.
- ► Recursos JavaScript.

¡SÍ! ¡PUEDE SER PROGRAMADOR!

Seguro que está pensando, ¡espere un minuto! Cuando empezó este libro, dijo que iba a ser sencillo. Se estará diciendo: "No soy uno de esos locos amantes de la programación". He escuchado este argumento todo el tiempo. Lo cierto es que he aprendido a hacer esto, así que usted también puede hacerlo. Igualmente, la programación que le presento en este capítulo es sencilla de aprender y le abre todo un mundo de posibilidades. Por lo tanto, no se preocupe por la falta de conocimientos o el temor ante algo nuevo, prepárese a aprender a programar.

Script frente a lenguaje

Hay mucha confusión en torno a lo que es un script y lo que es un lenguaje. En el mundo de la programación, las cosas se mueven muy deprisa por lo que, en algunos casos, la frontera es bastante borrosa. La explicación más sencilla es que un script puede ejecutarse sin compilarse mientras que un lenguaje se tiene que compilar para ejecutarse. Pero, ¿qué es compilar? En su forma más sencilla, compilar es utilizar un programa para comprobar y optimizar el código para que se pueda ejecutar. Los scripts no necesitan esto.

PROCESO DE PROGRAMACIÓN

Bueno, es el momento de dejar volar su lado más friki y adentrase en la programación. Espere un momento. Si ya ha leído algo de este libro, ya sabe que voy a decirle que necesita realizar una serie de pasos antes de saltar a la programación. Como crear un sitio, debería seguir un proceso tanto como le sea posible.

Aquí tiene el proceso de programación en términos generales:

> ▶ **Planificación:** ¿Qué quiere que haga su script? ¿Qué funcionalidad está buscando? ¿Cuál es el mejor lenguaje para este proyecto? Cosas como éstas se tienen que decidir en la fase de planificación.

▶ **Programación:** Ésta es la parte de codificación del programa. En este capítulo, creamos JavaScript. Estos scripts se encontrarán dentro de la página Web.

▶ **Pruebas:** Como todo lo que hace en la Web, tiene que probar y volver a probar cuando programe. Siempre que cambie algo, tiene que tener cuidado de probar los cambios. Los scripts que trato en este capítulo serán sencillos y fáciles de probar si bien, a medida que programe, necesitará realizar más pruebas.

▶ **Depuración:** Éste es un término curioso para solucionar los errores que encuentre y volver a probar. Encuentra los errores en su código, los soluciona y luego vuelve a probar.

HERRAMIENTAS DE PROGRAMACIÓN

En el mundo de la programación, existen algunas herramientas que le ayudarán en el camino. Ninguna de ellas es necesaria pero, insisto, pueden ayudarle.

Consola JavaScript

Su navegador tiene herramientas incorporadas que, probablemente, nunca ha utilizado. La consola JavaScript es una de ellas. Ésta se utiliza para depurar su código JavaScript:

► **Consola JavaScript Chrome:** Haga clic en el icono de personalizar Google Chrome, luego Herramientas>Consola JavaScript (véase la figura 15.1).

► **Consola de errores Firefox:** Escoja el menú Herramientas>Desarrollador Web>Consola de errores.

Editores de texto

La herramienta más importante que puede utilizar mientras escribe JavaScript es un buen editor HTML.

Puede utilizar un editor WYSIWYG como Komposer pero, personalmente, prefiero realizar mi programación con un editor de texto como Notepad++.

Prefiero Notepad++ porque es claro y sencillo de utilizar. Tiene números de línea y, si guarda el archivo como `.html`, realiza una comprobación básica de su código.

Figura 15.1. La Consola JavaScript Chrome.

Complementos de navegador

Existen toneladas de complementos de navegador que le ayudarán a usar JavaScript. Aquí tiene algunos de mis favoritos:

▶ **Pretty Beautiful JavaScript (Chrome):** Un buen complemento que limpia el JavaScript que encuentra online, por lo que puede leerlo y seguir el código.

▶ **Firebug (Firefox):** Un buen complemento que le permite manipular código en páginas vivas (véase la figura 15.2).

▶ **Execute JS (Firefox):** Una consola JavaScript mejorada.

Figura 15.2. Firefox utilizando el complemento Firebug.

Fundamentos básicos de JavaScript

Por lo tanto, con una idea de cómo funciona la programación y qué herramienta necesita, debe entender qué es JavaScript y para qué lo utiliza. Lea este apartado con detenimiento porque puede que no tenga claro para qué se utiliza JavaScript. De hecho, JavaScript puede que no sea la solución correcta que está buscando. JavaScript es tanto una adición poderosa como frustrante en su sitio Web, por lo tanto asegúrese de que solamente lo añade cuando lo necesite.

Funciones de JavaScript

La función principal de JavaScript es permitirle añadir elementos dinámicos de diseño a su sitio Web sin utilizar una solución más complicada o costosa. Por elemento dinámico me refiero a partes del sitio Web que cambian cuando el usuario interacciona con ellas. Esto puede ser tan sencillo como un cambio de gráfico cuando el usuario hace clic en algo en un juego complicado.

JavaScript también hace que sus páginas Web sean más interactivas. Esto permite a sus usuarios tener una experiencia más interesante que simplemente leer o ver su contenido. Un poco de interactividad puede aumentar el compromiso del usuario con su contenido. JavaScript puede manipular HTML, CSS, trabajar con datos de formularios y reaccionar a lo que haga el usuario.

Versiones de JavaScript

Podría pensar que tiene que descargar o instalar la versión más actualizada de JavaScript pero no funciona así. Existen versiones de JavaScript pero no tiene que descargar nada.

El JavaScript que utilizamos en este capítulo es sencillo y básico. Cuando utilice las características JavaScript más avanzadas, puede que necesite conocer la versión y las características más actualizadas aunque un principiante no necesita ninguna de esa información.

Requisitos JavaScript

Antes de empezar, también tiene que asegurarse de que cumple todos los requisitos para utilizar JavaScript.

En primer lugar, para utilizar JavaScript, tiene que asegurarse de que está utilizando la versión más actualizada de su navegador. Todos los principales navegadores tienen JavaScript habilitado por defecto y puede aprovechar todas sus características.

Si no está teniendo respuesta de sus aplicaciones JavaScript, quizá quiera comprobar la configuración de su navegador para asegurarse de que su navegador permite ejecutar JavaScript.

> **Advertencia:** Algunas personas están cansadas de JavaScript porque se utiliza por gente sin escrúpulos para situar virus en los sitios Web o bien hackear su sistema. Por esta razón, algunas personas desactivan intencionadamente JavaScript en su navegador. No puede hacer nada al respecto, simplemente ser consciente de ello.

El elemento script

Cuando añade JavaScript a su página Web, se tiene que encontrar en un elemento `<script>`. Esto le dice a su navegador dónde empieza y termina el script. Asegúrese de sólo incluir la parte del script entre las etiquetas `<script>` o, de lo contrario, acabará con errores inesperados o que su script no funcione en absoluto.

Por lo tanto, un sencillo JavaScript se parece a esto:

```
<script>
   alert("This is a popup!");
</script>
```

Este sencillo script muestra una pequeña ventana emergente cuando se ejecuta (véase la figura 15.3).

Figura 15.3. Su primera ventana en JavaScript.

Scripts en línea y externos

Su JavaScript puede ser en línea o externo. Los scripts en línea aparecen dentro del código HTML como cualquier otro elemento normal. Un script externo es un archivo aparte que contiene el JavaScript que luego se invoca desde el HTML.

Por ejemplo, un script en línea se parecería a esto:

```
<!DOCTYPE HTML PUBLIC "-//W3C//DTD HTML
4.01//EN"
"http://www.w3.org/TR/html4/strict.dtd">
<html>
    <head>
        <title>My First JavaScript Page
            </title>
    </head>
    <body>
        <script>
            alert("This page uses an inline
                script");
        </script>
    </body>
<html>
```

Un script externo se guarda como un archivo `.js` aparte. Luego, el HTML incluye una llamada a ese archivo. Por ejemplo, creemos un archivo denominado `script.js`:

```
alert("This page uses an external
script");
```

> **Advertencia:** Un JavaScript externo no utiliza el elemento `<script>`.

Luego, cree la siguiente página HTML y guárdela en el mismo directorio que el archivo `script.js`:

```
<!DOCTYPE HTML PUBLIC "-//W3C//DTD HTML
4.01//EN"
"http://www.w3.org/TR/html4/strict.dtd">
<html>
```

```
    <head>
        <title>My First JavaScript Page
            </title>
    </head>
    <body>
        <script type="text/javascript"
            src="script.js">
        </script>
    </body>
<html>
```

Por lo tanto ¿debería utilizar en línea o externo? En el nivel más inicial, depende de usted. El JavaScript que utilizamos en este capítulo es casi demasiado sencillo para tener un archivo externo aparte. Cuanto más complicado sea el JavaScript, más razón tiene para utilizar un archivo externo. Un archivo externo hace que sea más sencillo encontrar errores y, cuando realice cosas muy complicadas, los archivos externos se ejecutarán más rápidamente. Por mi parte, aprendí a utilizar JavaScript en línea pero cada vez utilizo más los archivos externos.

Ejemplo JavaScript sencillo: Rollovers y contenido dinámico

Una de las cosas más sencillas y también impresionantes que puede hacer con JavaScript es crear rollovers. Un rollover es simplemente una imagen o fragmento de texto que cambia cuando el ratón pasa sobre él. Por ejemplo, utilizo esto en mi sitio Web para los menús (véase la figura 15.4).

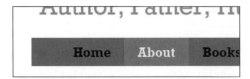

Figura 15.4. Un menú rollover en mi sitio Web.

Antes de crear un rollover, cree todas las imágenes que vaya a utilizar. Para este ejemplo, utilizo dos imágenes (véase la figura 15.5). Una es texto blanco sobre un fondo negro (wb.gif) y el mismo texto en negro sobre un fondo blanco (bw.gif). Cuando cree .gifs para rollovers, asegúrese de que son diferentes.

bw.gif   wb.gif

Figura 15.5. Las dos imágenes para el ejemplo de rollover.

Para este ejemplo, voy a utilizar un script en línea. El script no es largo, por lo que no hay razón real para convertirlo en un script externo aunque puede hacerlo si lo desea.

Este ejemplo JavaScript se divide en dos partes. La primera, el elemento de script se situará en el elemento head. El script define qué imagen utilizar cuando se llame al elemento en el cuerpo del HTML. La segunda parte es una imagen y vínculo en el cuerpo del

archivo HTML. La etiqueta de vínculo tiene la información de cómo actuar si el cursor del ratón está o no sobre el vínculo.

El script se parece a esto:

```
<!DOCTYPE HTML PUBLIC "-//W3C//DTD HTML
4.01 Transitional//EN"
"http://www.w3.org/TR/1999/REC-
html401-19991224/loose.dtd">
<html>
    <head>
        <title>Rollovers</title>

        <!--Esta parte del script define
            las imágenes que se utilizarán
            en el rollover.-->
        <script language="javascript"
            type="text/javascript">
            spotRoll = new Image
            spotRoll.src="bw.gif"
            spotOver = new Image
            spotOver.src="wb.gif"
        </script>
    </head>

<body bgcolor="#ffffff">
    <!--La siguiente línea define la
        imagen predeterminada-->
    <img src="bw.gif" name=icon
        width=100 height=100>
    <p>
        <!--Esta parte tiene el vínculo
            que se refiere al script en
            la parte head.-->
        <a href="http://www.
            javascriptworld.com"
            onMouseOver="document.icon.
            src=spotOver.src"
            onMouseOut="document.icon.
            src=spotRoll.src">
        Point
        </a>
```

```
        at this link...<br>
        ...and change the icon.
    </p>
  </body>
</html>
```

Guarde este archivo como un archivo HTML en el mismo directorio que los dos `.gif`. Cargue la página en su navegador y mueva su ratón sobre la palabra `Point` y la imagen cambiará (véase la figura 15.6). Retire su ratón de la palabra y la imagen volverá a la imagen predeterminada.

Figura 15.6. La página del ejemplo de rollover.

RECURSOS JAVASCRIPT

Este capítulo apenas profundiza en el JavaScript. Hay personas que se ganan la vida programando en JavaScript. Si este capítulo ha despertado su interés, necesita explorar estos otros recursos.

Tutoriales

Existen muchas cosas que no sabe sobre JavaScript. Los tutoriales son una forma excelente de aprender más y mejorar sus conocimientos:

▶ **W3C JavaScript Tutorial** (`http://www.w3schools.com/js/default.asp`): Éste es uno de los mejores tutoriales JavaScript en la Web. Está bien organizado, es fácil de seguir y dirigido a cualquier audiencia. W3schools también tiene una página Web dinámica, llamada Tryit Editor, que le permite probar el código sobre el que esté leyendo en el sitio (véase la figura 15.7).

▶ **Google Code University** (`http://code.google.com/edu/submissions/html-css-javascript/#javascript`): Ésta es una colección de vídeos sobre JavaScript. Sirven de introducción al tema.

Figura 15.7. Tryit Editor de W3School.

▶ **Mozilla Developer Network** (https://developer.mozilla.org/en-US/docs/JavaScript): La gente que creó Firefox cuenta con un excelente sitio JavaScript (véase la figura 15.8). Incluye una referencia, guía JavaScript, y numerosas herramientas y recursos avanzados.

Librerías de scripts

Antes de empezar a trabajar con JavaScript, consulte las librerías de código. Estas librerías contienen ejemplos de código ya escrito que puede que hagan exactamente lo que necesita.

Con una pequeña modificación, podría tener la ayuda que necesita con el trabajo de JavaScript.

▶ **JavaScript Libraries** (http://javascriptlibraries.com/): Un buen lugar para empezar a buscar ejemplos de JavaScript.

▶ **Forty Useful JavaScript Libraries** (http://coding.smashingmagazine.com/2009/03/02/40-stand-alone-javascript-libraries-for-specific-purposes/): Cuarenta librerías de código separadas en categorías (véase la figura 15.9).

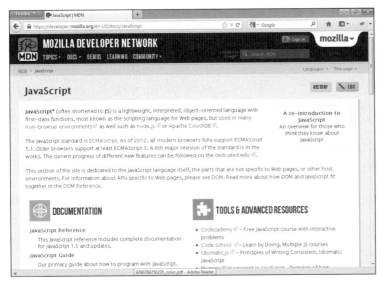

Figura 15.8. El sitio JavaScript de Mozilla Developer Network.

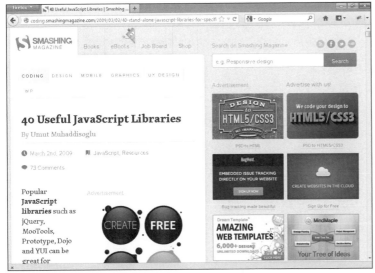

Figura 15.9. Cuarenta librerías de JavaScript de Smashing Magazine.

16. ¿Cómo hacen eso?

En este capítulo aprenderá:

- ► Ver código de otros sitios Web.
- ► Complementos de desarrollo Web Firefox.
- ► Insignias.
- ► Plantillas.
- ► Redes y sitios de desarrolladores.

Probablemente ha visto algunos sitios increíbles en Internet y se ha preguntado cómo el desarrollador Web ha creado un determinado elemento.

Este capítulo trata sobre qué hacer cuando encuentra algo interesante en el sitio Web de otra persona y quiere utilizarlo.

Este capítulo no es una guía para apropiarse del trabajo de otras personas. Las personas trabajan mucho para crear sitios increíbles en Internet y sería poco ético que les robara su trabajo y lo reclamara como propio. Sin embargo, existen formas de aprender cómo los desarrolladores Web han creado su contenido, y, aprendiendo sus métodos, puede crear su propio contenido espectacular.

VER CÓDIGO DE OTROS SITIOS WEB

Si encuentra un sitio Web que tiene algo que le gusta, siempre puede ver su código fuente. No hay nada ilegal o poco ético en ello. De hecho, es como abrir el capó de un coche y ver cómo funciona el motor.

Cualquier sitio en Internet le permite ver el código fuente. Para ver el código fuente de una página, siga estos pasos:

1. Abra una página en un navegador.
2. Haga clic con el botón derecho en la página Web y elija Ver código fuente de la página. Aparece una página similar a la que se muestra en la figura 16.1.

Esto muestra el texto de toda la página y es de utilidad si quiere ver cómo se construye.

Si está interesado en solamente una parte de la página, existen herramientas descritas más adelante en este capítulo que le ayudarán con esto.

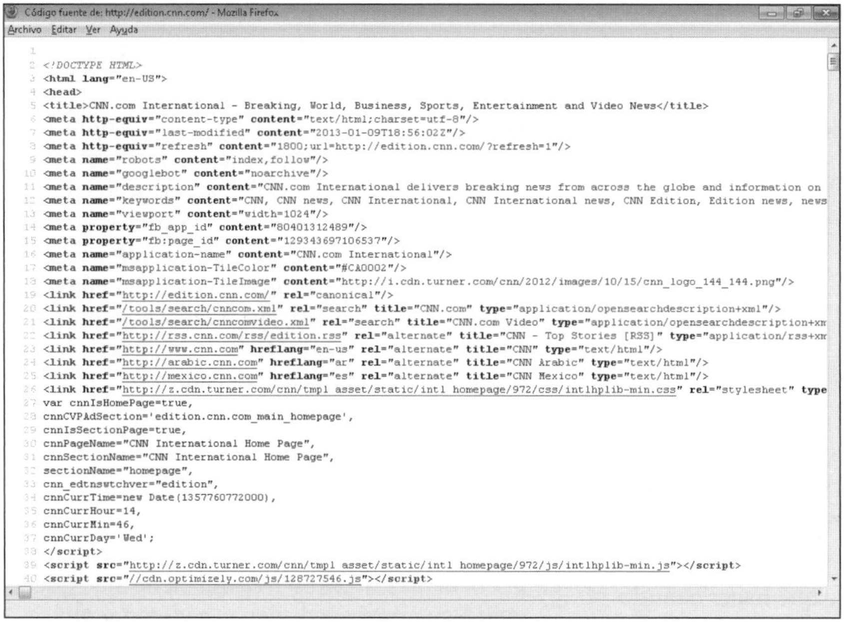


```

<!DOCTYPE HTML>
<html lang="en-US">
<head>
<title>CNN.com International - Breaking, World, Business, Sports, Entertainment and Video News</title>
<meta http-equiv="content-type" content="text/html;charset=utf-8"/>
<meta http-equiv="last-modified" content="2013-01-09T18:56:02Z"/>
<meta http-equiv="refresh" content="1800;url=http://edition.cnn.com/?refresh=1"/>
<meta name="robots" content="index,follow"/>
<meta name="googlebot" content="noarchive"/>
<meta name="description" content="CNN.com International delivers breaking news from across the globe and information on
<meta name="keywords" content="CNN, CNN news, CNN International, CNN International news, CNN Edition, Edition news, news
<meta name="viewport" content="width=1024"/>
<meta property="fb_app_id" content="80401312489"/>
<meta property="fb:page_id" content="129343697106537"/>
<meta name="application-name" content="CNN.com International"/>
<meta name="msapplication-TileColor" content="#CA0002"/>
<meta name="msapplication-TileImage" content="http://i.cdn.turner.com/cnn/2012/images/10/15/cnn_logo_144_144.png"/>
<link href="http://edition.cnn.com/" rel="canonical"/>
<link href="/tools/search/cnncom.xml" rel="search" title="CNN.com" type="application/opensearchdescription+xml"/>
<link href="/tools/search/cnncomvideo.xml" rel="search" title="CNN.com Video" type="application/opensearchdescription+xm
<link href="http://rss.cnn.com/rss/edition.rss" rel="alternate" title="CNN - Top Stories [RSS]" type="application/rss+xm
<link href="http://www.cnn.com" hreflang="en-us" rel="alternate" title="CNN" type="text/html"/>
<link href="http://arabic.cnn.com" hreflang="ar" rel="alternate" title="CNN Arabic" type="text/html"/>
<link href="http://mexico.cnn.com" hreflang="es" rel="alternate" title="CNN Mexico" type="text/html"/>
<link href="http://z.cdn.turner.com/cnn/tmpl_asset/static/intl_homepage/972/css/intlhplib-min.css" rel="stylesheet" type
var cnnIsHomePage=true,
cnnCVPAdSection='edition.cnn.com_main_homepage',
cnnIsSectionPage=true,
cnnPageName="CNN International Home Page",
cnnSectionName="CNN International Home Page",
sectionName="homepage",
cnn_edtnswtchver="edition",
cnnCurrTime=new Date(1357760772000),
cnnCurrHour=14,
cnnCurrMin=46,
cnnCurrDay='Wed';
</script>
<script src="http://z.cdn.turner.com/cnn/tmpl_asset/static/intl_homepage/972/js/intlhplib-min.js"></script>
<script src="//cdn.optimizely.com/js/128727546.js"></script>
```

Figura 16.1. El código fuente de una página Web.

COMPLEMENTOS FIREFOX DE DESARROLLO WEB

Una de las principales ventajas del navegador Firefox es la oportunidad de utilizar complementos. Varios complementos Firefox se encuentran disponibles para el desarrollo Web. El navegador Firefox se ha adoptado por la comunidad de desarrollo Web, y esa comunidad ha creado, y seguirá creando, complementos interesantes para Firefox.

Estos complementos le ayudarán a determinar cómo funcionan los sitios Web de otras personas.

Para ver cómo funcionan los complementos, compruebe el apartado Web Development (Desarrollo Web) de la página de complementos de Firefox (`https://addons.mozilla.org/es/firefox/`, como se muestra en la figura 16.2. Esta página lista los complementos de desarrollo Web más actuales.

Figura 16.2. El sitio Web de complementos de Firefox.

Complementos recomendados de desarrollo Web Firefox

Aquí tiene algunos complementos Firefox que recomiendo. Son de utilidad a medida que desarrolla su propio sitio:

▶ **Web Developer** (`https://addons.mozilla.org/en-US/firefox/addon/60`): Éste es uno de mis complementos favoritos. Desarrollado por Chris Pederick, añade una serie de características de utilidad de desarrollo Web a su Firefox (véase la figura 16.3). Éstas incluyen permitir acceso a información sobre páginas Web, formularios e imágenes. El complemento también tiene varias funciones de validación y opciones para ver código fuente. Puede acceder a las características por medio de una nueva barra de herramientas y menús que aparecen en su navegador Firefox después de instalar el plug-in.

Figura 16.3. Una buena característica del complemento es resaltar todos los encabezados en una página Web.

▶ **Firebug** (`https://addons.mozilla.org/en-US/firefox/addon/firebug`): Integra un visor de scripts en su ventana Firefox (véase la figura 16.4). Esto le permite ver el código fuente de una página Web al mismo tiempo que lo ve desde el navegador. Cuando resalta elementos en el código, se resaltan en la vista de página Web. Puede ver el código HTML y el código CSS junto con otras vistas más avanzadas (scripts, DOM).

▶ **IE Tag** (`https://addons.mozilla.org/en-US/firefox/addon/ie-tab/`): Le permite mostrar fichas Internet Explorer en un navegador Firefox (véase la figura 16.5). Con ello, puede ver el aspecto que tendría su página en los dos principales navegadores sin salir de Firefox.

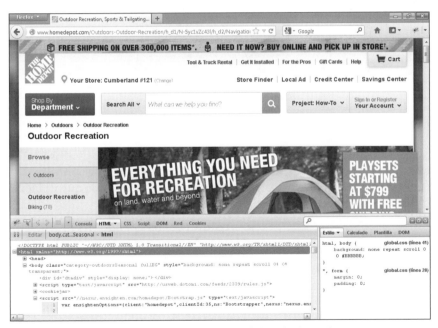

Figura 16.4. Firebug le permite ver el script y la página al mismo tiempo.

Figura 16.5. Con el complemento IE Tag puede ver la versión IE de una página desde Firefox.

▶ **ColorZilla** (https://addons.mozilla.org/en-US/firefox/addon/colorzilla): Una de las cosas que tiene que hacer cuando diseña un sitio Web es definir su esquema de color. ColorZilla, mostrado en la figura 16.6, identifica los colores que se complementan entre sí y van bien con su mensaje. ColorZilla le permite hacer clic en un elemento de color en cualquier página Web y obtiene su información y los complementos de color (lo que va bien con él).

▶ **YSlow** (https://addons.mozilla.org/en-US/firefox/addon/Yslow): Yahoo! tiene reglas especiales para sitios Web de alto rendimiento (http://developer.yahoo.com/performance/index.html#rules). Este complemento valida su página con estos criterios en mente. Para que éste complemento funciona adecuadamente, también tiene que instalar Firebug.

▶ **MeasureIt** (`https://addons.mozilla.org/en-US/firefox/addon/measureit`): ¿Alguna vez se ha preguntado cuál es el tamaño de un elemento en una página Web?

Este complemento le permite ver el tamaño exacto de los elementos en píxeles (véase la figura 16.7).

▶ **CSSViewer** (`https://addons.mozilla.org/en-US/firefox/addon/2104`): Le permite ver la CSS (*Cascading Style Sheet*, Hoja de estilo en cascada) de un sitio Web.

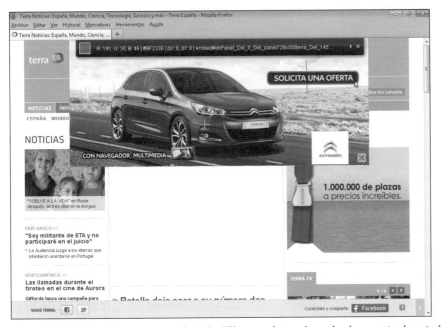

Figura 16.6. Utilice el cuentagotas de ColorZilla para determinar el color exacto de esta imagen.

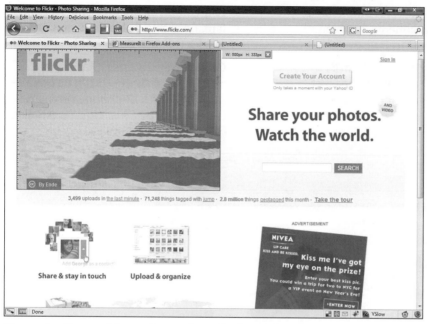

Figura 16.7. MeasureIt le permite ver el tamaño de esta imagen.

Complementos recomendados de desarrollo Web Chrome

El navegador Chrome de Google ha ganado popularidad en los últimos años. Es rápido, fiable y ampliable. Puesto que lleva menos tiempo en escena que Firefox, existen menos complementos para Chrome. Aquí tiene algunos de los mejores:

► **Extensiones para desarrolladores Web** (https://chrome.google.com/webstore/category/extensions): Ésta es la lista de complementos de Google para desarrolladores Web. Nada aquí es tan bueno como Firebug pero hay muy buenas opciones.

► **Speed Tracer** (https://chrome.google.com/extensions/detail/ognampngfcbddbfemdape

`fohjiobgbdl`): Le muestra lo rápido que carga su sitio Web, incluido el HTML, imágenes, scripts y cualquier característica avanzada.

▶ **Editor Lite** (`https://chrome. google.com/extensions/ detail/nglgdmkkiemejlladcdje gcllaieegoe`): Le permite editar HTML (*Hypertext Markup Language*, Lenguaje de marcación hipertexto) scripts (tanto HTML 4 y 5), objetos Adobe Flash y su CSS.

Complementos recomendados de desarrollo Web Safari

Los ordenadores Apple son la opción más común entre los desarrolladores Web profesionales. El navegador Safari viene preinstalado con cualquier sistema operativo Apple, por lo que puede que esté utilizando Safari como uno de sus principales navegadores Web.

Aquí tiene algunos de los mejores complementos:

▶ **Safari Dev Center** (`http://developer.apple.com/ safari/`): Esta página alberga las últimas herramientas de desarrollo Safari. También incluye vídeos de utilidad, código de muestra y una buena biblioteca de referencia. Éste es el lugar para obtener la información de desarrollo oficial de Apple.

▶ **Safari Reference Library** (`http://developer.apple.com/ safari/library/documentation/ AppleApplications/Conceptual/ Safari_Developer_Guide/ 1Introduction/Introduction. html`): Ésta es la herramienta de desarrollador de la biblioteca de referencia que se acaba de mencionar. Contiene información clara y completa de desarrollo con el navegador Safari.

▶ **Mac Developer Tips** (`http://macdevelopertips.com/`): Este blog realiza lo que dice al ofrecer consejos, herramientas y código para desarrolladores que trabajan en Mac.

INSIGNIAS

Cuando escuché por primera la palabra insignias (*badges*), inmediatamente pensé en los Boy Scouts. Como boy scout, siempre intenté conseguir tantas como podía con una devoción casi fanática. Los sitios Web también pueden tener insignias. La insignia de un sitio Web es sencillamente un pequeño fragmento de código y gráfico que sitúa en su sitio Web para mostrar afiliación con otro sitio Web. Es como un pequeño hipervínculo gráfico.

Existen literalmente miles de insignias Web. Puede obtenerlas de los sitios Web de origen o de sitios de insignias como Zwahlen Design (`http://www.zwahlendesign.ch/en/node/19`), que no solamente le proporciona varias insignias de ejemplo sino que también le muestra cómo crear la suya propia (véase la figura 16.8).

Añade una insignia a su sitio Web para mostrar afiliación. Por lo tanto, si tiene un sitio WordPress o utiliza MySQL, es bueno que añada una insignia para esas cosas.

Hay dos cosas que tiene que recordar con las insignias:

▶ No sature su sitio con insignias llamativas o grandes. Esto es equivalente a llevar joyas ostentosas.

▶ No abrume a sus visitantes con un gran número de insignias. Tener demasiadas insignias en su sitio Web es como tener demasiadas luces de Navidad en su casa. No sea esa casa, y no sea ese sitio Web.

Figura 16.8. Algunas de las insignias en el sitio Zwahlen Design.

Con los sitios Web 2.0, los nuevos tipos de insignias en realidad contienen contenido. Por ejemplo, si tiene una cuenta Twitter, podría querer añadir la insignia Twitter a su sitio (véase la figura 16.9). Twitter es un sitio Web de microblogs que le permite publicar 140 caracteres de cada vez. Si tiene una insignia Twitter, cuando publica en Twitter, el contenido se muestra automáticamente en su insignia Twitter.

WIDGETS

Diferentes sitios Web pueden ofrecerle widgets. Por ejemplo, mi sitio Web tiene un widget que muestra mis últimos tuits y uno de Amazon que permite a la gente comprar mis libros. Normalmente, estos sitios incluso crean el código por usted.

Figura 16.9. Añada widgets Twitter por medio de esta parte del sitio Web (http://twitter.com/about/resources/widgets).

La página del Amazon Widget en `https://widgets.amazon.com/` (véase la figura 16.10) le permite elegir entre 14 widgets para su sitio, le permite personalizarlos y, luego, genera el código por usted. Amazon incluso tiene un widget de personalización que realiza una vista previa de su widget. Todo lo que hace después es pegar el código en la parte de su sitio Web que desee y luego probarlo. Recuerde probar cualquier widget en múltiples navegadores para asegurarse de que funciona para todos sus visitantes.

Nota: La mayoría de los sitios Web 2.0 le dicen cómo añadir una de estas insignias más complicadas. Bajo ninguna circunstancia pague por plantillas Web que encuentre en Internet. En primer lugar, se pueden descargar millones de ellas de forma gratuita o utilizar una en su sitio. En segundo lugar, confíe en su creatividad. Al modificar una plantilla gratuita existente, puede crear exactamente lo que necesita para su sitio Web.

Figura 16.10. El sitio Web de Amazon Widget (https://widgets.amazon.com/).

PLANTILLAS

También puede encontrar plantillas de sitio Web y de página Web en Internet. Puede personalizar estas páginas Web prediseñadas con su contenido. Igualmente, existen millones de ellas en Internet que cubren una amplia gama de esquemas de color y tipos de contenido. Existen, por lo general, dos categorías de plantillas Web gratuitas: plantillas genéricas y plantillas específicas de la aplicación.

Las plantillas genéricas son plantillas de sitio Web o página Web que puede utilizar con cualquier herramienta de creación de sitio Web (véase la figura 16.11). Normalmente contienen el archivo HTML básico y algunos gráficos básicos. La forma más sencilla de encontrar estas plantillas es realizar una búsqueda en Google.

Si utiliza un programa específico para crear una página Web, podría querer buscar en Internet plantillas específicas de su aplicación.

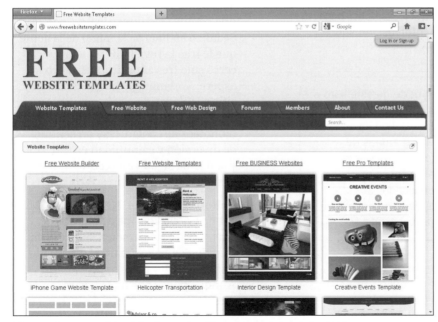

Figura 16.11. Este sitio Web ofrece plantillas gratuitas de página Web.

Simplemente, añada el nombre de su aplicación a los términos de búsqueda mencionados en el párrafo anterior para encontrar plantillas específicas de la aplicación.

REDES Y SITIOS DE DESARROLLADORES

Si hay millones de sitios Web en Internet, debe haber mucha gente desarrollando esos sitios. A esta gente le gusta hablar entre sí. Esta socialización es buena para algo más que encontrar amigos. Puede ser excelente para poner en común ideas e información sobre desarrollos de sitios Web.

> **Nota:** He dedicado gran parte de este libro a contarle cuántas cosas puede conseguir en la Web de forma gratuita. Definitivamente, puede encontrar plantillas gratuitas de calidad en Internet pero tiene que examinar detenidamente numerosas cosas para encontrar lo que está buscando. Sea paciente, puede llevarle tiempo encontrar exactamente lo que está buscando.

Los sitios de redes de desarrolladores son sitios Web donde puede encontrar una solución a un problema o una pregunta relacionada con el desarrollo Web. Puede estar seguro de que encontrará a alguien que esté dispuesto a compartir su solución o sus ideas con usted. Ponerse en contacto con otros desarrolladores Web en estas comunidades le permite compartir sus experiencias. Estos chicos obviamente tienen algo en común con usted (ellos también están desarrollando sitios Web), por lo tanto cumpla con su parte y comparta su conocimiento. Aquí tiene algunas de las mejores redes de desarrolladores Web.

- ▶ **Webmonkey** (http://www.webmonkey.com): Uno de los primeros y mejores sitios Web dedicados a desarrolladores y a crear una comunidad (véase la figura 16.12). Se lanzó en 1999 de la mano de la gente que le trae la revista *Wired* aunque cerró sólo tres años después. Pero espere, Webmonkey ha vuelto. El sitio se relanzó en 2008 y contiene excelentes tutoriales, referencias y una biblioteca de código. Hay un sentido de diversión y comunidad en este sitio, y continúa siendo un recurso valioso para los desarrolladores Web.

- ▶ **Yahoo! Developer Network** (http://developer.yahoo.com/): Para las personas que utilizan tecnologías Yahoo! para el desarrollo de sitios Web y otras aplicaciones. Aunque puede que no tenga un impacto directo en su sitio Web, si está haciendo algo relacionado con Yahoo!, es posible que quiera echarle un vistazo.

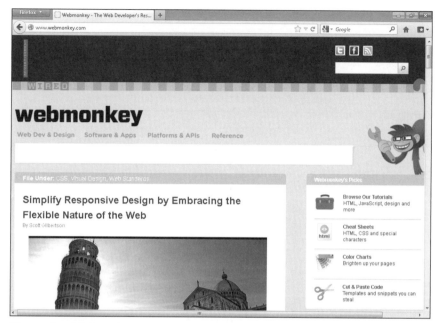

Figura 16.12. Webmonkey.com.

▶ **Google Groups** (`http://groups.google.com/`): Conexiones sociales que se basan en intereses. Esto podría ser cualquier cosa, desde carreras de coches a desarrollo Web. Examine ese sitio en busca de grupos de desarrolladores Web.

▶ **Otros sitios y grupos de desarrolladores:** Si está haciendo algo en la Web o está utilizando un programa específico para el desarrollo Web, es probable que haya una comunidad Web para ese tipo de desarrollo.

17. Conseguir que su sitio funcione en smartphones y tabletas

En este capítulo aprenderá:

- ► ¿Por qué debería preocuparse por la Web móvil?

- ► Convertirse en un usuario de la Web móvil.

- ► Limitaciones de la Web móvil.

- ► Hacer que su sitio Web sea móvil.

- ► Probar su sitio en un teléfono móvil.

Ser móvil significa que tiene acceso a Internet fuera de la oficina o su casa, con un ordenador, teléfono móvil o tableta, y sin uso de cables para conectarse. El acceso móvil es el área de más rápido crecimiento del desarrollo Web.

Si alguna vez ha utilizado su teléfono móvil para buscar una dirección, ha utilizado la Web móvil. La tecnología inalámbrica va predominando porque el hardware requerido para operar la tecnología inalámbrica es cada vez más pequeño y rápido. Así, más personas utilizan sus teléfonos y otros dispositivos para acceder a la Web móvil. Como diseñador Web, tiene que ser consciente de cómo funciona la Web móvil y cómo tendría que cambiar su sitio Web para utilizarse con la Web móvil.

Este capítulo trata algunos de los dispositivos y software más comunes de la Web móvil. Luego, trata lo que se puede hacer o no en la Web móvil y, por último, cómo conseguir que su sitio Web sea compatible para móviles.

¿POR QUÉ DEBERÍA PREOCUPARSE POR LA WEB MÓVIL?

¿Alguien que caminara por la calle o fuera montado en un coche estaría interesado en la información que ofrece su sitio Web? Puede que no piense esto, pero considere estas situaciones:

- ▶ Alguien en una tienda de lanas, intentando decidir qué aguja comprar, puede acceder al sitio Web de la tienda para ver cuál se recomienda.

- ▶ Alguien intentando localizar un determinado artículo en una tienda puede encontrar una imagen del artículo online por medio de un sitio que vende dicho artículo y utiliza el teléfono o la tableta para mostrárselo al dependiente de la tienda.

- ▶ Alguien a quien le gusten los cannoli puede utilizar su smartphone para buscar restaurantes italianos en la zona que hayan publicado sus menús en la Web y ofrezcan cannoli.

Como muestran estos ejemplos, los sitios Web que atienden al mercado móvil verán un aumento de tráfico.

Cómo accede la gente a la Web móvil

Si desea utilizar la Web móvil, primero necesita un dispositivo que proporcione una conexión a Internet. Un smartphone, tableta u ordenador inalámbrico servirán. Luego, utilizará un navegador incorporado en su dispositivo para ir a una dirección, similar al navegador que utiliza en su ordenador para acceder a Internet.

Los dispositivos Web móviles pueden acceder casi a cualquier página Web aunque algunas están diseñadas específicamente para los usuarios de Internet móvil. Estas páginas se muestran mejor y se cargan más rápidamente en dispositivos móviles.

CONVERTIRSE EN UN USUARIO DE LA WEB MÓVIL

Para ser un desarrollador efectivo de sitios Web a los que se accede por medio de dispositivos de la Web móvil, debería también ser un usuario de Internet móvil.

Compruebe si su teléfono móvil accede a la Web móvil. Si no tiene uno, intente conseguir uno que sí tenga acceso para ver el aspecto que los sitios Web tienen en estos dispositivos. Si está creando sitios diseñados específicamente para ser accesibles en la Web móvil, es importante tener un dispositivo compatible en el que probar su sitio Web.

Para más información, compruebe los siguientes sitios Web:

- **Entrada en Wikipedia para Web móvil:** `http://es.wikipedia.org/wiki/Micronavegador`

- **W3C Mobile Web Initiative:** `http://www.w3.org/Mobile/`

- **Mobile Web Best Practices 1.0:** `http://www.w3.org/TR/mobile-bp/`

Dispositivos de Internet móvil

En un tiempo, los ordenadores solían ocupar habitaciones enteras. Utilizaban tarjetas perforadas para realizar cálculos complejos que ayudaron, por ejemplo, a crear la bomba atómica. Las cosas han cambiado mucho.

Hoy en día, los dispositivos como los smartphones y las tabletas son mucho más rápidos y mucho más pequeños. Para entender cómo utilizar la Web móvil en beneficio de su sitio Web, es importante conocer las herramientas disponibles. Exploremos algunos de estos dispositivos y cómo funcionan.

Smartphones

Definitivamente podemos ver que los tiempos están cambiando en el mundo de los teléfonos. Ya no es necesario que un teléfono esté conectado a la red telefónica por medio de cables desde su casa a la central telefónica. Vaya a un campus universitario y simplemente cuente el número de teléfonos móviles que puede ver. Ya no estamos atados a los teléfonos de nuestras mesas.

Hacemos muchas más cosas ahora con nuestros teléfonos que antes, y cada vez se hacen más indispensables. Podemos escuchar música, hacer fotografías e incluso conectarnos a la Web móvil. No ignore este mercado en rápido crecimiento porque cada vez más personas se conectan a la Web vía un smartphone que a través de un ordenador.

Tabletas y lectores electrónicos

Un nuevo mercado Web móvil implica Tablet PC y lectores electrónicos. El iPad de Apple y el Kindle de Amazon son los que cuentan con más éxito pero existen numerosas tabletas disponibles de muchos otros fabricantes.

Otros dispositivos

Los dispositivos móviles no están limitados a lo que puede llevar en su bolsillo. Existen pequeños dispositivos móviles que los usuarios utilizan o llevan en sus coches.

Nos encontraremos con cada vez más acceso Web en objetos que nunca habríamos esperado. Ahora una nevera puede tener una pantalla. Si puede tener una pantalla, podría acceder a la Web móvil desde ella.

Sistemas operativos móviles

Igual que su ordenador de sobremesa o portátil tiene un sistema operativo, Windows, OSX, Linux, etc., la mayoría de los dispositivos Web móviles tienen su propio sistema operativo. Debería familiarizarse con los principales:

▶ **Apple iOS** (`http://www.apple.com/iphone/ios/`): iPhone e iPad utilizan este sistema operativo. Como todos los sistemas operativos Apple, Apple iOS es fácil de utilizar y es sólido. También posee código cerrado, difícil de manipular.

▶ **Microsoft Windows Phone** (`http://www.microsoft.com/windowsmobile/`): Éste es una versión de Microsoft Windows diseñada específicamente para ejecutarse en dispositivos móviles (véase la figura 17.1). Le permite acceder a programas familiares, como Microsoft Word y Microsoft Excel. También viene de forma estándar con una versión de Microsoft Internet Explorer.

▶ **Android** (`http://www.android.com/`): Android es el nuevo sistema operativo de Google para dispositivos móviles (véase la figura 17.2). Como otros proyectos Google, Android es un sistema operativo de código abierto y plataforma de desarrollo para teléfonos y tabletas. Android utiliza su propio navegador incorporado pero anima a los desarrolladores de navegadores existentes a desarrollar versiones de su navegador Web para dispositivos compatibles con Android.

Navegadores móviles

Al igual que su navegador de sobremesa o portátil utiliza un navegador Web, Internet Explorer, Firefox, Safari, Chrome, etc., para acceder a Internet, los dispositivos móviles utilizan navegadores similares para acceder a la Web móvil. Sin embargo, estos navegadores son diferentes, y no se parecen a ningún navegador que haya visto antes:

▶ **Windows Internet Explorer Mobile** (`http://www.microsoft.com/windowsphone/en-US/features/default.aspx#Internet Explorer`): Este navegador Web viene instalado con los dispositivos móviles Windows. Tiene varias opciones de visualización y puede sincronizar su lista de favoritos con su PC.

Figura 17.1. Windows Mobile es para teléfonos.

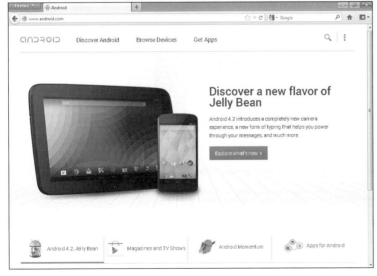

Figura 17.2. Android de Google.

▶ **Safari** (`http://www.apple.com/iphone/built-in-apps/safari.html`): Es una versión del navegador Safari que viene instalada en el iPhone de Apple (véase la figura 17.3). Permite abrir ocho ventanas a la vez y está totalmente integrado con el resto de sistemas operativos de iPhone. Si recibe un mensaje en su iPhone y tiene una dirección Web, si toca la pantalla, el navegador Safari mostrará esa página.

▶ **Opera** (`http://www.opera.com/mobile/`): El navegador móvil Opera es un navegador de código abierto para smartphones, incluido el iPhone y tabletas. Desde su creación, se ha instalado y se ejecuta en millones de teléfonos. Es el navegador predeterminado con el sistema operativo móvil Symbian.

Figura 17.3. El navegador Safari para el iPhone.

▶ **Chrome para móviles** (`http://www.google.es/intl/es/chrome/browser/mobile/`): El popular navegador Chrome tiene una versión móvil para todos los dispositivos Android e iOS. Ofrece una experiencia de navegación gratuita, rápida y segura.

Para información actualizada, busque la entrada en Wikipedia sobre navegadores móviles: `http://es.wikipedia.org/wiki/Micronavegador`.

LIMITACIONES DE LA WEB MÓVIL

La Web móvil proporciona acceso a Internet desde cualquier parte, con dispositivos pequeños y ligeros. No hay ninguna duda sobre eso: la Web móvil es probablemente lo mejor desde el hallazgo del pan en rebanadas. Pero la Web móvil tiene algunas limitaciones que tiene que conocer antes de crear o modificar su sitio Web:

▶ **Velocidad:** La velocidad de la Web móvil no es la misma que la que obtiene con métodos convencionales de conexión. Incluso con las conexiones Wi-Fi más rápidas, algunos dispositivos móviles tienen procesadores y motores gráficos más lentos que un ordenador de sobremesa o portátil típico. Aunque los operadores móviles de banda ancha quieren impresionarle con la velocidad de sus redes 4G y 5G, son todavía mucho más lentas que las conexiones PC del hogar.

▶ **Tamaño de pantalla y resolución:** Los dispositivos móviles tienen pantallas pequeñas con baja resolución. La pantalla Retina iOS es excelente pero sigue sin ser un monitor de sobremesa de 24 pulgadas.

▶ **Falta de aplicaciones Web:** No todo lo que se puede ejecutar en la Web se puede ejecutar en la Web móvil. Algunos navegadores Web móviles no pueden ejecutar aplicaciones JavaScript o Flash (como Safari en iOS) haciendo que cierto contenido sea inaccesible.

▶ **Tamaños de página:** Si su sitio Web está diseñado con una anchura o longitud fija, puede que no se muestre correctamente en la Web móvil. Si está pensando en un sitio Web móvil, preste atención al tamaño de sus páginas.

HACER QUE SU SITIO WEB SEA MÓVIL

Voy a mostrarle cómo crear páginas Web que funcionan mejor en la Web móvil y cómo probar estos sitios Web. Como con cualquier sitio Web, debería seguir las etapas de planificar, diseñar, crear y luego probar. Este apartado trata temas en esas áreas específicas de la Web móvil.

Detección de navegador móvil

Cuando la gente llega a su sitio Web desde un dispositivo Web móvil, podría querer dirigirlos a una determinada parte de su sitio Web. Detectar un usuario de Web móvil puede no ser tan fácil como parece. Existen scripts en lenguajes como PHP que pueden detectar un navegador Web móvil y dirigir al visitante a una parte de su sitio Web más amigable para los móviles. Si realmente desea detectar y redirigir a los usuarios móviles, examine las siguientes direcciones:

- ▶ **How to Redirect Mobile Phones and Handhelds to Your Mobile Website:** `http://www.stepforth.com/resources/web-marketingknowledgebase/redirect-mobile-iphone-visitors-mobile-content/.`

- ▶ **Detecting Mobile Browsers:** `http://www.brainhandles.com/techno-thoughts/detecting-mobile-browsers.`

- ▶ **A Non-Responsive Approach to Building Cross-Device Webapps** (`http://www.html5rocks.com/en/mobile/cross-device/`):

Éste es un intento de explorar el problema de la detección de navegador en HTML5.

Dominios y subdominios

Puede que no quiera que todo su sitio esté accesible a la Web móvil, o puede que quiera crear un sitio Web específicamente para la Web móvil. Si está creando un sitio Web específicamente para el usuario de la Web móvil, podría crear un dominio específico o subdominio. Aquí tiene algunos ejemplos de dominios específicos de Web móvil:

- ▶ **m. Prefix:** Si va a un sitio Web para móviles, podría tener un sufijo de subdominio de `m.`. Por ejemplo, la versión móvil de Google es `m.google.com`, y la versión móvil de `cnn.com` es `m.cnn.com`. Ya que la mayoría de los proveedores no cobran por nuevos subdominios, esto normalmente es una opción gratuita.

- ▶ **.mobi:** Ahora hay un dominio de alto nivel para los teléfonos móviles, conocido como `.mobi`. Este dominio se creó específicamente para utilizarse con contenido Web móvil. Este dominio ha sido patrocinado por las principales empresas de telecomunicaciones y software para separar sus sitios de otros dominios.

Utilizar el código correcto

Puede utilizar HTML para crear sitios Web para móviles pero podría querer utilizar otros lenguajes, diseñados específicamente para que las páginas Web móviles sean lo más fáciles de utilizar. Aquí tiene un par de opciones:

▶ **Wireless Markup Language:** Una primera versión de un lenguaje específico para dispositivos móviles.

▶ **XHTML:** Un lenguaje de marcación (como HTML) que permite que las páginas Web trabajen mejor en algunos navegadores Web móviles.

Tamaños de página

Los navegadores Web para móviles tienen pantallas pequeñas, y querrá proporcionar tanta información como pueda en esa pantalla. No tenga una imagen enorme o texto de encabezado en la parte superior de su página o le estará pidiendo a la gente que se desplace por la página inmediatamente.

Interfaz

Cuando diseñe páginas Web para navegadores Web móviles, recuerde que el diseño de la interfaz podría ser complemente diferente de la una página Web normal:

▶ **Atajos:** Asegúrese de utilizar muchos atajos. En un dispositivo móvil, es más sencillo seleccionar un atajo que desplazarse por la página.

▶ **Desplazamiento vertical:** No es lo más sencillo de hacer con algunos dispositivos Web móviles. Mantenga el desplazamiento vertical al mínimo.

▶ **Desplazamiento horizontal:** Desplazarse horizontalmente por la pantalla debería evitarse a toda costa. Algunos navegadores ni siquiera permiten esta función.

▶ **Imágenes:** Las imágenes son archivos grandes que incorporan problemas de visualización, por lo tanto mantenga las imágenes al mínimo. Si tiene que añadir imágenes, intente mantenerlas por debajo de los 100 x 100 píxeles.

▶ **Texto:** Mantenga su texto y el tamaño de texto lo más pequeño que pueda. Recuerde que algunos usuarios de la Web móvil pueden estar pagando por descargase su página.

Cosas que se deben evitar

Algunas cosas que puede usar en una página Web estándar se deberían evitar a toda costa en una página Web móvil. Estas cosas pueden hacer que la página se muestre de forma incorrecta o que no se muestre en absoluto.

Si es posible, evite las características Web siguientes:

- ▶ Archivos Flash.
- ▶ Tablas.
- ▶ Marcos.
- ▶ Ventanas emergentes.

Herramientas y sitios de la Web móvil

Existe una comunidad creciente de desarrolladores online de la Web móvil. Si va a desarrollar sitios Web móviles, le recomiendo visitar estos sitios y participar en las comunidades:

- ▶ **A Beginner's Guide to Mobile Web Development** (`http://mobiforge.com/starting/story/a-beginners-guide-mobileweb-development`): Un lugar excelente para empezar a aprender sobre el desarrollo Web móvil.

- ▶ **Mobile Web Best Practices 1.0** (`http://www.w3.org/TR/2005/WD-mobile-bp-20051220/`): El W3C no sólo crea estándares para sitios Web normales, sino que también publica las mejores prácticas de la Web móvil. Familiarícese con ellas si va a realizar desarrollo Web móvil.

- ▶ **MobiForge** (`http://mobiforge.com/`): Un sitio Web para desarrolladores Web móvil con recursos de diseño, desarrollo y pruebas (véase la figura 17.4).

- ▶ **W3C Mobile Web Initiative** (`http://www.w3.org/Mobile/`): Sitio Web del W3C para desarrollo de páginas Web móviles.

- ▶ **Preparing Your Web Content for iPad** (`http://developer.apple.com/safari/library/technotes/tn2010/tn2262/index.html`): La página detalla el funcionamiento del navegador Safari de Apple en el iPad.

- ▶ **iPad Web Development Tips** (`http://www.nczonline.net/blog/2010/04/06/ipad-web-development-tips/`): Esta página trata prácticas de codificación específicas del iPad.

PROBAR SU SITIO EN UN TELÉFONO MÓVIL

Una de las características únicas de desarrollar la Web para móvil es probar su página Web en diferentes dispositivos. La buena noticia es que no tiene que salir a comprar todos los dispositivos móviles que pueda encontrar y probar su página en ellos.

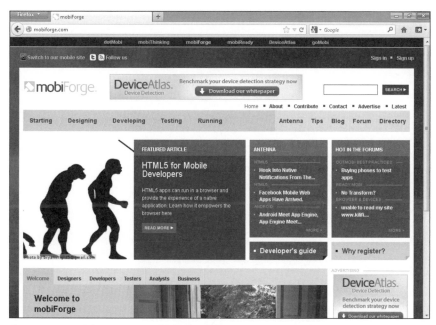

Figura 17.4. MobiForge es un excelente sitio de desarrollo para la Web móvil.

Existen sitios Web que pueden evaluar su sitio Web móvil y emular el aspecto que tendría en diferentes dispositivos móviles. Aquí tiene algunos a considerar:

▶ **MobiReady** (http://ready. mobi/): Esta herramienta de evaluación es para sitios Web móviles que comprueba una determinada página o todo un sitio Web para ver lo bien que funciona en dispositivos móviles. Este sitio es una parada obligada para probar su página Web móvil.

▶ **Testing on Mobile Devices Using Emulators** (http://www. klauskomenda.com/archives/ 2008/03/17/testing-onmobile-devices-using-emulators/): Un estupendo artículo que trata el proceso de emulación y vínculos a otros buenos emuladores.

18. Probar su sitio Web

En este capítulo aprenderá:

▶ Por qué probar es importante.

▶ Crear un plan de pruebas.

▶ Después de las pruebas.

▶ Herramientas de pruebas.

A estas alturas, es probable que haya dedicado muchas horas a su sitio Web. Ha dejado que fluya su vena creativa y ahora no puede esperar a compartir el sitio con otras personas. Por lo tanto, envía con mucho orgullo su URL a un amigo, que mira el sitio Web y sólo comenta que los vínculos están rotos y que faltan imágenes. Esperaba que le dijera lo genial que era su trabajo pero, en su lugar, solamente se ha fijado en los errores. Ésa definitivamente no es la reacción que quería. Para evitar que eso suceda, necesita probar su sitio Web antes de mostrárselo a otras personas.

Cuando prueba su sitio Web, simplemente revisa el trabajo que ha hecho y se asegura de que está correcto. Probar puede implicar desde cosas sencillas, como asegurarse de que sus vínculos funcionan, a cosas más complejas, como optimizar su código HTML. Este capítulo le proporciona ciertas indicaciones sobre qué hay que probar así como los recursos gratuitos y herramientas que puede utilizar.

POR QUÉ PROBAR ES IMPORTANTE

Nada es más frustrante que ir a un sitio Web y encontrar vínculos que no funcionan o que faltan imágenes. ¿Cuántas veces ha hecho clic en un vínculo y lo único que ha recibido es un error 404?

Los vínculos rotos dicen mucho sobre el trabajo de un diseñador Web.

El temido error 404

Cuando un navegador Web no puede encontrar una página a la que hace referencia un vínculo, el navegador muestra una página de error. Éste es el código HTTP error 404, archivo no encontrado que, a veces, se conoce como vínculo muerto (véase la figura 18.1). Este error es el resultado de pruebas insuficientes.

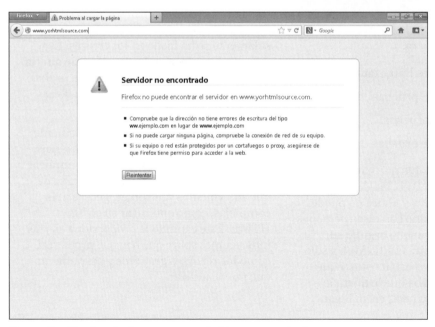

Figura 18.1. Un ejemplo de un error 404-Archivo no encontrado.

Cuando se encuentra con un error 404 en el sitio Web, podría pensar cualquiera de las siguientes cosas:

► Este sitio Web está viejo y olvidado.

► Este diseñador Web no se preocupa por los vínculos rotos.

► Este diseñador Web no ha comprobado su trabajo.

► Este diseñador Web no sabe lo que está haciendo.

No quiere que la gente piense estas cosas de usted o su sitio Web. Quiere que vengan a su sitio en busca de contenido y no dejar que los errores y los vínculos rotos se interpongan en el camino. Nada es más embarazoso que cuando alguien le envía un mensaje sobre un problema con su sitio Web. Pero es peor si nadie le informa del error.

Si está desarrollando un sitio Web para una empresa u organización, es especialmente importante probar el sitio a fondo para que el negocio u organización no se vea mal parado.

Un sitio Web bien probado hace que todos los implicados se vean bien. Cuando todos sus vínculos funcionan, sus imágenes aparecen y su sitio se carga correctamente en múltiples navegadores, puede estar contento de saber que sus visitantes tendrán una buena experiencia.

CREAR UN PLAN DE PRUEBAS

Un plan de pruebas es una lista de las cosas que va a probar antes de lanzar su sitio Web. Podría ser simplemente una lista que cree para usted en un archivo Word, o podría ser algo más elaborado que quieras ver su jefe o sus clientes. Si crea sitios Web para otras personas, es esencial que escriba un plan de pruebas formal.

Necesita pensar en varias cosas a medida que crea su plan de pruebas. "¿Funcionan correctamente todos mis vínculos?" es sólo una de las preguntas de lo que puede ser una lista de las cosas a probar. Su plan de pruebas probablemente va a sufrir algunos cambios. Haga una lista de cosas a probar a medida que desarrolla su sitio y será más sencillo para usted recordarlo todo cuando llegue el momento de probar.

Empezar por el final

Siempre empiezo por definir lo que debe funcionar en el sitio Web antes de lanzarlo. Empiece por el final, al decidir lo que debe funcionar, y luego trabaje hacia atrás. Piense en ello como comenzar un viaje, necesita saber a dónde va a ir antes de decidir cómo llegar allí. Por ejemplo, la página se debe cargar correctamente en los principales navegadores. Si ése no es el caso, no ha terminado de desarrollar el sitio Web. Definir el mínimo necesario para ser correcto antes de que pueda decir que la página Web está terminada le ayuda a saber cuándo puede lanzarla.

Probar la funcionalidad básica

Cualquier sitio Web que diga que está "terminado" debe tener un nivel de funcionalidad básica. Esto incluye cosas sencillas, como asegurarse de que el texto se muestra bien y está bien escrito, asegurarse de que sus formularios HTML (*Hypertext Markup Language*, Lenguaje de marcación hipertexto) y scripts PHP (Hypertext Preprocessor) funcionan correctamente. Básicamente, ¿funcionan en realidad todas las cosas que se supone que funcionan? Como mínimo, éstas son las cosas que necesita comprobar en un sitio Web.

Funcionalidad

- ▶ Todos los vínculos van a páginas correctas:
  - ▶ Vínculos internos (vínculos a otras partes de su sitio Web).
  - ▶ Vínculos externos (vínculos a otros sitios Web).
  - ▶ Vínculos de correo electrónico.
  - ▶ No hay errores 404.
- ▶ Todos los formularios funcionan correctamente:

- ▶ El formulario captura los datos correctos.
- ▶ El formulario oculta las contraseñas.
- ▶ Los botones de formulario funcionan correctamente.
- ▶ Los resultados de formulario se almacenan correctamente.
- ▶ La página se muestra adecuadamente en los principales navegadores:
  - ▶ Compruebe los principales navegadores en diferentes resoluciones.
- ▶ Todos los archivos gráficos se muestran adecuadamente:
  - ▶ No faltan iconos gráficos.
  - ▶ Los gráficos se muestran bien en diferentes resoluciones y profundidad de color.

Contenido

- ▶ El texto y los gráficos son claros y legibles.
- ▶ El texto está bien escrito y es correcto gramaticalmente.
- ▶ El texto más importante es el más destacado.

Probar el HTML

HTML es un sorprendente lenguaje que ha cambiado el mundo online. Una de las principales características de HTML es que, en general, funciona igual para todos los navegadores. El crédito de esto es para el W3C (World Wide Web Consortium). El objetivo de este grupo es llevar la Web a su máximo potencial y actúa como un guardián de los cambios en HTML. El W3C ofrece numerosas herramientas de utilidad para ayudarle a validar su HTML.

Estas herramientas son estupendas, si bien los estándares del W3C son increíblemente altos. Es difícil, si no imposible, encontrar un sitio Web con el que las herramientas del W3C no puedan encontrar un problema. No se preocupe: utilice la herramienta de validación del W3C para capturar los problemas obvios y no se preocupe por las cosas pequeñas.

Para utilizar el Validador HTML, siga estos pasos:

1. Vaya a `http://validator.w3.org/` (véase la figura 18.2).

2. Escriba la dirección de su sitio Web en el campo Address (Dirección).

3. Haga clic en el botón **Check** (Comprobar).

El Validador luego comprueba su página Web y devuelve un informe con errores o advertencias. Como he comentado anteriormente, el Validador probablemente va a encontrar muchas cosas "mal" en su página.

Lea el informe con detenimiento y evalúe si los errores y advertencias son realmente importantes. Algunos errores son importantes, como problemas HTML, mientras que otros son menores. Revise los resultados y utilice el Validador de nuevo siempre que haga cambios sustanciales en su sitio Web.

Probar los navegadores

No todo el mundo en la Web utiliza el mismo navegador. Cada vez que un navegador parece tener una ventaja dominante en el mercado, aparece otro.

A principios de los años 90, esto se convirtió en un gran problema con los desarrolladores Web, porque todos los navegadores empezaron a utilizar sus propias etiquetas HTML y a interpretar las etiquetas estándar de manera diferente. Esto significa que si, realmente quiere probar su sitio Web, necesita probarlo en los principales navegadores.

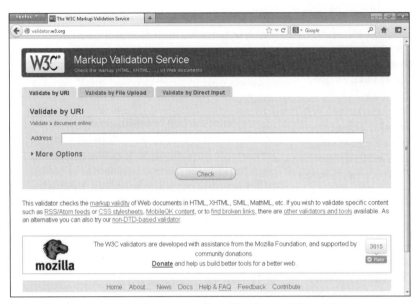

Figura 18.2. La página Web del servicio de validación de código del W3C es una herramienta de utilidad y gratuita.

Para probar su sitio en diferentes navegadores, debería tener las versiones más actualizadas de los siguientes navegadores instaladas:

- ▶ Mozilla Firefox.
- ▶ Chrome.
- ▶ Microsoft Internet Explorer.
- ▶ Safari.
- ▶ Opera.
- ▶ Flock.

Resolución

La resolución de su pantalla se mide por cuántos píxeles tiene de alto y de ancho. Su pantalla no puede cambiar el tamaño pero puede cambiar el número de píxeles que muestra. Por ejemplo, su resolución podría ser de 1024 x 768 píxeles, mientras que la mía es de 1680 x 1250. Mi pantalla tiene una resolución más alta. Su sitio Web se verá por tanto diferente en mi pantalla.

Recuerde que algunos navegadores leen el HTML de forma diferente a otros. Siempre debería prestar atención a un par de cosas cuando compruebe otros navegadores, porque siempre han causado problemas en el pasado:

- ► Tablas.
- ► Listas.
- ► Formularios.
- ► Scripts.

Probar la resolución

Sólo porque tenga su ordenador configurado en una resolución no significa que todo el mundo tenga la misma. Probar su sitio Web en diferentes resoluciones le muestra cómo otras personas pueden verlo.

No diseñe solamente con su propia resolución en mente. Es común que los nuevos desarrolladores de sitio Web piensen que todo el mundo tiene la configuración de resolución que ellos. Esto no podría estar más alejado de la verdad. En los primeros días de la Web, había gente con resoluciones de 800 x 600 o 1024 x 768 pero, ahora, con los monitores de pantalla panorámica, la lista de resoluciones en uso ha crecido. Gráficos, texto y tablas pueden ser muy diferentes en diferentes resoluciones.

Puede probar resoluciones de varias formas:

- ► **Cambiar su propia resolución:** Una forma de ver cómo otras personas ven su sitio en diferentes resoluciones es cambiar la resolución de su monitor y visitar su propio sitio. Esto funciona bien pero se hace tedioso.

- ► **Utilizar una herramienta Web:** Varios sitios Web pueden ayudarle a ver la resolución en diferentes navegadores. El mejor de ellos es Browser Shots (http://browsershots.org/). En unos pocos minutos, puede conseguir imágenes de un sitio Web en decenas de navegadores con numerosas resoluciones y profundidad de color (véase la figura 18.3). Browser Shots le muestra no sólo las imágenes sino que, al ver las imágenes, puede identificar áreas problemáticas que podrían aparecer en otros navegadores.

Probar la impresión

Si una parte de su sitio Web está destinada a imprimirse (como un mapa o formulario), asegúrese de que lo prueba en varias impresoras para ver cómo se muestra la página impresa.

Figura 18.3. Browser Shots muestra varias vistas diferentes en diferentes navegadores.

Probar la navegación

Cómo un visitante navega por las páginas de su sitio Web es parte de su usabilidad. Necesita marcadores claros de dónde están actualmente los visitantes en el sitio Web, a dónde pueden ir y elementos de navegación estándar, fácil de entender en cada página. Es importante que todas sus páginas tengan elementos consistentes para que sus visitantes no se pierdan entre páginas Web incoherentes (véase la figura 18.4).

Probar la consistencia del diseño

Junto con los elementos de navegación consistentes, necesita asegurarse de que los gráficos de su sitio Web también lo son. Cada página debe ser similar al resto. Esto no significa que todas sus páginas tengan que ser idénticas, pero deberían compartir elementos visuales, como fuente, color y organización.

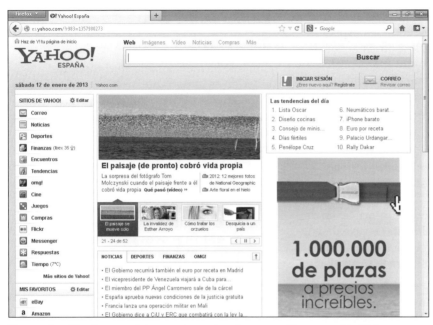

Figura 18.4. Menús como éste son elementos de navegación en un sitio Web.

Una cosa que podría pensar hacer es crear una plantilla para cada página. Una plantilla es simplemente un modelo para el aspecto y diseño de cada página que completará con contenido diferente. Las plantillas pueden variar de complejas a sencillas.

Para diseñadores Web más avanzados, probar la consistencia del diseño significa probar que su hoja de estilo en cascada funciona correctamente y que los estilos se aplican al texto apropiado.

Probar la seguridad

Merece la pena preocuparse por la seguridad de su sitio. Puede que haya creado un sitio Web sencillo para las fotografías familiares y cree que no tiene nada de valor por lo que preocuparse, pero cualquier vándalo de la Web puede acceder a su sitio y destruirlo, o incluso peor, utilizar su sitio Web como base para destruir otros sitios Web o conseguir acceso a su ordenador personal.

El mejor lugar para empezar a comprobar la seguridad es con su proveedor de hospedaje. Podría querer preguntarle si ofrece seguridad de 128 bits, protección contra spam, protección de cortafuegos o algo como ModSecurity (`http://www.modsecurity.org/`), un cortafuegos de código abierto.

Si utiliza algo como Google Sites, la seguridad de su sitio Web está a cargo de la mejor seguridad en la Web, por lo tanto se tiene que preocupar más del spam que de riesgos de seguridad altos. Pero si lo que tiene es un sitio de negocios que recopila información de tarjeta de crédito, necesita estar especialmente preocupado por la seguridad. Compruebe con su proveedor cómo se asegura la seguridad de su sitio Web.

A continuación, lea sobre pruebas de seguridad de sitio Web. Varios sitios Web excelentes pueden ayudarle con ello, incluidos los siguientes:

▶ **Open Web Application Security Project (OWASP):** `http://www.owasp.org`

▶ **World Wide Web Security FAQ**: `http://www.w3.org/Security/Faq`

▶ **W3C Security Resources**: `http://www.w3.org/Security/security-resource`

Probar sitios Web para móviles y tabletas

Como se ha mencionado en el capítulo anterior, es importante probar su sitio Web en dispositivos móviles y tabletas. Incluso si no ha pensado en acceso móvil o mediante tableta a su sitio Web, la gente tratará de conectarse a él mediante navegadores móviles. Aquí tiene algunos sitios y herramientas que le ayudarán a probar su sitio Web móvil:

▶ **Testing Mobile Web Sites Using Firefox** (`http://mobiforge.com/testing/story/testing-mobile-web-sites-using-firefox`): Una excelente fuente sobre cómo utilizar el navegador Firefox para probar sitios Web móviles.

▶ **W3C mobileOK Checker** (`http://validator.w3.org/mobile/`): WC3 también proporciona un comprobador de sitio Web para sitios móviles. Recuerde que este sitio le proporcionará una larga lista de errores. Asegúrese de leer el informe antes de cambiar su sitio.

▶ **mobiReady** (`http://ready.mobi/launch.jsp?locale=en_EN`): Ofrece una herramienta de pruebas que comprueba si su sitio Web cumple con los estándares móviles y sigue las mejores prácticas.

▶ **Mobile Web and App Development Testing and Emulation Tools** (`http://speckyboy.com/2010/04/12/mobile-web-and-app-development-testing-and-emulation-tools/`): Ofrece una serie de emuladores de smartphone. Preste especial atención a lo que descarga y asegúrese de que es para emular la experiencia Web móvil y no se utiliza para probar aplicaciones.

▶ **Android Browser Emulator** (`http://buildcontext.com/blog/2011/androidbrowser-emulator-windows-7-nexus-s-xoom-tablet`): Un emulador para el navegador de tableta Android.

▶ **ipadpeek** (`http://ipadpeek.com/`) e **iphonetester** (`http://iphonetester.com/`): Estos dos sitios proporcionan emulaciones sencillas, pero efectivas del navegador en el iPad e iPhone.

Probar la accesibilidad

A menos que esté creando un sitio Web específicamente para personas con problemas de visión, es posible que no se preocupe por la accesibilidad del sitio Web para la gente con discapacidad.

Algunas de las formas en que puede mejorar la accesibilidad de su sitio Web son:

▶ Etiquetar gráficos e imágenes.

▶ Etiquetar vínculos.

▶ Ver su sitio sin gráficos.

Se puede encontrar más información en: `http://www.afb.org/Section.asp?SectionID=57&TopicID=167&DocumentID=2176`.

Igualmente, podría querer asegurarse de que su sitio sea accesible para los daltónicos.

DESPUÉS DE LAS PRUEBAS

Probar es un proceso continuo que realmente puede ser infinito pero puede llegar a un punto en el que piense que es mejor dejar que otras personas vean su creación. Recuerde que no siempre va a conseguir solucionar todos los errores. Solvente lo que pueda tan pronto como sea posible y siga adelante. No deje que un sólo error descarrile su proyecto de sitio Web.

Igualmente, aprenda de sus errores. Averigüe qué ha salido mal y, luego, aplíquelo al resto de sitios en los que esté trabajando.

HERRAMIENTAS DE PRUEBAS

Puede utilizar una serie de herramientas para probar su sitio Web, desde las sencillas herramientas mencionadas ya en este capítulo a las siguientes herramientas más complejas:

▶ **HTML Tidy:** Una buena herramienta del W3C. HTML Tidy le ofrece formas con las que asegurarse de que su HTML es lo más limpio y eficiente posible. La herramienta revisa todo su código HTML y hace sugerencias. Comprueba las etiquetas y código huérfano.

▶ **Sitio de HTML Tidy:** `http://www.w3.org/People/Raggett/tidy/`

▶ **Versión online de HTML Tidy:** `http://infohound.net/tidy/`

▶ **UITest.com Web Development Tools:** Un conjunto de herramientas para ayudarle a probar su sitio Web automáticamente. Esto incluye accesibilidad, navegadores, colores y una comprobación del sitio.

▶ **UITest.com Web Development Tools:** `http://uitest.com/`

19. Promocionar su sitio Web

En este capítulo aprenderá:

- ▶ Autopromoción.
- ▶ Cómo funcionan los motores de búsqueda.
- ▶ Optimizar su sitio para los motores de búsqueda.

Tanto si su sitio Web es una pequeña empresa o una organización benéfica a nivel nacional, debería promocionarlo para aumentar el tráfico. Cuanta más gente llegue a su sitio Web, más personas escucharán su mensaje. El problema es que existen millones de sitios Web ahí fuera. Tiene que hacer algo para promocionar el suyo.

Promocionar su sitio Web puede ser sencillo o complejo. Si tiene dinero, puede contratar a una agencia de publicidad para que coloquen su URL en las vallas publicitarias de todo el mundo. Supongo que si ha elegido este libro, lo más probable es que busque mantener los costes al mínimo.

Este capítulo se divide en dos partes. La primera trata lo que puede hacer para promocionar su propio sitio Web. Esto incluye formas de publicitar su URL y conectar con otros. La segunda parte trata sobre qué es un motor de búsqueda y cómo funciona. Luego, le cuento cómo optimizar su sitio para conseguir los mejores resultados de motor de búsqueda.

AUTOPROMOCIÓN

Cuando promociona su sitio Web, actúa como su propia agencia de publicidad. La gente no sabrá nada de su sitio Web a menos que se lo diga. Tanto si se convierte en hombre anuncio y sube y baja por las calles, o añade su URL a su tarjeta de visita, la comercialización de su sitio Web aumenta su exposición y le garantiza que cada vez más personas visiten su sitio. En este apartado, le proporciono algunas ideas de cómo promocionar el URL de su sitio Web de forma gratuita.

> **Advertencia:** ¡Cuidado con los vendedores de humo! Tan pronto como su sitio Web sea conocido por suficientes personas, podría acercársele gente que le diga cómo promocionar su sitio y le ofrezcan venderle servicios de marketing o documentos que le garanticen atraer tráfico a su sitio. No se deje engañar con esto. Puede encontrar toda la información sobre promocionar su sitio Web de forma gratuita en la Web.

Tener contenido excelente y único

La forma más importante de asegurarse tráfico a su sitio Web es tener contenido único y de la más alta calidad. Tiene que destacar su sitio Web del resto. La forma más sencilla de hacer esto es confiar en su propia voz y llenar su sitio Web con las cosas que le interesan.

Si tiene un sitio Web que trata sobre hacer álbumes de recortes de niños que participan en deportes, cree el mejor sitio que pueda sobre ello. Esto puede incluir mostrar los mejores ejemplos que pueda encontrar, comentarios sobre productos y tutoriales de cómo se hace.

Por otro lado, un sitio Web aburrido, o peor aún, carente de todo contenido, no atraerá a visitantes (véase la figura 19.1). Intente no hacer que su sitio Web sea sólo sobre usted y lo maravilloso que es. La gente quiere conocer cosas nuevas, no sólo sus circunstancias.

Actualizar contenido

Tener un contenido excelente es la primera parte del proceso de actualizar contenido. No puedo cansarme de decirlo. Asegurarse de que hay contenido nuevo e interesante en su sitio Web es la segunda parte del proceso. Cuando actualice contenido, proporcione a sus visitantes una razón para volver. Si la gente regresa a su sitio y no ha cambiado nada, no les ofrece ninguna razón para volver.

Actualice su contenido tanto como pueda pero no sature su sitio Web con contenido que se pueda encontrar en cualquier otro lugar. En su lugar, infunda a su contenido su personalidad.

Figura 19.1. La página Web más aburrida del mundo.

Publicitar su URL

La forma más sencilla de que se pueda correr la voz acerca de su sitio Web es dar a conocer su URL. Esto significa tener la dirección de su sitio Web visible a la gente de manera que quieran venir a su sitio.

Una forma sencilla de promocionar su sitio Web es incluir la URL en cualquier material que envíe. Suponga que ha creado un sitio Web para su café. Sitúe la URL en el menú y en cualquier cupón que envíe. Añada su URL a su logo. Si envía mensajes de correo electrónico, añada su URL a su archivo de firma.

Archivo de firma

Un archivo de firma es un pequeño bloque de texto que se añade automáticamente a su correo electrónico. Normalmente incluye su nombre, información de contacto y sitios Web afiliados. La clave para un buen archivo de firma es la brevedad, por lo tanto incluya solamente las cosas importantes. Puede comprobar el programa de correo electrónico que esté utilizando para ver cómo adjuntar un archivo de firma con sus correos electrónicos.

Igualmente, si su contenido y sitio Web lo justifican, podría querer crear un boletín que, de forma periódica, anunciara los cambios en el contenido y cualquier otro detalle importante. Si decide hacer esto, envíe un correo electrónico solamente a las personas que lo hayan solicitado para que no se le acuse de enviar spam.

Aquí se beneficiará si elije una URL pequeña, fácil de recordar y que no confunda a los visitantes.

Conectarse con otros

También puede promocionar su sitio Web al conectarse con otras personas. Aumentar las conexiones que tiene tanto online como offline le permite compartir el trabajo que realiza con muchas otras personas. Recuerde que no tiene que conocer a todas las personas conocidas de sus amigos, por lo que el número de personas que reciben su mensaje crece a medida que conoce y se pone en contacto con otros.

> **Advertencia:** Publicitar su URL no significa perseguir a la gente con ello. No significa conducir su coche por ahí con los altavoces a todo volumen gritando su URL a todo el que escuche. Intente darse a conocer pero no moleste ni abrume con su mensaje.

Vincular con otros

La forma más sencilla de hacer amigos utilizando su sitio Web es establecer vínculos con otros sitios Web. Básicamente, situar un vínculo al sitio Web de otras personas en su propio sitio. Esto conecta su sitio con otros sitios Web y hace que sea parte de su red. Cuando creo un vínculo con un sitio nuevo, normalmente envío un mensaje a ese sitio y le hago saber que me gusta lo que hace y que he creado un vínculo con él. Nunca pido al propietario de ese sitio que cree un vínculo conmigo pero sí le pido que visite mi sitio y que lo conozca.

Vínculos de solicitud

Vínculos de solicitud significa solicitar a alguien que sitúe un vínculo en su sitio hacia el suyo. Puesto que esto implica pedirle a un completo extraño que haga algo, tiendo a no hacerlo. Puede haber circunstancias especiales donde esto podría ser posible pero son poco comunes. Un ejemplo de una circunstancia especial sería un sitio Web dentro de una comunidad especializada. Digamos que tiene un sitio Web de juegos de mesa. Podría querer conectar con otros sitios de juegos de mesa y pedirle que creen un vínculo con usted. Sea amable y honesto. Al final, el mejor consejo es vincular con los sitios de los otros y, a su vez, otros vincularán con usted en su propio sitio.

Dejar comentarios

Si se encuentra con una entrada de blog o una noticia a la que quiere añadir un comentario, le animo a que añada su URL en la respuesta. No haga una publicidad descarada pero si puede dejar la dirección de su sitio Web, hágalo. Nunca sabe quién va a leer su comentario y si estará de acuerdo con usted. Esa persona podría luego visitar su sitio. Simplemente recuerde que su comentario debería ser relevante para la noticia o entrada de blog, no simplemente una excusa para promocionarse.

Enviar su sitio a directorios Web

Podría encontrar listas o bien directorios de sitios que comparten el contenido de su sitio Web.

Si puede encontrar estos sitios (véase la figura 19.2), averigüe cómo conseguir que se liste también su sitio ahí al ponerse en contacto con las personas que gestionan las listas.

Figura 19.2. Lista de blogs.

Utilizar el potencial de los medios de comunicación social

Los medios de comunicación social implican personas que comparten información con otros a los que consideran importantes. Varios sitios como Digg.com, Reddit.com y Stumbleupon.com funcionan de esta manera. Explore estos sitios para encontrar vínculos a sitios en los que podría estar interesado, y utilícelos para promocionar y dar a conocer sus propios sitios.

Puede que haya observado que aparecen una serie de símbolos en la parte inferior de las historias de noticias o entradas de blogs (véase la figura 19.3). Éstos son vínculos que permiten al lector compartir su artículo o entrada de blog con otros en sitios Web de intercambio social como Digg.com, Facebook.com, Delicious.com, y otros. Si añade éstos a sus mensajes y alguien hace clic en ellos, su contenido se comparte con millones de otros usuarios de los medios sociales. Esto funciona en ambos sentidos: si encuentra algo que le gusta, asegúrese de compartirlo con los demás. Sitios como Twitter, MySpace y Facebook también le proporcionan la posibilidad de promocionar su sitio Web. Por ejemplo, podría usar cualquiera de estos sitios para dejar que la gente en su lista de amigos sepa que tiene nuevo contenido en su sitio Web. Por ejemplo, en Facebook, puede crear notas para promocionar sitios Web. ¿Por qué no promocionar el suyo?

Figura 19.3. Un ejemplo de compartir sitios Web.

SITIOS DE MEDIOS SOCIALES PARA LA AUTOPROMOCIÓN

Estos son algunos de los sitios de autopromoción de más utilidad. Recuerde ser un buen usuario de estos sitios y hablar de otras cosas aparte de sí mismo. Todo el mundo entiende la autopromoción pero a nadie le gusta la gente que solamente habla de sí misma.

▶ **Facebook** (http://www.facebook.com): Facebook sigue siendo la red social más popular. La mayor parte de sus amigos tendrán un perfil, por lo tanto no tema hablarles de su sitio Web.

- **Twitter** (http://www.twitter.com): Este sitio de microblogs se ha convertido en un fenómeno social y es increíblemente útil para la autopromoción.

- **Pinterest** (http://www.pinterest.com): Esta red social ha despegado en los últimos 18 meses. Utilice tableros disponibles en el sitio para promocionar el suyo.

- **Tumblr** (http://www.tumblr.com): Otro sitio de blogs que le permite compartir, conectar y promocionar su propio sitio Web.

- **Google**+ (https://plus.google.com/): La red social de Google está luchando por hacerse un hueco pero tiene una base leal de seguidores que les encantará conocer su sitio Web (véase la figura 19.4).

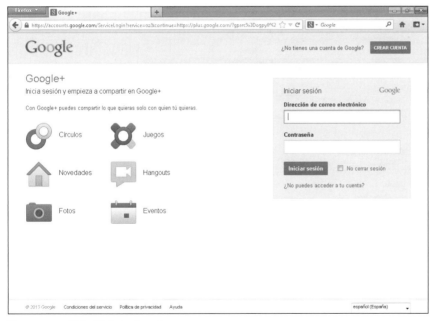

Figura 19.4. Sitio Web de Google+.

MOTORES DE BÚSQUEDA

Por último, quiere asegurarse de que los motores de búsqueda listan y encuentran su sitio Web. Este tema se trata en este apartado.

Cómo funcionan los motores de búsqueda

Probablemente utiliza un motor de búsqueda cada vez que está en Internet.

Un motor de búsqueda simplemente es una forma de encontrar que lo que está buscando en Internet. Si está buscando libros, va a un motor de búsqueda como Google.com y escribe la palabra **libros**. El motor de búsqueda muestra una lista de los resultados de búsqueda relevantes, con las páginas más relevantes al principio de la lista (véase la figura 19.5). Éstos son los vínculos en los que la mayoría de la gente hace clic primero. Por esta razón, querrá que su página Web aparezca lo más arriba posible en la lista.

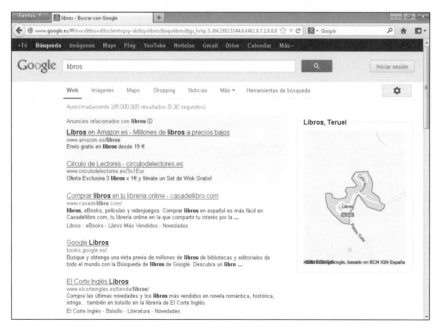

Figura 19.5. Quiere que su sitio Web se liste arriba en la clasificación de Google.

Para entender mejor cómo preparar su sitio Web para aprovechar al máximo los motores de búsqueda, necesita saber cómo funcionan:

1. Añade su sitio Web a Internet. Al principio, cuando su sitio se ha añadido, ningún motor de búsqueda sabe ni siquiera que existe.

2. Una araña encuentra su página. Los motores de búsqueda utilizan programas llamados arañas. Estas arañas rastrean Internet siguiendo cada vínculo, recopilan información sobre toda página que encuentran y luego informan al motor de búsqueda sobre los contenidos. Las arañas también cuentan la frecuencia de las palabras utilizadas en su página para hacerse una idea sobre lo que trata.

3. Los motores de búsqueda compilan la información. El motor de búsqueda luego compila toda la información de todas las arañas y determina cómo clasificar las páginas basado en su lógica individual. Cada motor de búsqueda es un poco diferente.

4. Un visitante realiza una búsqueda y encuentra su página. Cuando la gente utiliza un motor de búsqueda y escribe las palabras que coinciden con las que hay en su sitio Web, entonces encuentran su sitio Web.

Si va a un motor de búsqueda y busca su sitio Web ¿qué encuentra? Si escribe su URL, es más que probable que su sitio Web aparezca arriba en la lista (espera que así sea) aunque la gente podría no conocer el URL de su sitio. Necesita proporcionarles una forma de encontrar su sitio basado en palabras clave.

OPTIMIZAR SU SITIO PARA LOS MOTORES DE BÚSQUEDA

Sólo porque su sitio se liste en un sitio Web no significa que vaya a obtener millones de accesos. Su sitio Web podría aparecer en la lista pero muy abajo en la lista de sitios Web. La optimización de motores de búsqueda ayuda a que su sitio ascienda en la lista. Los siguientes apartados tratan algunas de las técnicas de optimización de motores de búsqueda.

Palabras clave

Las palabras clave son simplemente palabras o frases que describen su sitio Web y aparecen en él. Por ejemplo, si su sitio Web es sobre hacer punto, habrá muchas palabras que utilice de forma regular en el sitio como agujas o hilo. Éstas son las palabras que los motores de búsqueda utilizan para catalogar su sitio.

Metaetiquetas

La araña del motor de búsqueda rastrea su sitio Web y encuentra la mayor parte de las palabras que representan su sitio Web. Puede añadir palabras en HTML en una metaetiqueta que catalogan específicamente las arañas Web (véase la figura 19.6). Recuerde que eso es una ayuda para el motor de búsqueda, no una clasificación garantizada en los primeros resultados de una página. A continuación tiene metaetiquetas HTML:

▶ Description: Esta etiqueta le permite escribir una descripción con sus propias palabras que algunos rastreadores Web catalogan. Esto le proporciona cierto control sobre lo que aparece como una descripción en la clasificación de la página.

▶ Keywords: Esta etiqueta le permite especificar palabras claves en las que desea hacer hincapié que podrían no aparecer en su página.

Figura 19.6. Utilizar meta etiquetas en código HTML.

Advertencia: Aunque quiere aumentar su tráfico Web, no intente "jugar con el sistema" al añadir términos de búsqueda que cree que serán populares. Se considera mala práctica y, si la gente llega a su sitio esperando encontrar una cosa y encuentran otra, probablemente no volverán. Centrar su descripción y las palabras clave en el tema de su sitio hará que sea más fácil de encontrar y más agradable para sus visitantes.

Para añadir una metaetiqueta a su página, siga estos pasos:

1. Abra su página Web en su editor HTML.

2. En la etiqueta <head>, inserte una nueva línea.

3. Escriba lo siguiente:

```
<META name="description" content=
"La descripción de su sitio Web">
<META name="keywords" content=
"palabras clave para su sitio Web">
```

20. Mantener su sitio Web

En este capítulo aprenderá:

► ¿Qué? ¿Todavía no he terminado?
► Mantenimiento regular.
► El poder de la analítica.
► Modificar su sitio basado en analítica.

¿QUÉ? ¿TODAVÍA NO HE TERMINADO?

Un sitio Web nunca está terminado. Piense en él como en un jardín que necesita atención continua. El mantenimiento de su sitio Web le proporciona la oportunidad de que sea más divertido y un lugar más interesante para sus visitantes. Necesita realizar un par de tareas claves de forma regular, de igual forma que quitaría la mala hierba de su jardín y comprobaría la presencia de pulgones de forma regular.

Sin embargo, a diferencia de un jardín, este proceso no se detiene, incluso cuando llega el invierno. La Web está llena de sitios que nadie ha mantenido. No deje que su sitio Web se convierta en basura de Internet.

MANTENIMIENTO REGULAR

Mantener su sitio Web implica ciertas tareas a realizar de forma semanal, mensual y anual. Intente establecer un calendario regular de modo que no olvide una tarea importante. Tomo notas en mi calendario incluso para las tareas más mundanas, para así no olvidarlas.

Tareas semanales

Trate de realizar estas tareas una vez a la semana. Elija una hora y un día y simplemente hágalo. Conviértalo en parte de su calendario.

- **Comprobar los vínculos de correo electrónico:** Asegúrese de que todos los vínculos de correo electrónico funcionan y recibe el correo que le envían los vínculos.

- **Probar los formularios:** Pruebe los formularios para asegurarse de que se registran los datos correctos y que la información correcta se devuelve al visitante.

Tareas mensuales

Intente realizar estas tareas de mantenimiento al menos una vez al mes. Elija un día al mes y cúmplalo:

- **Validar vínculos:** Revise todos sus vínculos, tanto manualmente o por medio de un comprobador de vínculos. Preste especial atención a los principales vínculos externos, porque pueden cambiar o desaparecer.

- **Comprobar clasificación en motor de búsqueda:** De vez en cuando, debería comprobar su lugar en los motores de búsqueda basado en sus palabras clave.

Tareas anuales

- **Renovar nombre de dominio:** Renueve su nombre de dominio una vez al año. Puede renovarlo durante más tiempo pero debería revisar sus dominios de forma anual. Su servicio de hospedaje normalmente le recuerda realizar esta sencilla tarea.

- **Comprobar navegadores:** Nuevos navegadores y nuevas versiones aparecen todo el tiempo. Por lo general, pruebo mis sitios cuando aparece una nueva versión pero, si realiza la comprobación de los navegadores una vez al año, debería estar bien.

- **Realizar copia de seguridad de sus archivos:** Incluso si no ha realizado cambios importantes en su sitio en un año, debería realizar copia de seguridad de sus archivos. Nunca tendrá suficientes copias de seguridad, y tiene que hacerlo al menos una vez al año.

- **Revisar su certificado de SSL:** Si utiliza seguridad SSL (Secure Sockets Layer) en su sitio, podría necesitar renovar su certificado anualmente.

EL PODER DE LA ANALÍTICA

Una pregunta común que se hace la gente sobre sus sitios Web es: "¿Cómo hago seguimiento de cuánta gente viene a mi sitio?". No es una pregunta fácil de contestar. Si su madre visita su sitio Web 15 veces al día, ¿cuenta eso como 1 visitante o como 15? Igualmente, si puede obtener información sobre cuántos visitantes tiene, ¿qué otra información puede obtener?

Esta información se denomina comúnmente analítica. Los desarrolladores Web pueden utilizar esta información para ver cómo se utilizan sus sitios Web, y cambiarlos y mantenerlos en consecuencia.

La mayoría de los servidores tiene un nivel predeterminado de recopilación de datos automático. Eso significa que, cada vez que un visitante llega a ese servidor Web, éste captura algunos datos sobre ese visitante. Estos datos van más allá que simplemente contar quién ha visitado el sitio. Contiene información como cuántas personas diferentes lo han visitado, qué sitios les han llevado hasta su sitio, qué navegadores utilizan y cuáles eran sus sistemas operativos.

Analítica común y su significado

La analítica proporciona estadísticas que pueden ayudarle a tomar decisiones sobre mejorar su sitio Web. Estos son algunos programas excelentes de analítica que pueden ayudarle a ver todos los datos sobre su sitio Web y permitirle capturar más de él.

La mayoría de los servidores Web realizan un seguimiento de este tipo de datos aunque podría no tener acceso a su servidor. Pida a su proveedor si puede acceder a datos analíticos. Si no es posible, podría querer probar con un servicio gratuito como Google Analytics que se trata más adelante, en este capítulo. Aquí tiene la analítica más común que recopilan los servidores Web y su significado:

► **Impactos:** Estos son archivos individuales que su servidor Web envía al navegador de un visitante. Esto significa que si tiene una página Web con seis imágenes, un visitante que llega al sitio registra seis impactos. Ésta es la razón por la que los impactos no son una herramienta fiable para medir cuántas personas llegan a su sitio.

► **Páginas vistas:** Esta estadística es el número de páginas descargadas, sin importar los archivos que compongan esa página. Por lo tanto, un visitante que llegue a una página cuenta como uno, y si ese visitante actualiza la página, se registra otra página vista.

► **Visitantes únicos:** Éste es el número de direcciones IP (*Internet Protocol*, Protocolo de Internet) individuales que acceden a su sitio. Esto es más representativo del número de visitantes pero, si muchas personas usan el mismo ordenador en una escuela o biblioteca, los números podrían ser incorrectos.

▶ **Descargas:** Éste es el número de archivos descargados desde su sitio que quiere que se descarguen. Por ejemplo, si tiene un PDF de un formulario, este número le dice cuántas veces lo han descargado los visitantes.

▶ **Páginas de entrada:** Éstas son las páginas en las que la gente entra a su sitio Web. La mayor parte del tiempo quiere que la gente llegue a su página principal pero, algunas veces, alguien crea un vínculo con una determinada página en su sitio Web. Esto le dice lo que las personas que llegan a su sitio esperan encontrar.

▶ **Páginas de salida:** Éstas son las páginas desde las que la gente abandona su sitio Web. Es fácil saber por qué se marchan aunque podría ser por cualquier cosa. Por ejemplo, una página de vínculos a otros sitios podría ser un lugar desde el que mucha gente abandone su sitio.

▶ **Referencias:** Son sitios Web que tienen vínculos a su sitio en los que la gente ha hecho clic para llegar a su sitio. Siga estos sitios para ver si nuevas personas le hacen referencia, y compruebe lo que dicen. Si recomiendan su sitio por algo, envíeles unas palabras dándoles las gracias.

▶ **Cadenas de búsqueda:** Éstas son términos de búsqueda que utiliza la gente para encontrar su sitio. Le ayudan a asegurarse de que los motores de búsqueda le encuentran de forma correcta.

▶ **Tiempo medio en el sitio:** Éste es tiempo medio que una persona ha estado en su sitio desde que ha entrado hasta que se marcha. No se preocupe si es un número bajo; tampoco pasa tanto tiempo en la mayoría de los sitios Web.

▶ **Nuevos visitantes:** Éstos son los visitantes que llegan a su sitio Web por primera vez.

▶ **Navegadores utilizados:** Esto le dice qué navegadores y versiones utilizan los visitantes. Esto le ayuda a saber qué navegadores comprobar cuando prueba su sitio Web con diferentes navegadores.

Utilizar Google Analytics

El mejor sitio de analítica es Google Analytics. Todo lo que tiene que hacer es registrar su sitio Web con Google Analytics, añadir algo de código a su sitio y luego ir al sitio de Google Analytics para ver quien ha visitado su sitio.

Google Analytics le proporciona numerosos datos, casi cualquier cosa que quiera saber sobre la gente que visita su sitio. Aquí tiene algunos de los aspectos más destacados:

▶ Número de visitas.

▶ Páginas vistas.

▶ Páginas por visita.

▶ Tiempo medio en el sitio.

▶ Porcentaje de nuevas visitas.

Google Analytics también ofrece una serie de estadísticas basada en las fuentes de tráfico y el contenido.

Iniciar Google Analytics

Si no tiene una cuenta Google, las indicaciones para crear una aparecen anteriormente en el libro. Si tiene una cuenta Google, acceda a ella:

1. Vaya a `http://www.google.com/analytics/`. Google Analytics le permite acceder a la analítica de su sitio (véase la figura 20.1).

2. Haga clic en el botón **Cree una cuenta**.

3. Después de acceder a Google Analytics por primera vez, se le pide que se registre en el servicio (véase la figura 20.2).

Figura 20.1. El sitio Web de Google Analytics.

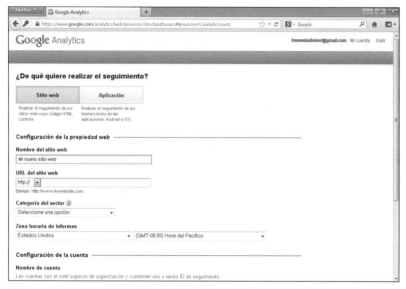

Figura 20.2. Página de registro de Google Analytics.

Configurar una nueva cuenta

Después de acceder a Google Analytics, siga estos pasos para configurar una nueva cuenta:

1. Elija el sitio Web del que quiere hacer seguimiento con Google Analytics.

2. Elija la pestaña Administrador en la esquina superior derecha y seleccione **+Nueva cuenta**.

3. Bajo Nombre de cuenta, escriba el nombre a mostrar cuando examine la analítica para el sitio Web.

4. Bajo URL del sitio Web, escriba la URL de su sitio.

5. Seleccione una zona horaria y país de la lista desplegable.

6. Elija la opción de compartir datos que desea, su país de origen y aceptar los términos de uso.

7. Haga clic en **Obtener ID de seguimiento**.

Aplicar el código se seguimiento

El código se seguimiento es código JavaScript, y tiene que añadirlo a todas las páginas que quiera seguir delante de la etiqueta </body>.

1. Copie el script del cuadro Código de seguimiento.

2. Pegue este código en todas las páginas de las que quiera seguimiento.

> **Truco:** Si utiliza un sitio Web, como un blog, con un archivo de pie de página, necesita situar el código de seguimiento solamente en ese archivo para que se relacione con todas las otras páginas.

Después de añadir el código a su sitio, regresa a la página de la analítica. Ahora muestra la página que está siguiendo y el estado de la recopilación de información.

Ver informes

Después de añadir su sitio a Google Analytics, tiene que darle algo de tiempo para que recopile datos. Ya sé que quiere ver resultados inmediatamente pero Google Analytics monitoriza miles de sitios, por lo tanto lleva unas cuantas horas recopilarlos. Aquí tiene cómo puede ver su informe de Google Analytics:

1. Acceda a Google Analytics.

2. Desde su cuenta, elija el sitio que quiere ver.

3. Los informes estándar (como número de impactos) se mostrarán en la ficha Informes estándar.

Se muestra el informe básico para el sitio Web (véase la figura 20.3).

Esto es sólo el principio del posible uso de Google Analytics. Eche un vistazo y compruebe todas las estadísticas disponibles. Google Analytics se reconoce como el estándar en la mayoría de la publicidad.

Otros sitios de analítica

Existen otros sitios de analítica en Internet pero la mayoría ofrecen solamente un sencillo conjunto de características, con características adicionales por una cuota. Aquí tiene algunos ejemplos:

▶ **Piwik**: http://piwik.org/

▶ **Clicky Web Analytics**: http://www.getclicky.com/

Figura 20.3. El informe básico de Google Analytics.

MODIFICAR SU SITIO BASADO EN ANALÍTICA

Después de capturar una serie de datos, querrá examinarlos y decidir cómo cambiar su sitio Web. Por ejemplo, si tiene mucho tráfico en una página, asegúrese de que esa página está en la parte delantera de su sitio Web. Igualmente, si está recibiendo visitantes que no van a otras páginas en su sitio Web, podría querer cambiar las cosas.

Después de realizar estos cambios, siga la analítica para ver si los cambios han surtido efecto.

21. Crear un blog con WordPress

En este capítulo aprenderá:

- ► ¿Qué es un blog?
- ► ¿Por qué debería utilizar uno?
- ► Publicar en blogs.
- ► Sindicación.
- ► ¿Qué es WordPress?
- ► Crear un blog con WordPress.com.
- ► Configurar su propio blog con software WordPress.
- ► Antes de instalar su software.
- ► Descargar e instalar WordPress.
- ► Personalizar WordPress.
- ► Mantenerse al tanto.

Blogging es algo de lo que habrá oído hablar en los últimos años. Lo que empezó como un periódico personal online se ha ampliado para cambiar la forma en que se hace periodismo o se comunica la política o los negocios. Este proyecto trata lo que es un blog y cómo utilizar un software de código abierto denominado WordPress para crear su propio blog.

WordPress se ejecuta en un sitio Web que le permite crear blogs en WordPress. Igualmente, para ejecutar y gestionar su propio blog, puede descargarse el software WordPress e instalarlo en su propio servidor Web.

¿QUÉ ES UN BLOG?

Un blog simplemente es un revista Web. La gente lleva escribiendo diarios desde el comienzo de la escritura. Blogging es una extensión electrónica de estas palabras escritas. Es decir, un blog es una lista de entradas fechadas que tiene la entrada más actual al principio de la página Web.

El asunto puede ser cualquier cosa, y quiero decir cualquier cosa. Existen blogs sobre comida, política y cualquier cosa sobre la que desee escribir. Yo escribo mi propio blog, mi mujer escribe el suyo y su madre escribe tres. (Siempre supe que mi suegra tenía muchas cosas que decir, y ahora lo hace todo el mundo). Puede escribir sobre cualquier cosa. El mejor consejo es escribir sobre algo que le guste. Ni siquiera tiene que ser un experto.

¿POR QUÉ DEBERÍA UTILIZAR UNO?

Cuando le dices a alguien que escribes un blog o le preguntas sobre los blogs, no pueden imaginar por qué alguien querría escribir uno. Comentan: "No tengo nada que contar" o "¿quién estaría interesado en lo que tengo que decir?". Para ser honesto, creo que todo el mundo tiene algo que decir, y ¿a quién le importa si solamente una persona lee su blog?

En realidad, se sorprendería de quién le sigue. Blogging es una forma barata y sencilla de compartir sus pensamientos sobre cualquier cosa que le interese.

PUBLICAR EN BLOGS

Una de las innovaciones de la Web es la facilidad de publicar cosas, como los blogs. Antes de Internet, estaban las imprentas o convencía a un editor que publicara algo que hubiera escrito.

Internet acaba con el intermediario y permite que cualquiera pueda publicar fácilmente. Cuando esto comenzó, un blog era simplemente una página Web. La página se tenía que crear en HTML y suponía mucho trabajo. Por lo tanto, para añadir una nueva entrada de blog, los primeros blogueros tenían que escribir código HTML. Esto era un problema. Con el tiempo, empezaron a aparecer sitios Web específicamente para blogueros. Uno de estos fue LiveJournal.com. LiveJournal hizo que escribir un blog fuera fácil. Se registraba y empezaba a escribir sobre cualquier cosa que quisiera en poco tiempo. El problema era que, para algunas personas, LiveJournal era muy restrictivo. Los blogueros no podían crear sus diarios exactamente en la forma en que querían. La gente quería más control.

SINDICACIÓN

¿Alguna vez ha tenido la sensación de que se está perdiendo algo de lo que está sucediendo, quizá en la Web? Podría ser un dato de unos valores, una historia o buenas noticias sobre su tía. La sindicación le ayuda con esto.

Con los blogs y otros sitios, pero sobre todo con los blogs, la sindicación le permite que ese sitio Web le alerte cuando algo se ha actualizado.

¿QUÉ ES WORDPRESS?

WordPress es una empresa que ofrece dos servicios que se ejecutan a partir de dos sitios Web: WordPress.com y WordPress.org. WordPress.com le permite configurar y crear blogs en su sitio Web. WordPress.org (gestionado por la misma gente) le permite descargar el software WordPress y configurarlo en su propio servidor. Si es nuevo en el mundo de los blogs, intente comenzar con WordPress.com.

WordPress.com es uno de los mayores sitios de blog en el mundo. Alberga más de tres millones de blogs y cientos de miles de mensajes. El sitio sirve como un sitio de alojamiento y lugar de referencia para la versión de código abierto del software WordPress.

No solamente puede crear un blog en tan sólo unos pocos minutos, sino que puede buscar otros blogs y comunicarse con otros usuarios que utilizan WordPress.com. Usar WordPress.com es 100 por 100 gratuito.

Si le apetece algo más difícil y quiere más libertad, aprenda cómo instalar WordPress en su servidor Web, lo que se trata en la segunda parte de este capítulo.

Versiones de software

Como la mayoría del software, WordPress tiene una versión. Un número de versión es una forma sencilla de que la gente que usa y desarrolla el software se asegure de que utilizan y hablan de lo mismo. Para este capítulo, hablo de WordPress versión 3.4.1. Probablemente estará trabajando con una versión posterior, por lo que podría haber ligeros cambios en la forma en que funciona el software. Como regla general, debería tener la última versión del software.

Cinco razones para usar WordPress.com para alojar su blog:

► **Es nuevo en los blogs:** WordPress.com le permite ponerse en funcionamiento rápidamente mientras se conecta a una comunidad más grande de blogueros más experimentados.

▶ **Tiene pocos conocimientos técnicos:** WordPress.com es una forma sencilla de sacar partido a una tecnología complicada por la que nunca tiene que preocuparse.

▶ **No quiere gastar dinero en un blog:** Un blog Wordpress.com es gratuito. ¡No se puede ahorrar más dinero!

▶ **No le preocupan los adornos:** Si quiere un blog sencillo y robusto y no preocuparse por los últimos gadgets o complementos, WordPress.com es para usted.

▶ **No necesita su propio dominio:** Todos los blogs WordPress.com se alojan bajo el dominio WordPress.com. Si no tener su propio dominio no es un problema para usted, WordPress.com podría ser una buena opción para usted.

Cinco razones para crear su blog utilizando el software WordPress:

▶ **Tiene su propio dominio:** Si quiere un nombre de dominio específico, no hay problema. El software WordPress no tiene restricciones de nombre de dominio.

▶ **Quiere un tema diferente del predeterminado:** Puede encontrar miles de temas WordPress en todo

Internet. Ejecutar su propia versión de software WordPress le permite utilizarlos.

▶ **Le preocupan los detalles:** Si quiere todos los complementos y la posibilidad de controlar cada detalle de su blog WordPress, podría querer descargar el software.

▶ **Tiene un buen conocimiento técnico:** Instalar, configurar y utilizar el software WordPress requiere conocimiento de algunas cosas técnicas.

▶ **Su servicio de hospedaje ofrece instalaciones WordPress:** Mi servicio de hospedaje me permite instalar WordPress automáticamente. Esto me da lo mejor de ambas mundos.

CREAR UN BLOG CON WORDPRESS.COM

Imaginemos cómo alguien podría utilizar un blog. José es un carpintero que adora el olor del serrín de su taller. Va al almacén y elige sus materiales, se los lleva a casa, y hace armarios para que su mujer guarde su porcelana. Está orgulloso de su trabajo y disfruta con los elogios que le hacen los visitantes a su casa.

Un día, José oyó de un amigo que había blogs de carpintería en Internet. En el pasado, José sólo utilizaba Internet para buscar una dirección o una película; nunca pensó en buscar información sobre carpintería. En casa, empezó a pensar en su pasión por la madera y encontró cientos de blogs especializados. La gente había escrito entradas de blog sobre planos, diseños de tiendas, elección de materiales y todas las cosas relacionadas con la carpintería.

A José le encantaba leer los proyectos de otras personas que trabajaban con madera. También le encantaban las fotografías tomadas durante la construcción y tras la finalización del proyecto. Después de leer una serie de blogs, José decidió que quería intentarlo por su cuenta. Vamos a construir el blog de carpintería de José.

Este apartado trata la creación de un blog en WordPress.com. Si está interesado en ejecutar su propia versión de WordPress y alojarlo en otro lugar, vaya al apartado para configurar su propio blog con el software WordPress.

Antes de empezar en WordPress.com, necesita lo siguiente:

- ► Una idea para su blog.
- ► Un nombre para su blog.
- ► Una dirección de correo electrónico.

Advertencia: Puesto que WordPress.com es un sitio Web en constante actualización, estas indicaciones pueden ser diferentes de lo que vea.

Registrarse en WordPress.com

Antes de empezar a utilizar WordPress.com, necesita registrarse en el servicio. No se preocupe, es gratuito y le proporciona acceso al software WordPress.com y a toda una comunidad de personas que lo utilizan.

1. Abra su navegador Web y navegue hasta http://www.WordPress.com. Ésta es la página principal de WordPress.com, donde se registra para el servicio de hospedaje de blogs (véase la figura 21.1).

2. Haga clic en el botón **Get started** (Empezar). Aparece la página para registrarse (véase la figura 21.2). En esta página, facilite toda la información que necesita para configurar su blog en los servidores WordPress.com.

3. En el campo Blog Address (Dirección del blog), escriba la dirección que desea utilizar para su blog. Es un subdominio del dominio WordPress.com, por lo que no necesita pagar cuotas de dominio o registrarlo.

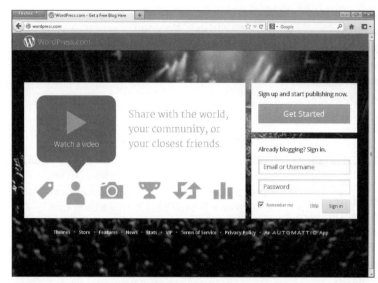

Figura 21.1. Página principal de WordPress.com.

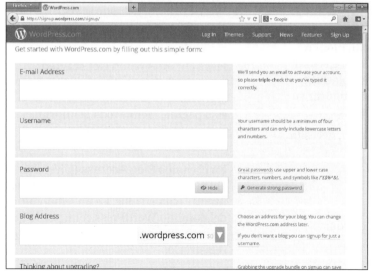

Figura 21.2. La página de registro para WordPress.com.

Puede editar el dominio del blog solamente una vez, así que elija bien. Puede utilizar letras y números solamente (no símbolos) y necesita tener al menos cuatro caracteres.

4. En el campo Username (Nombre de usuario), escriba un nombre de usuario para su cuenta WordPress.com. Cuando elige un nombre de usuario, quiere que sea único y fácil de recordar. Por ejemplo, José podría haber elegido algo como "carpinteriajose". WordPress.com requiere que su nombre de usuario tenga al menos cuatro caracteres y tenga solamente letras en minúscula y números.

5. En el campo **Password** (Contraseña), escriba una palabra o frase que vaya a utilizar para su contraseña. Cuando escribe su contraseña, WordPress.com evalúa si es buena. Cuando elija una contraseña, trate que sea única y fácil de recordar. Intente tener una combinación de letras y números. La mayúscula o minúscula también importa, por lo tanto utilice una combinación de letras mayúsculas y minúsculas. WordPress.com también le permite utilizar los caracteres !"£$%^&(en su contraseña.

6. En el campo E-mail Address (Dirección correo electrónico), escriba su dirección de correo electrónico. Esto permite que WordPress.com le comunique información y notas de administración. Asegúrese de que es correcta.

7. Puesto que está aquí para crear un blog, haga clic en el botón **Create Blog** (Crear blog) (véase la figura 21.3).

8. Haga clic en **Next** (Siguiente). Esto abre la página de información del blog. Utilice esta página para proporcionar información básica sobre usted.

9. Escriba su nombre y apellido e información sobre usted en los campos apropiados. Luego, haga clic en **Save Profile** (Guardar perfil).

> **Advertencia:** Una vez que facilita los datos y se registra, ya no puede cambiar el dominio del blog. Compruébelo antes de seguir adelante.

Activar su cuenta

Después de registrarse en WordPress.com, necesita activar su cuenta. WordPress.com es un sitio Web público que los chicos malos pueden utilizar para cosas malas. Estos chicos malos quieren utilizar los servidores de WordPress.com para fines nefastos. Para evitar ese mal comportamiento, WordPress.com le pide que active su cuenta.

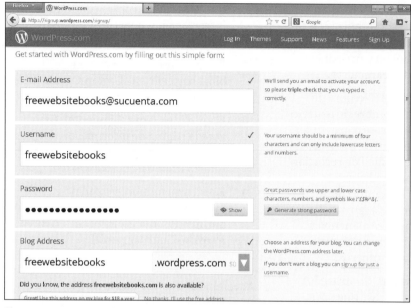

Figura 21.3. Esto es información sobre su blog en WordPress.com.

Subdominio

Un subdominio es un dominio bajo otro existente. Escribir `blog1.domain.com` o `blog2.domain.com` lleva al mismo dominio y diferentes subdominios. Un dominio puede tener subdominios ilimitados.

WordPress.com envía un mensaje de correo electrónico a la dirección que ha proporcionado cuando se registró. El sitio

Web le dice que puede tardar hasta media hora en recibir el mensaje pero, por lo general, es instantáneo. Cuando reciba el mensaje de correo electrónico, léalo y siga sus indicaciones. Las indicaciones incluyen un vínculo para activar su blog.

Después de hacer clic en el vínculo para activar su blog, WordPress.com le dice que su sitio está activo y le proporciona su nombre de usuario y contraseña. Ahora, está listo para acceder a su blog o verlo (véase la figura 21.4).

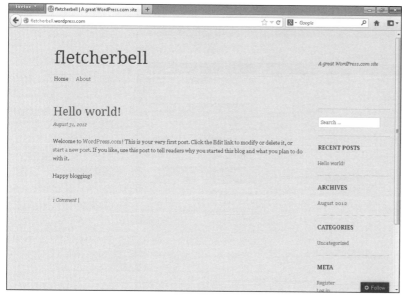

Figura 21.4. Éste es su blog.

Observe que ya hay una entrada de blog. WordPress.com crea una entrada de blog de modo que puede ver el aspecto que tendrá. La entrada le da la bienvenida a WordPress.com.

Acceder a su blog

Cuando tiene un blog en WordPress.com, tiene una parte pública y otra privada. La parte pública es lo que la gente ve cuando visitan su blog. WordPress.com llama a la parte privada Dashboard (Escritorio). Es donde escribe y gestiona las entradas,

cambia el aspecto del blog y realiza las tareas administrativas. Cuando accede a su blog, accede al Escritorio. Puede acceder a su blog WordPress.com mediante:

- ► `http://NOMBREUSUARIO.` `wordpress.com/wp-login`
- ► `http://wordpress.com` y hacer clic en el botón **Log In** (Iniciar sesión).

Iniciar sesión en WordPress.com le lleva al mismo sitio, el Escritorio de WordPress.com (véase la figura 21.5).

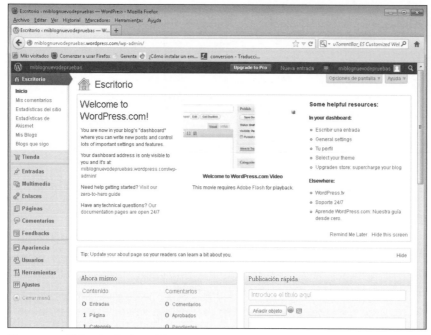

Figura 21.5. El Escritorio de su blog.

Menú Meta

El menú Meta es el menú en su blog que le permite acceder a las páginas de administración. No es nada más que vínculos a páginas especiales.

El Escritorio de WordPress.com es un conjunto de páginas que le permiten realizar esto:

► Escribir entradas de blog.

► Gestionar entradas de blog.

► Cambiar el diseño de su blog.

► Gestionar los comentarios en su blog.

El siguiente apartado de este proyecto trata todas estas actividades.

Escribir entradas de blog

Ahora que ha creado su blog, ¿qué es lo siguiente? Bueno, tiene que llenarlo con entradas de blog. Realice esto al escribir una nueva entrada de blog:

1. En el Escritorio, haga clic en el botón **Entradas** en la parte superior de la página. Esto abre la pantalla para escribir una entrada.

Ésta es la página que utiliza para añadir nuevas entradas a su blog (véase la figura 21.6). Publicar una entrada de blog tiene dos pasos:

a. **Guardar:** Cuando guarda el mensaje, se almacena en su blog.

b. **Publicar:** Cuando publica un mensaje de blog, se hace visible a la gente que visita su blog.

Figura 21.6. Aquí es donde escribe sus entradas de blog.

2. Escriba un título para su mensaje de blog en el campo Titulo. El título aparece en la parte superior de la entrada de blog y actúa como un hipervínculo. Su blog se puede ver con todas las entradas o sólo con una. Cuando hace clic en el título de la entrada de blog, solamente se muestra esa entrada.

WYSIWYG

WYSIWYG (*What You See Is What You Get*, Lo que ve es lo que recibe) y significa que el texto y los gráficos aparecen como lo harían en el documento final.

3. Escriba el mensaje de blog en el campo Post, que es un tipo especial de cuadro de texto. Cuando escribe en el cuadro, el texto se muestra según aparecerá en el blog. Esto se denomina WYSIWYG. Puede poner el texto en negrita, cursiva o hacer que aparezca tachado. Existen una serie de opciones de formato para el texto, incluido márgenes, boliches y numeración automática. Pruébelo y añada imágenes u otros elementos multimedia si parece apropiado. Mire otros blogs, vea lo que incluyen y, si le gusta una característica, añádala a su blog.

4. Después de editar su mensaje, haga clic en **Guardar**. El mensaje ahora se guarda en su blog.

5. Cuando esté listo para que otras personas vean su mensaje, haga clic en **Publicar**. Ahora, su mensaje de blog es visible a cualquiera que visite su blog. No se preocupe: si lo desea, puede anular la publicación.

6. Vaya a su blog y compruebe su nueva entrada.

Gestionar entradas de blog

Después de crear algunas entradas de blog, podría necesitar gestionarlas. Las funciones de gestión incluyen:

▶ Ver el estado actual de las entradas.

▶ Editar entradas existentes.

▶ Ver estadísticas de entradas.

En el Escritorio, haga clic en la ficha Entradas parte izquierda de la página. Esto abre la pantalla para gestionar entradas (véase la figura 21.7). Ésta es la página que utiliza para gestionar entradas en su blog. Lista todas las entradas guardadas en el blog, con la entrada más reciente en la parte superior de la lista. También le muestra quién ha escrito la entrada y cuál su estado actual.

Figura 21.7. Ésta es la página que utiliza para gestionar entradas de blog.

▶ Para editar una entrada de blog, pase el ratón por encima del nombre de la entrada y seleccione **Editar**.

▶ Para ver las estadísticas de una entrada, haga clic en el icono de estado al final de cada entrada.

▶ Para realizar búsquedas de entradas, escriba lo que esté buscando en el campo **Buscar** y haga clic en **Buscar entradas**.

Cambiar el diseño de su blog

El diseño de su blog es cómo aparece para sus visitantes. WordPress.com tiene plantillas de diseños denominadas temas.

Cuando inicia un blog, puede elegir entre una serie de temas precargados que abarcan una variedad de temas y características. Una vez más, diviértase explorando los diferentes aspectos para su blog.

Aquí tiene cómo cambiar un tema de su diario:

1. En el Escritorio, haga clic en Apariencia a la izquierda.

2. Seleccione un tema y haga clic en él. También puede realizar una vista previa o activar un tema al hacer clic en los vínculos por debajo de la imagen en miniatura. Aparece una vista previa del tema aplicado a su blog (véase la figura 21.8).

3. Para aplicar el tema a su blog, haga clic en **Activar** en la esquina superior derecha.

   Para regresar a su diseño original, haga clic en la **X** (icono Cerrar) en la esquina izquierda.

Compruebe su página de diseño, porque a veces se agregan nuevos diseños y puede gustarle algún otro.

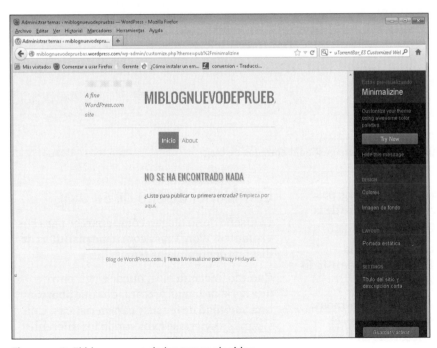

Figura 21.8. El blog con uno de los temas elegidos.

Gestionar los comentarios en su blog

La gente que lee su blog puede tener algo que decir sobre sus entradas. Un comentario es una adición textual a su entrada de blog. Si la gente lee su mensaje y se siente obligado a dejar una respuesta, WordPress.com les proporciona una forma sencilla de hacerlo. WordPress.com también le permite moderar los comentarios. Esto significa que puede decidir qué comentarios son visibles en su blog.

Con WordPress.com, puede aprobar, marcar como correo no deseado, desaprobar o eliminar comentarios.

Spam

Igual que con su bandeja de entrada de correo, su blog puede tener comentarios de spam. El término *spam* hace referencia a solicitudes no deseadas en su correo electrónico o blog. Muchas personas intentarán llenar su blog con comentarios de spam pero WordPress.com le ayuda a mantenerlos al mínimo.

En el Escritorio, haga clic en la pestaña Gestionar cerca de la parte superior de la página. Esto abre la pantalla Gestionar comentarios que es donde puede gestionar comentarios en su blog:

▶ Para aprobar un comentario, pase el cursor por encima del listado y haga clic en Aprobar. Esto hace que sea visible para cualquiera que lea su blog.

▶ Si encuentra un comentario de spam, seleccione la casilla de verificación a su lado y haga clic en **Marcar como spam**. Esto informa a WordPress.com que el comentario es un spam, en un esfuerzo por reducir el número de comentarios de spam en los blogs de todo el mundo.

▶ Para eliminar un comentario que ha aprobado previamente, seleccione la casilla de verificación junto a él y haga clic en Desaprobar. Esto hace que el comentario sea invisible para cualquiera que lea su blog.

▶ Para eliminar permanentemente un comentario, seleccione la casilla de verificación junto a él y haga clic en **Eliminar**. Esto eliminará el comentario de su blog.

CONFIGURAR SU PROPIO BLOG CON SOFTWARE WORDPRESS

¿Qué sucede si ya ha probado la solución WordPress.com y está contento con ella pero quiere ampliar las funciones de su blog o mejorar su apariencia? O quizá es un apasionado de la tecnología y la informática y quiere algo más de lo que puede ofrecer WordPress.com. Si es así, aquí tiene el "espere, todavía hay más" que estaba esperando.

Si desea tener más control sobre su blog y tener el conocimiento técnico para instalar, configurar y mantenerlo, descargar el software WordPress de WordPress.org podría ser la solución para usted.

Configurar su blog con el software WordPress le permite añadir sus propios plug-ins, diseñar sus propios temas, y controlar cuándo se actualiza su software.

Información que necesita antes de empezar

Antes de instalar su propio software WordPress, necesita realizar una serie de cosas, como realizar una copia de seguridad de sus archivos.

Advertencia: Cuando instala software por su cuenta, se aventura en un territorio nuevo e inexplorado. Las cosas podrían no funcionar según lo esperado. Antes de empezar este proceso, realice una copia de seguridad de cualquier cosa importante. Y no se preocupe. Es difícil estropear cosas durante una instalación. Diviértase con el proceso.

Cómo funciona el software WordPress

Como puede imaginar, muchas cosas suceden en el software WordPress. Es importante saber qué partes están involucradas y cómo funcionan entre sí. Hay una serie de piezas que funcionan conjuntamente para que su blog funcione correctamente. Cuando utiliza WordPress.com (como en la parte anterior del capítulo), se cuida de todo esto por usted. Cuando utiliza el software WordPress, está solo, por lo que necesita entender la arquitectura de un blog WordPress (véase la figura 21.9).

Software WordPress

Éste es el software que crea y ejecuta su blog, incluidas las páginas del sitio Web, temas, y complementos.

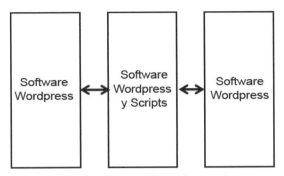

Figura 21.9. La arquitectura de un blog WordPress.

Arquitectura

Cuando escucha por primera vez la palabra arquitectura, probablemente piensa en personas sentadas detrás de mesas de dibujo dibujando edificios. A lo que me refiero en este punto es a arquitectura de sistemas. Arquitectura es un término para la relación entre diferente software y hardware. La arquitectura de un sistema describe qué ordenadores están implicados y qué software se ejecuta en ellos. También describe cómo se transfieren los datos entre estos ordenadores.

Software PHP y scripts

PHP es un lenguaje de script que le ayuda a crear una página Web dinámica utilizando el software WordPress.

El script PHP también habla con la base de datos MySQL para recopilar datos y crear páginas dinámicas.

Base de datos MySQL

Esta base de datos alberga toda la información que conforma su blog. Todas las entradas y parámetros de configuración se almacenan en esta base de datos. En su mayor parte, no tiene que saber cómo funciona esto pero es bueno conocer dónde se almacena la información de su blog.

¿Cuánto cuesta todo esto?

Probablemente se esté preguntando cuánto le va a costar esto. Nada. Todo el software que necesita para ejecutar WordPress es gratuito. No es un software de prueba que sólo utiliza durante un período antes de que tenga que pagar por él. Este software se distribuye gratuitamente. Haga algo increíble con él.

ANTES DE INSTALAR SU SOFTWARE

Antes de empezar su instalación del software WordPress, tiene que hacer algunas cosas sencillas con su servicio de hospedaje y obtener algunas herramientas.

Confirmar que el software correcto está instalado en su servidor

Para ejecutar WordPress 3.4.1, su servicio de hospedaje Web debe proporcionar lo siguiente:

- ► PHP versión 5.2.4 ó superior.
- ► MySQL versión 5.0 ó superior.
- ► (Opcional). Módulo mod_rewrite de Apache (para las URI, *Uniform Resource Indicators*, Indicadores uniformes de recursos, conocidos como Permalink o enlace permanente).

> **Nota:** Sin acceso a PHP y MySQL en su servidor Web, no puede ejecutar el software WordPress. Si falta alguno de ellos, necesita utilizar WordPress.com o buscar otra solución de blogs.

Obtener un editor de texto

Es posible que tenga que editar algunos archivos de texto para conseguir instalar y que funcione WordPress. Un archivo de texto es simplemente un archivo con palabras y números que no contiene formato.

TextWrangler es un excelente editor de texto de Mac.

Puede editarlo en http://www.barebones.com/products/textwrangler/index.shtml.

Obtener un cliente FTP

FTP (*File Transfer Protocol*, Protocolo de transferencia de ficheros) es un nombre para el software que le permite transferir fácilmente archivos entre ordenadores. Cuando instala software, como WordPress, tiene que mover archivos entre ordenadores fácilmente. Un cliente FTP, como FileZilla, es un programa que le ayuda a hacer esto.

Elegir un nombre de usuario y contraseña

Una buena regla de oro es elegir un nombre de usuario y contraseña antes de empezar. Asegúrese de que son únicos y que ambos contienen letras y números.

DESCARGAR E INSTALAR WORDPRESS

Este apartado trata cómo descargar e instalar el software de código abierto desde WordPress.org. Lea las indicaciones detenidamente y recuerde hacer copia de seguridad de cualquier archivo importante.

Descargar el software WordPress

El primer paso para configurar su propio software WordPress es descargarlo. Siga estos pasos para descargar el software WordPress:

1. Vaya a `http://wordpress.org/`.

2. Haga clic en el botón **Download WordPress** (Descargar WordPress). Se descarga un archivo comprimido en su ordenador.

3. Después de terminar la descarga, haga doble clic en el archivo comprimido para abrirlo.

4. Descomprima el archivo en su disco duro.

Archivos zip

Los archivos zip son colecciones de archivos comprimidos en un sólo archivo. Cuando descomprime el archivo, se extraen los archivos comprimidos y se almacenan en su disco duro.

Para los siguientes pasos, tiene que consultar documentación de WordPress. Las diferencias en los servidores y cómo instalar y configurar WordPress afectan a qué acciones debería tomar.

Aquí tiene algunas de las fuentes de documentación que le ayudarán con su instalación:

▶ **Installing WordPress:** `http:// codex.wordpress.org/ Installing_WordPress`.

▶ **Installing WordPress on Tiger:** `http://maczealots.com/ tutorials/wordpress/`.

▶ **Installing WordPress locally on Fedora Linux:** `http://techiecat. catsgarden.net/archives/3`.

▶ **Installing WordPress on Ubuntu with LAMP:** `www.supriyadisw. net/2006/12/wordpress- installation-on-ubuntu- with-lamp`.

Esto no es en absoluto un proceso rápido y sencillo. Tómese su tiempo y lea las indicaciones cuidadosamente.

PERSONALIZACIÓN DE WORDPRESS

Existen varias formas de personalizar su blog WordPress. Las dos principales son añadir nuevos temas y plug-ins. Los temas cambian el aspecto de su blog y los plug-ins añaden funcionalidad.

Añadir temas

Muchas personas están creando temas más allá de lo que viene instalado con el software WordPress.

Un tema es simplemente una colección de texto y archivos gráficos que le dicen a WordPress cómo mostrar la información de su blog. Añadir nuevos temas es fácil, y ofrecen todo tipo de emocionantes aspectos para su blog.

> **Advertencia:** No pague por los temas. Existen literalmente miles de excelente temas gratuitos WordPress, así que no malgaste su dinero.

Varios sitios excelentes ofrecen temas WordPress. Puede realizar una búsqueda Web de "temas WordPress" o bien ir a los siguientes sitios:

- ▶ **WordPress.org Official Theme Directory:** `http://wordpress.org/extend/themes/`.

- ▶ **Best Word Press Themes:** `http://www.bestwpthemes.com/`.

- ▶ **Kate's Theme Viewer:** `http://themes.rock-kitty.net`

Para instalar nuevos temas, siga estos pasos:

1. Descargue el archivo zip del tema de una de las ubicaciones listadas.

2. Extraiga el archivo zip a su disco duro. El archivo zip se expande a una carpeta. Mantenga esta carpeta exactamente como se descomprime.

3. Abra su cliente FTP y conéctese a su servidor host.

4. Navegue hasta el directorio `wp-content/themes directory`.

5. Mueva la carpeta completa del tema al directorio de temas.

6. Seleccione el tema como se ha descrito anteriormente.

Añadir plug-ins

La mejor forma de añadir funcionalidad es por medio de plug-ins. Un plug-in es un grupo de archivos de programación que le dicen a WordPress qué nueva funcionalidad añadir. Los plug-ins se ejecutan dentro de WordPress y le permiten ampliar las funciones de su sitio Web. Quizá quiera añadir un calendario o conectarse a Facebook, Twitter u otros sitios Web 2.0 a través de su blog. Varios sitios excelentes tienen plug-ins WordPress. Puede realizar una búsqueda Web de "plug-ins WordPress" o ir a los siguientes sitios:

- **Official WordPress Plug-Ins Repository:** `http://wordpress.org/extend/plugins`.

- **WordPress Plug-in Database:** `http://wp-plugins.net/beta`.

> **Advertencia:** No pague por los plug-ins. Existen literalmente miles de excelente plug-ins gratuitos WordPress, así que no malgaste su dinero.

Para descargar nuevos plug-ins, siga estos pasos:

1. Descargue el archivo comprimido del plug-in de una de las ubicaciones listadas.

2. Extraiga el archivo zip a su disco duro. El archivo zip se expande a una carpeta. Mantenga esta carpeta exactamente como se descomprime.

3. Abra su cliente FTP y conéctese a su servidor host.

> **Advertencia:** No haga esto a menos que se sienta cómodo con HTML y PHP o puede arruinar todo su blog. Asegúrese, como siempre, de realizar una copia de seguridad de sus archivos.

4. Navegue hasta el directorio `wp-content/plugins`.

5. Mueva la carpeta completa del plug-in al directorio de temas.

6. Inicie sesión en la interfaz de administrador de su blog.

7. Haga clic en **Plug-Ins** en la interfaz.

8. En el blog, acceda ahora al panel de gestión de plug-ins en su panel de administración.

9. En la lista, encuentre el plug-in que acaba de instalar.

10. Haga clic en **Activar**.

PERSONALIZAR WORDPRESS

Después de personalizar su propios sitios WordPress, podría querer ir un poco más allá. ¡Excelente! Ahora, querrá conseguir que su blog WordPress sea único. Las personalizaciones más comunes son cosas como crear o modificar temas, crear plug-ins o incluso escribir entradas de blog desde su iPhone. Recuerde realizar una copia de seguridad de su blog antes de hacer esto. Esto significa almacenar una copia de su blog en otro ordenador.

Modificar temas

El hecho de descargar un tema e instalarlo no significa que tenga que utilizarlo siempre. Si tiene los conocimientos técnicos, WordPress le permite acceder a los archivos de plug-in desde la interfaz administrativa y editarlos.

> **Advertencia:** No realice esto a menos que se sienta cómodo con HTML y PHP.

1. Inicie sesión en la interfaz de administrador de su blog.

> **Nota:** Estos pasos cambian la versión del tema en su servidor solamente. Si hace algo que no le gusta o que estropea su blog, simplemente descargue el tema de nuevo y sobrescriba los archivos en su servidor.

2. Haga clic en Apariencia a la izquierda de la página.

3. Haga clic en Editor a la izquierda, debajo de Apariencia. El editor de temas (véase la figura 21.10) le permite editar los archivos que crean el tema que está utilizando.

Figura 21.10. El editor de temas le permite editar su tema actual.

4. Seleccione un archivo a la derecha bajo los archivos de temas.

5. Edite el archivo en el cuadro de texto.

6. Haga clic en **Actualizar archivo**.

Crear temas

Después de trabajar un poco con los temas existentes, podría querer crear el suyo propio. Crear su propio tema puede ayudarle a personalizar la CSS (*Cascading Style Sheet*, Hoja de estilo en cascada), HTML/XHTML y PHP, según sus necesidades personales.

El proceso de crear temas se trata en los siguientes sitios Web:

▶ **Theme Development:** `http://codex.wordpress.org/Theme_Development`.

▶ **Templates:** `http://codex.wordpress.org/Templates`.

▶ **Make Your Own WordPress Theme:** `http://www.cypherhackz.net/archives/2006/12/13/make-your-own-wordpress-theme-part-1/`.

▶ **Anatomy of a WordPress Theme:** `http://boren.nu/archives/2004/11/10/anatomy-of-a-wordpress-theme/`.

Crear plug-ins

Crear plug-ins es una tarea más ambiciosa. Realmente necesita saber cómo funciona WordPress por dentro y por fuera antes de intentar esta hazaña. Crearlos lleva un tiempo e implica muchas pruebas y solución de errores pero, cuando haya creado un plug-in que funciona, puede ser una sensación impresionante.

Aquí tiene algunos recursos de creación de plug-ins:

▶ **Writing a Plugin:** `http://codex.wordpress.org/Writing_a_Plugin`.

▶ **Plugin API:** `http://codex.wordpress.org/Plugin_API`.

▶ **Your First WP Plugin (vídeo):** `http://markjaquith.wordpress.com/2006/03/04/wp-tutorial-your-first-wp-plugin`.

Blogging en su iPhone

Una de las últimas cosas que puede hacer con WordPress es participar en blogs desde su iPhone. WordPress tiene una aplicación de iPhone que le permite participar en blogs, añadir imágenes y realizar una vista previa de sus mensajes.

Puede incluso editar mensajes existentes desde su iPhone. Si no tiene un iPhone, simplemente ignore esto:

1. Instale la aplicación WordPress desde la Apple App Store.

2. Escriba su información de blog.

3. Empiece a participar en su iPhone. ¡No lo haga cuando esté conduciendo!

Para más información, consulte la página iPhone de WordPress (`http://iphone.wordpress.org/`).

UNA SENCILLA SOLUCIÓN DE BLOGS

Esto puede ser un poco abrumador para usted. Todo lo que quiere hacer es escribir un par de entradas de blog y publicar sus mensajes. Una cosa que podría consultar es Tumblr (`http://www.tumblr.com`). Este sitio Web le permite crear un blog, seguir otros blogs e interactuar con otros blogueros de igual forma que hace WordPress.com pero de forma más sencilla y más fácil de poner en marcha (véase la figura 21.11).

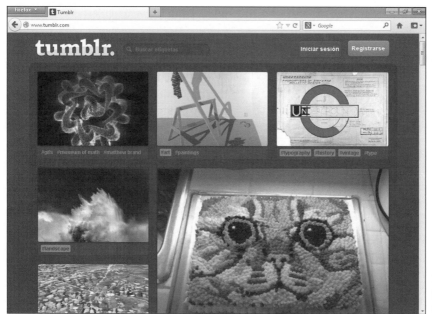

Figura 21.11. Tumblr.com facilita la participación en blogs.

MANTENERSE AL TANTO

WordPress es un excelente software de blogs en continuo cambio. Manténgase al tanto de los comunicados de WordPress, participe en la comunidad WordPress, deje libre su corazón y, lo que es más importante, diviértase mucho con ello.

22. Crear un sitio de negocios utilizando un sistema de gestión de contenidos

En este capítulo aprenderá:

- ▶ Cinco razones para utilizar SocialGO como su CMS.
- ▶ Cinco razones para utilizar un CMS de código abierto.
- ▶ Crear un sitio con Joomla!
- ▶ Antes de instalar su software Joomla!
- ▶ Descargar e instalar Joomla!
- ▶ Módulos, plug-ins y plantillas.
- ▶ Mantenerse al tanto.

Un CMS (*Content Management System*, Sistema de gestión de contenidos) es un conjunto editable de páginas Web que le permite organizar, categorizar y gestionar contenido por medio de una interfaz Web. Por tanto, en lugar de crear páginas en HTML y luego usar un cliente FTP para mover los archivos a un servidor Web, simplemente accede a una página Web y realiza los cambios en el contenido a través de su navegador. Un CMS puede adoptar muchas formas. Por ejemplo, Facebook es un CMS que le permite añadir, editar y gestionar información personal por medio de su navegador Web (véase la figura 22.1). Un CMS por lo tanto permite que muchas personas editen estas páginas.

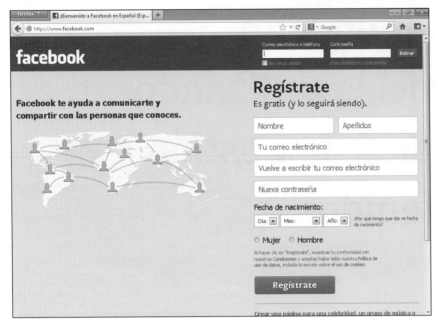

Figura 22.1. Facebook.com es un CMS.

Este capítulo trata el CMS de código abierto Joomla! que se utiliza para negocios, educación y otras industrias. En los últimos años, varios cambios en la industria del CMS han hecho que muchos sitios gratuitos pasen a ser sitios de pago. Por ejemplo, SocialGO solía tener una opción gratuita pero ahora es un sitio de pago. Si está buscando una solución de CMS, su mejor opción es probablemente WordPress.com.

CINCO RAZONES PARA UTILIZAR CÓDIGO ABIERTO COMO SU CMS

▶ Quiere algo más que las características que le ofrece WordPress.

▶ Tiene su propio dominio. Si quiere un nombre de dominio específico, el software de código abierto, como Joomla!, no tiene restricciones de nombre de dominio.

► Tiene cierto conocimiento técnico. Instalar, configurar y utilizar software de código abierto, como Joomla!, requiere algo de conocimiento técnico.

► Se preocupa por los detalles. El código abierto le permite controlar todos los detalles de su CMS.

► Su servicio de hospedaje ofrece instalaciones de código abierto. Algunos servicios de hospedaje le permiten instalar CMS de código abierto automáticamente. Esto le proporciona más control y ofrece una instalación sencilla.

CREAR UN SITIO CON JOOMLA!

Joomla! es uno de los mejores programas de software CMS de código abierto disponibles porque es fácil de utilizar y cuenta con algunas de las mejores características (véase la figura 22.1). También es gratuito. Joomla! le proporciona control total de la configuración de su sitio.

Joomla! se puede utilizar para gestionar una red social, un blog o incluso estructuras de información más complejas. No le obliga a crear cierto tipo de sitio, por lo que puede usar el software para muchos tipos de sitios.

Figura 22.2. La página principal de Joomla!

Advertencia: Cuando instala software por su cuenta, existe una posibilidad de que las cosas vayan mal y no funcionen según lo esperado. Es importante realizar una copia de seguridad de cualquier cosa importante antes de empezar este proceso, por si acaso.

Nota: Sin acceso a PHP y MySQL en su servidor Web, no puede ejecutar Joomla! Si falta alguna de estas piezas, necesita utilizar otra solución CMS.

Joomla! también cuenta con una sólida comunidad de desarrolladores a la que puede acceder para obtener información sobre la ampliación de su instalación Joomla! o la solución de problemas que pudiera encontrar. Antes de instalar el software Joomla!, necesita realizar algunas cosas.

ANTES DE INSTALAR SU SOFTWARE JOOMLA!

Antes de empezar su instalación del software Joomla!, necesita realizar algunas cosas sencillas con su servicio de hospedaje, y necesita algunas herramientas:

1. Asegúrese de que tiene el software correcto instalado en su servidor. Para ejecutar Joomla! 2.5.x, su servicio de hospedaje Web debe proporcionar lo siguiente:

   ▶ PHP versión 5.3 o superior (se recomienda 5.3).

   ▶ MySQL versión 5.0.4 o superior.

2. Obtenga un editor de texto. Podría tener que editar algunos archivos de texto para conseguir que funcione su instalación de Joomla!

3. Obtenga un cliente FTP. Cuando instala software como Joomla!, necesita un cliente FTP para mover archivos entre máquinas.

4. Elija un nombre de usuario y contraseña que sean únicos y contengan letras y números.

DESCARGAR E INSTALAR JOOMLA!

Para empezar a utilizar Joomla!, lo necesita descargar e instalar el software en su servidor Web. Para descargar el software, vaya a `http://www.joomlaspanish.org/` (véase la figura 22.3). Ésta es la fuente principal para el código Joomla! en español no se trata de la web oficial en ningún caso.

Dependiendo de su host, instalar y configurar Joomla! desde aquí puede resultar complicado por lo que, si tiene alguna pregunta, consulte la documentación de Joomla!

Figura 22.3. La página de descarga de Joomla!

Existe incluso una versión de instalación sencilla que podría querer utilizar dependiendo de su servidor. Aquí tiene algunas fuentes de información para ayudarle con su instalación:

▶ **Joomla!! 1.5 Installation Manual:** http://downloads.joomla!code .org/docmanfileversion/1/7/ 4/17471/1.5_Installation_ Manual_version_0.5.pdf.

▶ **Joomla! Browser Installation:** http://help.joomla!.org/ content/view/39/132.

▶ **How to Install Joomla!!:** http://battractive.com/ Joomla!/Joomla!-Install- small.pdf.

Como con WordPress, existe una parte pública del sitio Web y un área protegida con contraseña, donde administra su instalación

Joomla! En la parte administrativa del sitio Web, puede añadir artículos, gestionar usuarios, y aplicar módulos, plug-ins y plantillas.

Añadir artículos

Los artículos son como las historias o mensajes que añade a su sitio Web Joomla! Cuando añade un artículo, aparece en la página principal como una entrada de blog. Siga estas indicaciones para añadir un artículo:

1. Dirija su navegador a `http://sudominio.com/administrator/`

   En el URL anterior, reemplace "sudominio.com" con el nombre de su dominio.

2. Acceda a la administración de Joomla! con los datos que facilitó durante su instalación de Joomla! Esto abre el área de administrador de su sitio Joomla! (véase la figura 22.4).

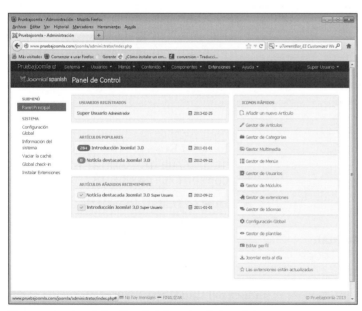

Figura 22.4. La página de administrador de Joomla!

3. Haga clic en el botón **Añadir un nuevo artículo**. Esto abre el editor para redactar un nuevo artículo (véase la figura 22.5).

4. Escriba el contenido de su artículo y haga clic en **Aplicar**, en el botón de verificación de la página principal.

5. Haga clic en **Guardar y cerrar**. Su artículo ahora aparece en la página principal.

Gestionar usuarios

Joomla! cuenta con una robusta gestión de usuarios, lo que significa que puede añadir nuevos usuarios y proporcionarles habilidades específicas (como crear, editar y acceder a ciertas partes del sitio Web).

Accede al gestor de usuarios desde la interfaz de administración (véase la figura 22.6).

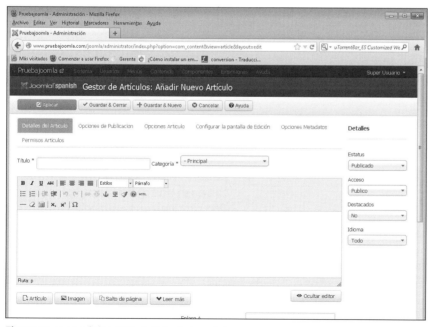

Figura 22.5. La página New Article de Joomla!

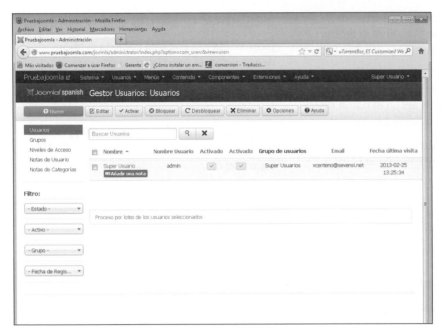

Figura 22.6. El gestor de usuarios de Joomla!

MÓDULOS, PLUG-INS Y PLANTILLAS

Módulos, plug-ins, y plantillas son personalizaciones que puede añadir a su instalación Joomla! Permiten una amplia variedad de características como calendarios, encuestas y extensiones a otros sitios Web. Aquí tiene algunos recursos de módulos, plug-ins y plantillas:

▶ **Joomla! Extensions** (`http://extensions.joomla.org`): Este sitio contiene una gran colección de módulos y plug-ins para su sitio Joomla!

Aquí tiene algunos recursos Joomla! adicionales:

▶ **What Is Joomla!?:** `http://www.joomla.org/about-joomla.html`.

▶ **Joomla! Tutorials:** `http://www.joomlatutorials.com`.

▶ **Joomla!! Community Portal:** `http://community.joomla.org`.

MANTENERSE AL TANTO

Joomla! es un programa de software CMS dinámico en un continuo cambio a mejor. Manténgase al tanto de las novedades del software Joomla!, participe en la comunidad Joomla! y diviértase utilizando los recursos tratados en este capítulo.

OTROS CMS DE CÓDIGO ABIERTO

Joomla! es un excelente CMS de código abierto aunque hay muchos otros ahí fuera.

Aquí tiene algunos de los mejores. Todos ellos tienen procesos de instalación, configuraciones y características similares:

▶ **Drupal** (`http://drupal.org.es/`): Un excelente CMS de código abierto que ofrece miles de características, módulos, temas y una buena comunidad (véase la figura 22.7).

Figura 22.7. Página principal de Drupal Hispano.

▶ **Concrete5** (`http://www.concrete5.org/`): Se trata de un CMS de código abierto gratuito que se utiliza para marketing, construcción del sitio e integración del cliente.

▶ **Pligg** (`http://pligg.com/`): Un excelente CMS que replica las características de de sitios como Digg.com (véase la figura 22.8).

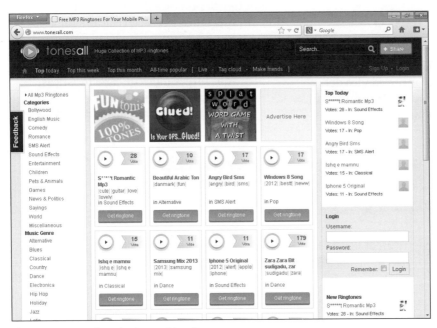

Figura 22.8. Un ejemplo de un sitio pligg.

▶ **Omeka** (`http://omeka.org/`): Este
   CMS de código abierto está diseñado
   para bibliotecas, museos y archivos
   (véase la figura 22.9).

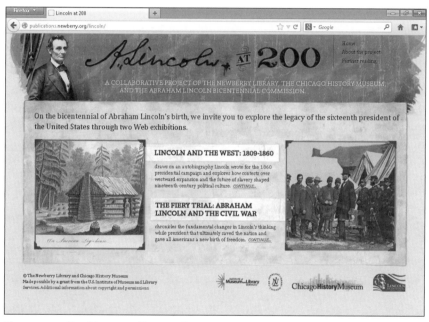

Figura 22.9. Un sitio que utiliza Omeka.

23. Crear un sitio Web multimedia

En este capítulo aprenderá:

- ▶ Mejores prácticas para multimedia.
- ▶ Utilizar multimedia.
- ▶ Opciones avanzadas de multimedia.
- ▶ Multimedia avanzada de código abierto.

Los buenos sitios Web requieren no sólo buen contenido, sino también gran multimedia. Tanto si está mostrando demos multimedia de productos para su empresa o música para su banda, utilizar multimedia es la mejor forma de ilustrar este contenido. Para un excelente ejemplo del uso de multimedia, compruebe el sitio Web Will It Blend? (http://www.willitblend.com/) que utiliza multimedia y humor para aumentar las ventas de sus licuadoras de alta gama (véase la figura 23.1).

Anteriormente, en el libro, ha visto cómo preparar elementos multimedia para su uso en su sitio Web. Este capítulo trata cómo utilizar algunos tipos comunes de archivos multimedia en un sitio Web: podcasts, archivos de audio, archivos de vídeo y archivos Flash. Con los conocimientos aprendidos en este proyecto, podrá crear un sitio Web dinámico, en el que parecerá que se ha gastado una fortuna.

MEJORES PRÁCTICAS PARA MULTIMEDIA

Debería recordar algunas buenas prácticas a medida que crea su sitio Web multimedia. Estos consejos le ayudarán a evitar errores comunes que comete la gente cuando utiliza multimedia en sus sitios.

Figura 23.1. Will It Blend? es un popular sitio multimedia.

Si ha pasado algún tiempo navegando por la Web, probablemente haya visto muchos sitios que cometen estos errores.

▶ **No haga que los elementos multimedia se reproduzcan automáticamente:** Esto es algo que no debería hacer. ¿No odia esto cuando visita un sitio Web e inmediatamente resuena la música o el vídeo, especialmente cuando está en el trabajo? Es el equivalente a invitar a alguien a su casa y luego gritarles cuando llegan. Haga que reproducir un archivo multimedia sea la decisión del visitante.

▶ **Asigne metaetiquetas a sus elementos multimedia:** Si utiliza metaetiquetas con su multimedia, los motores de búsqueda seleccionarán su contenido.

▶ **Vincule con los sitios del plug-in:** Si sus archivos multimedia utilizan plug-ins de navegador para reproducirse, añada un vínculo a un sitio donde la gente pueda descargarse dicho plug-in.

▶ **Si el archivo es grande, avise a la gente:** Si cualquiera de sus archivos multimedia se puede descargar, avise a la gente de aquellos que sean de gran tamaño. Mejor aún, dígales el tamaño de los archivos. A nadie le gusta empezar a descargar un archivo multimedia y descubrir que les va a llevar toda la noche. Puede que desee añadir un tiempo estimado de descarga.

▶ **No todos los sitios necesitan elementos multimedia:** Realice una evaluación honesta en cuanto a si los elementos multimedia que tiene planificados benefician al visitante. He visitado muchos sitios Web que incluyen multimedia innecesaria, como sonidos molestos que se reproducen de fondo.

▶ **No asuma que todo el mundo tiene un superordenador y una conexión de alta velocidad:** Simplemente porque tenga un equipo rápido, no quiere decir que todo el mundo también. Mantenga sus elementos multimedia sencillos para que la gente

con equipos y velocidades de descarga más lentos puedan también disfrutar de su sitio.

▶ **Elija formatos estándar:** Si es posible, mantenga los formatos estándar. Estos formatos de archivo funcionan en el mayor número de ordenadores y provocan el menor número de problemas a sus visitantes. Si puede, proporcione más de un formato para sus archivos multimedia y deje que los visitantes elijan qué es lo que mejor les funciona.

▶ **Utilice archivos incorporados, si es posible:** Si puede albergar sus archivos multimedia en un sitio como YouTube o SoundCloud, normalmente ofrecen opciones para que incorpore sus archivos. Esto no usa ancho de banda.

▶ **Nunca dependa de la multimedia para comunicar su mensaje:** Siempre respalde información importante en multimedia con texto. De esa forma, si la multimedia no funciona correctamente, el visitante seguirá teniendo acceso a la información importante contenida en el archivo multimedia.

▶ **Etiquete claramente el contenido para adultos:** Si sus archivos multimedia contienen imágenes o audio que podrían no ser para todos los públicos, es una buena idea etiquetar ese contenido. Nadie quiere que algo inapropiado salga por los altavoces en el trabajo.

▶ **Pruebe, pruebe, pruebe:** Como ya se ha mencionado anteriormente en el libro, probar su sitio Web es importante, especialmente cuando contiene multimedia.

UTILIZAR MULTIMEDIA

Como ya se ha tratado anteriormente en el libro, puede proporcionar multimedia de dos formas: descargarlo o difundirlo en streaming.

Con los archivos que se descargan, puede guardar el archivo multimedia en su servidor Web y luego situar un vínculo en una de sus páginas Web. Cuando alguien visita su sitio y hace clic en el vínculo, el archivo se descarga al ordenador del visitante. El visitante luego utiliza un reproductor multimedia para reproducir ese archivo Web. La desventaja de utilizar archivos descargables es que el visitante tiene que dejar su sitio Web para experimentar su archivo multimedia. Igualmente, después de descargar el archivo, pierde el control sobre él. Los usuarios que descargan sus archivos multimedia ahora tienen su propia copia. Si se gana la vida con estos archivos multimedia, podría no querer compartirlos con todo el mundo.

Con los archivos en streaming, los visitantes a su sitio Web hacen clic en un vínculo multimedia, y un reproductor multimedia se ejecuta en su navegador (normalmente un plug-in de navegador) para reproducir el archivo multimedia. Los archivos de streaming son más difíciles de configurar que los descargables pero tienen la ventaja de mantener a los visitantes en su sitio e impedir que descarguen sus archivos multimedia.

Almacenar archivos multimedia

Puede almacenar sus archivos multimedia en uno de estos sitios: en su servidor o en el de otra persona. La ubicación que elija dependerá de sus necesidades y recursos.

Si almacena archivos multimedia en su servidor, primero debe asegurarse de que tiene espacio y ancho de banda disponible para almacenar estos archivos. Los archivos multimedia pueden ser bastante grandes, y los archivos grandes requieren una gran cantidad de ancho de banda.

También puede almacenar archivos multimedia en el servidor de otra persona. Por ejemplo, cuando sube un archivo de vídeo a YouTube, almacena ese archivo en el servidor Web de YouTube. Existen ciertas ventajas y desventajas a hacer esto. Si utiliza YouTube (véase la figura 23.2) para publicar un archivo de vídeo, la abundancia de espacio de servidor y ancho de banda del sitio hacen que ese archivo sea de fácil acceso, pero bien podría tener una política que limitara el tamaño de los archivos. Con independencia de dónde publique sus archivos, siempre estará a merced del servidor, que se puede caer durante un tiempo y hacer que sus archivos estén inaccesibles. Ahora que entiende cómo utilizar y almacenar archivos multimedia, exploremos cómo descargarlos y tenerlos disponibles en streaming. Es mejor estar familiarizado con estos dos tipos de archivos, por lo que los siguientes apartados explican cada uno de los métodos. El primer apartado explica cómo vincular con archivos multimedia, y el segundo explica cómo utilizar un reproductor incorporado en un navegador para reproducir sus archivos multimedia.

Descargar archivos de audio y vídeo

Para permitir que la gente descargue un archivo, necesita crear un vínculo a ese archivo y permitir que los visitantes lo guarden en sus ordenadores o lo reproduzcan inmediatamente en el reproductor asociado con ese tipo de archivo.

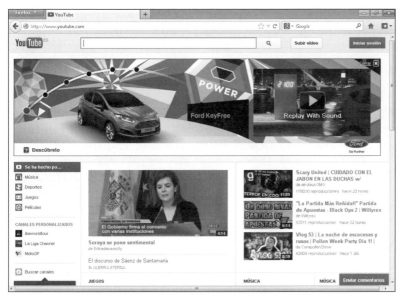

Figura 23.2. Existen millones de vídeos en YouTube.com.

Lo primero que tiene que hacer es crear un archivo de audio y situarlo en su servidor Web. Luego, cree una página Web que vincule con ese archivo. Cuando alguien visita su página y luego hace clic en el vínculo, el navegador pregunta si quiere guardar el archivo o reproducirlo. Si elije descargar, el archivo se guarda en el disco duro del visitante, y cualquier reproductor compatible se puede utilizar para reproducirlo. Si el visitante elije reproducir el archivo, el navegador inicia la aplicación asociada y el visitante escucha el audio después de descargarse.

Para crear un vínculo a un archivo de audio, siga estos pasos:

1. Cree su archivo de audio y guárdelo en su disco duro.

2. Mueva ese archivo de audio a su servidor Web.

3. Cree una página con este código:

```
<html>
<title>Link To Audio File</title>
<body>
   Use this <A href="audio.wav">
        link</A> to download an
        audio file.
</body>
</html>
```

4. Guarde el código HTML como audio.html en la misma carpeta que el archivo de audio.

5. Pruebe.

Como puede ver, descargar audio y vídeo es muy sencillo.

Audio y vídeo en streaming

Audio y vídeo en streaming requiere algo más de trabajo. Cuando crea un vínculo de audio o vídeo en streaming, necesita incorporar el reproductor así como el vínculo en el archivo. Audio y vídeo en streaming requiere algo de programación y la creación de vínculos complejos a otros sitios que pueden reproducir sus archivos de audio o vídeo remotamente. Algunos recursos que le pueden ayudar son:

▶ **XSPF Web Music Player:** http://musicplayer. sourceforge.net.

▶ **Streamalot:** www.streamalot. com/wm-embed.shtml.

Con HTML 5, puede utilizar reproductores multimedia (para audio y vídeo) que vienen de serie en su navegador. Esto hace que todo el proceso sea más sencillo. Aquí tiene dos ejemplos de utilizar los elementos HTML5 <audio> y <video>.

Elemento <audio>

El elemento <audio> reproduce archivos de audio almacenados en su servidor con un reproductor incorporado en la mayoría de navegadores. Tiene una serie de parámetros:

▶ Autoplay: Hace que su archivo de audio se reproduzca tan pronto como se cargue la página. Como se ha mencionado, se debería utilizar rara vez, o nunca.

▶ Controls: Hace que los botones, como el de reproducción y pausa, estén disponibles en su reproductor incorporado.

▶ Loop: Hace que el archivo de audio se reproduzca una y otra vez.

▶ src: El vínculo al archivo de audio, similar al atributo src en la etiqueta de imagen.

Cualquier texto que esté entre las etiquetas `<audio>` se mostrará en los navegadores que no soporten esta característica. Todo junto, un elemento `<audio>` completo se parecería a esto:

```
<audio controls="controls">
   <source src="soundfile.mp3"
        type="audio/mp3" />
   Your browser does not support the
        audio element.
</audio>
```

Elemento <video>

El elemento `<video>` reproduce archivo de vídeo almacenados en su servidor con un reproductor incorporado en la mayoría de navegadores. Tiene una serie de parámetros:

▶ Autoplay: Hace que su archivo de vídeo se reproduzca tan pronto como se cargue la página. Como se ha dicho, se debería utilizar rara vez o nunca.

▶ Controls: Hace que los botones, como el de reproducción y pausa, estén disponibles en su reproductor incorporado.

▶ Loop: Hace que el archivo de vídeo se reproduzca una y otra vez.

▶ Height: Establece la altura del reproductor de vídeo.

▶ Width: Establece la anchura del reproductor de vídeo.

▶ Poster: Especifica que se muestre una imagen antes de que se pulse el botón de reproducir.

▶ src: El vínculo al archivo de audio, similar al atributo src en la etiqueta de imagen.

Cualquier texto que esté entre las etiquetas `<video>` se mostrará en los navegadores que no soporten esta característica. Todo junto, un elemento `<video>` completo sería como esto:

```
<video width="320" height="240"
    controls="controls">
   <source src="samplemovie.mp4"
        type="video/mp4" />
   Your browser does not support the
        video tag.
</video>
```

Si es posible, use MP3 para audio y MP4 para vídeo. En vez de hacer todo el trabajo usted, los sitios de hospedaje de vídeo ahora le permiten reproducir y hacer referencia a sus vídeos. La mejor parte es que los sitios de hospedaje de vídeo (como YouTube.com) han hecho que el streaming sea fácil para usted. Los pasos son:

1. Cree su archivo de vídeo y guárdelo en su disco duro.

2. Vaya a YouTube.com e inicie sesión usando una cuenta Google o, para crear una cuenta, vaya a `http://www.youtube.com/signup?next=.` Crear una cuenta le permite subir vídeos (véase la figura 23.3).

3. Después de tener una cuenta YouTube.com, inicie sesión y haga clic en el botón **Subir vídeo**. Esto abre la pantalla para subir el vídeo.

4. Escriba la información apropiada para su vídeo y suba el archivo. YouTube le permite subir una serie de tipos de vídeo, si bien observe que el archivo tiene que pesar menos de un gigabyte y durar menos de 10 minutos (a menos que tenga una cuenta especial YouTube).

5. Después de subir su vídeo, observe que en la página para el vídeo hay un área llamada **Insertar** (véase la figura 23.4).

Figura 23.3. Página de creación de cuenta de YouTube.

Figura 23.4. Observe el vínculo en la parte inferior de la página.

Éste área contiene el código que necesita para añadir este vídeo en cualquier página Web.

6. Cree una página Web en blanco y añada el texto incorporado en el cuerpo de su página. Por ejemplo:

```
<html>
<title>Party Video</title>
<body>
  <object width="640" height="385">
  <param name="movie"
       value="http://www.youtube.
       com/v/-xL7YSsEyOs?fs=
       1&amp;hl=en_US"></param>
```

```
  <param name="allowFullScreen"
       value="true"></param>
  <param name="allowscriptaccess"
       value="always"></param>
  <embed src="http://www.youtube.
       com/v/-xL7YSsEyOs?fs=
       1&amp;hl=en_US" type=
       "application/x-shockwave-
       flash" allowscriptaccess=
       "always" allowfullscreen=
       "true" width="640"
       height="385"></embed>
  </object>
</body>
</html>
```

7. Guarde su página Web, véala y verá el vídeo (véase la figura 23.5).

Figura 23.5. Una página con un vídeo YouTube incorporado.

OPCIONES AVANZADAS DE MULTIMEDIA

El audio y el vídeo hacen que su sitio Web cobre vida, y ahora puede crear elementos multimedia interactivos para su sitio Web sin gastar dinero o aprender un lenguaje de programación.

Esta área es ahora un poco como la fiebre del oro. Muchas empresas están tratando de hacer tanto dinero como puedan creando aplicaciones multimedia fáciles de utilizar y widgets. Tiene disponibles grandes opciones de forma gratuita pero requieren que busque a su alrededor.

En la primera edición de este libro, hablé de Sprout Builder, que ahora es un servicio de pago con diferentes características.

Ahora, le presento algunos sitios Web que ofrecen características multimedia que puede utilizar con su sitio Web.

Wix.com (www.wix.com)

Wix.com le permite crear un sitio Web gratuito, multimedia basado en Flash. El editor Wix facilita la creación de sencillos sitios con widgets multimedia. Sus plantillas son profesionales y la interfaz es fácil de usar.

> **Advertencia:** Ésta área está en constante cambio, y los sitios entran y salen sin mucho aviso. Igualmente, como con Sprout Builder, los sitios pueden empezar pronto a cobrar por los servicios.

Webtrends Apps (webtrends.com)

Webtrends ofrece una amplia gama de las últimas aplicaciones, incluidas aplicaciones multimedia, sociales y de conversación.

Cada aplicación tiene un ejemplo y, luego, le lleva por el proceso de su creación. Esta opción es más técnica pero no tan compleja como la programación.

MULTIMEDIA AVANZADA DE CÓDIGO ABIERTO

Si necesita algo más complicado, existe una alternativa de código abierto a los programas costosos, como Macromedia Flash. OpenLaszlo (`http://www.openlaszlo. org`, véase la figura 23.6) es un programa de código abierto que le permite desarrollar sitios Web de multimedia avanzada. Este programa no es para principiantes pero puede ayudarle a crear impresionantes sitios Web multimedia. Requiere conocimientos de scripts, programación y de gráficos.

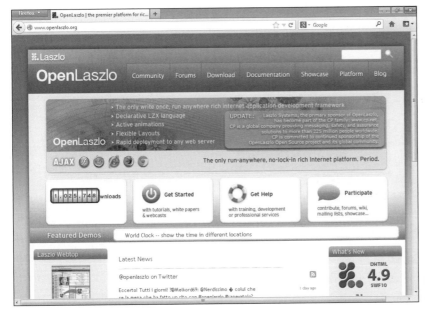

Figura 23.6. Página principal de OpenLaszlo.

24. Construir un sitio con una wiki

En este capítulo aprenderá:

- ▶ Cinco razones para albergar su wiki en Wikia.
- ▶ Cinco razones para utilizar MediaWiki para su wiki.
- ▶ ¿Qué es Wikia?
- ▶ Crear una wiki con Wikia.
- ▶ ¿Qué es MediaWiki?
- ▶ Mantenerse al tanto.

Una wiki es un conjunto editable de páginas Web que permite a los usuarios colaborar para crear un sitio que organiza información. La palabra wiki es una palabra hawaiana que significa rápido. La idea es que cualquiera puede cambiar rápidamente una página wiki. Ward Cunningham creó la primera wiki en 1994 pero la wiki realmente comenzó a despegar cuando se creó Wikipedia (http://www.wikipedia.org/) en 2001.

El tema de una wiki puede ser cualquier cosa, y quiero decir cualquier cosa. Existen wikis para viajes de acampadas, programas de televisión, juegos online y carreras de coches, por nombrar algunos ejemplos. Cada vez que la gente tiene que colaborar en la creación de una fuente de información, una wiki es una opción excelente.

Este capítulo trata cómo utilizar un sitio Web denominado Wikia y software de código abierto denominado MediaWiki para crear su propia wiki. Wikia es un sitio Web que le permite crear wikis, y el software MediaWiki se instala en su propio servidor Web y le permite ejecutar y gestionar su propia wiki.

Existen diferencias entre Wikia y MediaWiki. Para ayudarle a decidir cuál es la mejor para usted, he creado una lista de razones para utilizar cada una de ellas. Estas listas le ayudan a determinar sus prioridades y decidir qué secciones de este capítulo debería leer.

> **Nota:** Wikipedia (véase la figura 24.1) es la wiki más famosa del mundo. Es el mayor proyecto de conocimiento de código abierto que el mundo haya visto. Tiene más de 25 millones de artículos en inglés y millones de usuarios dedicados.

CINCO RAZONES PARA UTILIZAR WIKIA PARA ALBERGAR SU WIKI

▶ **Es nuevo en las wikis:** Wikia permite que se ponga en marcha rápidamente mientras le conecta con una amplia comunidad de creadores de wiki más experimentados.

▶ **Tiene pocos conocimientos técnicos:** Wikia es una forma fácil y sencilla de sacar partido a tecnología más complicada por la que nunca se tiene que preocupar.

Figura 24.1. Wikipedia es la wiki más famosa de Internet.

- ▶ **No quiere gastar dinero en una wiki:** Una wiki Wikia básica es gratuita para tres o menos usuarios. No puede ahorrar más dinero que eso.

- ▶ **No le preocupan los detalles:** Si quiere una wiki sencilla y robusta y no le preocupan los últimos gadgets o complementos, Wikia es para usted.

- ▶ **No necesita su propio dominio:** Las wikis de Wikia se albergan bajo el dominio Wikia.com. Si no desea tener su propio dominio, Wikia es una buena elección para usted.

CINCO RAZONES PARA UTILIZAR MEDIAWIKI PARA SU WIKI

- ▶ **Tiene su propio dominio:** Si quiere un nombre de dominio específico, utilice MediaWiki, porque su software no tiene restricciones de nombre de dominio.

- ▶ **Quiere que muchas personas editen su wiki:** MediaWiki no tiene restricciones sobre si muchas personas pueden editar su wiki.

- ▶ **Tiene conocimientos técnico:** Instalar, configurar y usar el software MediaWiki requiere conocimiento de algunas cosas técnicas.

- ▶ **Su servicio de hospedaje ofrece instalaciones MediaWiki:** Su servicio de hospedaje le permite instalar automáticamente MediaWiki. Esto le proporciona control y una instalación sencilla.

¿QUÉ ES WIKIA?

Wikia (`http://wikia.com/`) es un sitio Web que ofrece hospedaje de una amplia variedad de wikis. Existen más de 200.000 en Wikia (véase la figura 24.2). El sitio permite la creación y utilización rápida de wikis sin necesidad de que tenga que ejecutar el software de la wiki en su propio servidor. También puede revisar su lista de blogs y averiguar quién más está utilizando el sitio.

Wikia ofrece wikis (o comunidades) gratuitas para todo tipo de usuarios.

CREAR UNA WIKI CON WIKIA

Si quiere utilizar una versión básica de una wiki y quiere que otra persona se ocupe de todas sus necesidades de hospedaje, Wikia.com es una buena solución.

Este apartado trata de cómo poner en marcha una wiki con Wikia.com.

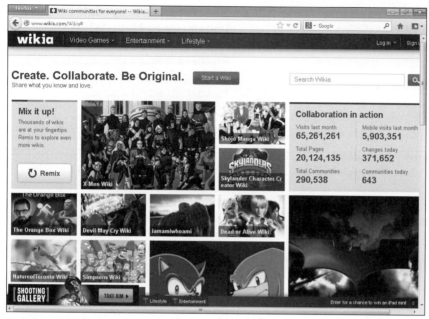

Figura 24.2. Página principal de Wikia.

Antes de empezar en Wikia.com, necesita lo siguiente:

▶ Una idea para su wiki.

▶ Un nombre para su wiki.

▶ Una dirección de correo electrónico.

Registrarse en Wikia

Para empezar a utilizar Wikia.com, necesita registrarse en el servicio. Es totalmente gratuito y le proporciona acceso a su software y a toda una comunidad de personas que utilizan Wikia.com.

Advertencia: Puesto que Wikia.com es un sitio Web en constante cambio, estas indicaciones pueden ser diferentes a lo que encuentre.

1. Abra su navegador Web y navegue hasta http://www.Wikia.com. Esto abra la página principal de Wikia, donde se registra en el servicio de hospedaje de wikis (véase la figura 24.3).

2. Haga clic en el vínculo **Start a Wiki** (Iniciar una wiki). Se muestra la página para la creación de una wiki. En esta página, nombrará su wiki.

3. Escriba el nombre que quiere utilizar para su wiki en el campo Name your wiki (Nombre de su wiki). Esto completa automáticamente el campo de dirección de wiki.

4. Si quiere que la wiki esté en un idioma que no sea inglés, haga clic en el vínculo Change (Cambiar).

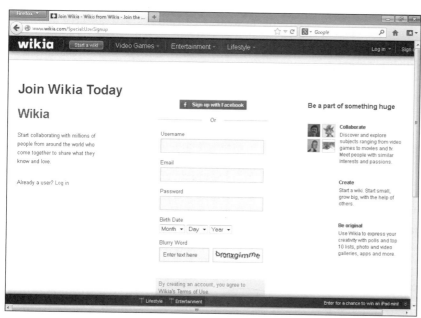

Figura 24.3. Página de registro.

5. Haga clic en **Next** (Siguiente).

6. La siguiente pantalla se utiliza para crear su cuenta Wikia. Si no tiene una cuenta, haga clic en **Sign up** (Registrarse). Esto abre la pantalla de registro de usuario.

7. En el campo Username (Nombre de usuario), escriba un nombre de usuario.

8. En el campo Email (dirección de correo electrónico), escriba su dirección de correo electrónico.

9. En el campo Password (Contraseña), escriba una palabra o frase. Haga que su contraseña sea única y fácil de recordar, e intente que tenga una mezcla de letras y números. La mayúscula o minúscula de las letras importa, por lo que utilice una mezcla de ambas.

10. Escriba su fecha de nacimiento en Birth Date.

11. Escriba la palabra de seguridad que aparece desenfocada.

12. Haga clic en el botón **Create account** (Crear cuenta).

13. Compruebe su correo electrónico para una confirmación y siga las indicaciones con cuidadosamente.

14. De regreso a la página de creación de la wiki, haga clic en **Next** (Siguiente).

15. Se le pide que describa su wiki. Escriba su descripción, seleccione una categoría de la lista desplegable y haga clic en **Next**.

16. Se le pide que seleccione el tema de su wiki. Seleccione uno y haga clic en **Next** (Siguiente).

Añadir una página

Wikia también le permite añadir páginas fácilmente. De hecho, espera que cree una página enseguida. Estas páginas le ayudan a organizar información y le permiten ampliar su Wikia. Siga estas indicaciones para añadir una página:

1. Haga clic en el botón **Add a Page** (Añadir una página) en la página emergente de la wiki. Esto abre la página donde nombra la nueva página de wiki (véase la figura 24.4).

2. Escriba el nombre de la página, y después haga clic en **Add a Page**. Se le presenta una página en blanco con el título asignado. Edite y guarde la nueva página según se indica en el siguiente apartado.

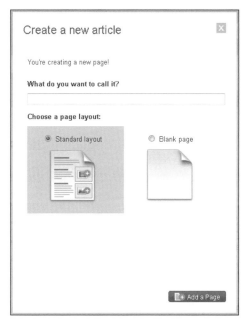

Figura 24.4. Use esta página para añadir el nombre de su nueva página.

Editar una página

El poder de las wikis es evidente en la capacidad que tiene de editar las páginas para compartir información con todos los visitantes. Editar páginas Wikia es fácil. Después de activar el modo Edición para su página wiki, tiene un editor WYSIWYG (*What You See Is What You Get*, Lo que ve es lo que recibe) para esa página. Siga estas indicaciones para activar el modo Edición:

1. Haga clic en la ficha en la parte superior de la página que dice **Edit** para abrir la página en modo Edición (véase la figura 24.5). El modo edición le permite editar su página Wikia. Si acaba de añadir la página, ya estará en modo edición.

2. Ahora, puede editar todo el texto en la página. En la parte superior de la página está la barra de herramientas de formato que le permite aplicar formato a su texto.

3. Cuando haya terminado, haga clic en el botón **Publish** (Publicar). Se aplican las modificaciones que haya realizado.

Vincular páginas

Después de tener más de una página, querrá crear vínculos a otras páginas en su wiki. Realiza esto en el modo Edición. Siga estos pasos para añadir un vínculo:

1. Abra una página en modo Edición.

2. Escriba algo de texto para el hipervínculo.

3. Haga clic en el botón **Link** (Vínculo) en la barra de herramientas de formato. Esto abre la ventana **Create or Edit a Link** (Crear o editar un vínculo) (véase la figura 24.6).

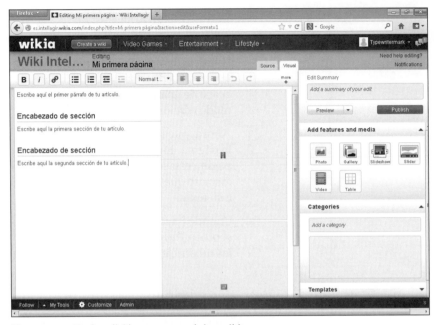

Figura 24.5. Modo edición para una página wiki.

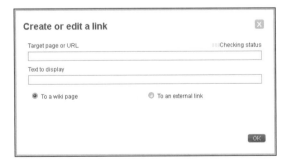

Figura 24.6. Utilizar esta ventana para añadir un vínculo.

4. Escriba ahora el vínculo en el campo Target page or URL (Página destino o URL).

5. En el cuadro Text to display (Texto a mostrar), escriba el texto a mostrar para el vínculo.

6. Haga clic sobre **OK**. Se crea su nuevo vínculo.

Ver la página historial

Una de las características más potentes de una wiki es la página historial. Esto significa que se guarda una copia de cada versión de una página wiki y se puede comparar con cualquier otra versión de esa página. Por ejemplo, si realiza un cambio en una página wiki, regresa en un par de horas y ve que ha cambiado de nuevo, una página historial de una wiki le informará sobre los cambios exactos, quién y cuándo los ha realizado. A continuación, puede volver a cualquiera de las versiones anteriores de la página. Si tiene un momento, eche un vistazo a la página de Wikia, y verá el trabajo que lleva crearlo. Para ver el historial de una página, haga clic en la flecha junto al botón **Edit** (Edición) y seleccione **History** (Historial). Esto le muestra el historial de la página (véase la figura 24.7).

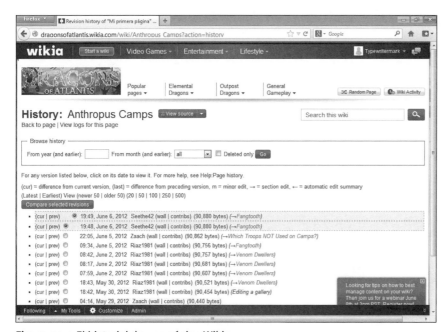

Figura 24.7. El historial de una página Wikia.

¿QUÉ ES MEDIAWIKI?

Si ya ha probado la solución Wikia pero quiere ampliar las funciones o el aspecto de su wiki, o quizá es más tecnológico y quiere algo más de lo que le ofrece Wikia, MediaWiki es para usted.

MediaWiki le permite instalar y configurar su wiki (véase la figura 24.8). Existen varios programas de software de wiki de código abierto: MediaWiki, TikiWiki y FlexWiki, por nombrar algunos. Trato MediaWiki porque es el mismo software utilizado para ejecutar Wikipedia, y es un ejemplo excelente de una wiki.

Advertencia: Cuando instala software por su cuenta, existe la posibilidad de que las cosas vayan mal o que no funcionen en la forma que esperaba. Es crucial que realice una copia de seguridad de todo lo importante antes de empezar este proceso, por si acaso.

Figura 24.8. Página principal de MediaWiki.

Información que necesita antes de empezar

Después de decidir instalar su propio software MediaWiki, necesita hacer algunas cosas antes de empezar.

Arquitectura de software MediaWiki

Como el software de WordPress tratado anteriormente en el libro, el software MediaWiki utiliza scripts escritos en PHP y MySQL para una base de datos.

> **Nota:** Sin acceso a PHP y MySQL en su servidor Web, no puede ejecutar el software MediaWiki. Si falta alguno de ellos, tiene que utilizar Wikia o buscar otro servicio wiki online.

Antes de instalar su software MediaWiki

Antes de empezar la instalación del software MediaWiki, necesita algunas herramientas, y necesita realizar algunas cosas sencillas con su servicio de hospedaje.

Esto es lo que necesita realizar antes de instalar el software MediaWiki:

1. Compruebe que está instalado el software en su servidor. Para ejecutar MediaWiki 1.19.1, su servicio de hospedaje Web debe proporcionar lo siguiente:

    ▶ PHP versión 5.3.2 o superior (5.1.x recomendado).

    ▶ MySQL versión 5.02 o superior.

2. Hágase con un editor de texto. Puede que tenga que editar algunos archivos de texto para tener MediaWiki en funcionamiento. Un archivo de texto es simplemente un archivo con palabras y números que no contiene formato.

3. Hágase con un cliente FTP (*File Transfer Protocol*, Protocolo de transferencia de archivos), el nombre utilizado para el software que le permite transferir fácilmente archivos entre ordenadores. Cuando instala software como MediaWiki, necesita poder mover archivos entre ordenadores fácilmente. Un cliente FTP es un programa que le ayuda a hacer esto.

4. Elija un nombre de usuario y contraseña que sean únicos y contengan letras y números.

Archivo tar.gz

Un archivo tar.gz es un tipo especial de archivo zip. Necesita un programa que abra archivos zip, como WinZip o 7zip.

Descargar e instalar Media Wiki

Similar al software más complejo que hemos tratado (Joomla! y WordPress), tiene que descargar el software MediaWiki a su ordenador e instalarlo en su servidor Web. Siga estos pasos:

1. Descargue el software MediaWiki. Vaya a `http://www.mediawiki.org/wiki/Download` (véase la figura 24.9).

2. Haga clic para descargar la última versión de MediaWiki.

3. Aparece el cuadro de descarga. Elija dónde desea guardar el archivo.

4. Se descarga un archivo tar.gz a su ordenador.

5. Descomprima ahora este archivo a su disco duro.

Figura 24.9. Página de descarga de MediaWiki.

A partir de ahora, puede consultar la documentación de instalación de MediaWiki para instalar y configurar MediaWiki. Aquí tiene algunas fuentes de documentación adicionales para ayudarle con su instalación:

- **MediaWiki Manual:Installation Guide**: `http://www.mediawiki.org/wiki/Manual:Installation`.

- **Installing MediaWiki Is Much Easier Than the Instructions Suggest-My Quick 10 Step Tutorial for Installing MediaWiki:** `http://www.idratherbewriting.com/2007/06/14/installing-mediawiki-is-much-easier-than-the-instructions-suggest-my-quick-10-step-tutorial-for-installing-mediawiki.`

Después de descargar e instalar MediaWiki, su operativa es similar a la de Wikia, con bastantes características adicionales y sin limitación en el tamaño o número de usuarios. Aquí tiene algunos recursos MediaWiki adicionales:

- **MediaWiki Help:Contents:** `http://www.mediawiki.org/wiki/Help:Contents`.

- **MediaWiki User Guide:** `http://en.wikibooks.org/wiki/MediaWiki_User_Guide`.

MANTENERSE AL TANTO

MediaWiki es un programa de software de wiki dinámico en constante transformación. Manténgase al tanto de los anuncios de software de MediaWiki. Participe en la comunidad MediaWiki y, lo que es más importante, diviértase.

Apéndice A. Listado de las etiquetas HTML más comunes

Este apéndice lista algunas de las etiquetas HTML más comunes (véase la tabla A.1). Recuerde que debería abrir y cerrar sus etiquetas. Las etiquetas se listan en orden alfabético, por lo que podrá encontrar fácilmente lo que esté buscando.

Para esta edición, he añadido más etiquetas HTML5 (véase la tabla A.2). Como se ha comentado previamente, HTML5 está disponible por lo que debería familiarizarse con el nuevo HTML. Igualmente, HTML5 no funciona igual en todos los navegadores, por lo que tenga cuidado si utiliza HTML5 y compruébelo en tantos navegadores como pueda.

Tabla A.1. Etiquetas HTML comunes.

ETIQUETA	UTILIZACIÓN
` `	Código para espacio indivisible.
`<!-- -->`	Comentarios.
`<a href="index.html">`	Crear vínculos.
`<b></b>`	Texto en negrita (no soportado en HTML5).

ETIQUETA	UTILIZACIÓN
<basefont size= 1></basefont>	Establece tamaño base de fuente de 1 a 7 (no soportado por HTML5).
<blockquote></blockquote>	Separa texto.
<body></body>	Cuerpo del HTML.
 </br>	Salto de línea.
<button ...></button>	Añade un botón.
<caption></caption>	Añade un título de tabla.
<center></center>	Centra texto (no se soportará por HTML5).
<div></div>	División de código.
<em></em>	Añade énfasis o negrita.
<font></font>	Selecciona fuente (no soportado por HTML5).
<frameset></frameset>	Inicio de marcos (no soportado por HTML5).
<h1></h1>	Encabezado 1, el tamaño de encabezado más grande; normalmente utilizado para títulos.
<h2></h2>	Encabezado 2.
<h3></h3>	Encabezado 3.
<h4></h4>	Encabezado 4.
<h5></h5>	Encabezado 5.
<h6></h6>	Encabezado 6.
<head></head>	Cabecera del documento HTML.
<hr></hr>	Línea horizontal.
<html></html>	Inicio de cualquier documento HTML.

ETIQUETA	UTILIZACIÓN
`<i></i>`	Cursivas.
`<iframe></iframe>`	Un marco en línea.
`<img src ="ubicación imagen"></img>`	Imagen.
`<input name></input>`	Formulario de entrada.
`<li></li>`	Elemento de lista.
`<meta name=></meta>`	Meta información.
`<ol></ol>`	Lista numerada.
`<option value="lista"></option>`	Opción de formulario.
`<p></p>`	Nuevo párrafo.
`<param></param>`	Establece un parámetro en un elemento.
`<q></q>`	Cita.
`<select name></select>`	Formulario de selección.
`<strike></strike>`	Texto tachado (no soportado por HTML5).
`<style></style>`	Definición de hoja de estilo.
`<sub></sub>`	Texto subíndice.
`<sup></sup>`	Texto superíndice.
`<table></table>`	Definición de tabla.
`<td></td>`	Definición de celda de tabla.
`<th></th>`	Celda cabecera para una tabla.
`<title></title>`	Título de documento.
`<tr></tr>`	Fila de tabla.
`<ul></ul>`	Lista de boliches.

Tabla A.2. Etiquetas HTML5.

ETIQUETA	UTILIZACIÓN
<article></article>	Etiqueta semántica para cuerpo del artículo.
<audio></audio>	Fuente de audio.
<datalist></datalist>	Especifica lista para una entrada de datos de formulario.
<details></details>	Define detalles que muestra <summary>.
<figure></figure>	Define una figura autónoma.
<figcaption></figcaption>	Define un título para una figura.
<footer></footer>	Etiqueta semántica para pie de página.
<header></header>	Etiqueta semántica para encabezado de página.
<mark></mark>	Resalta texto.
<nav></nav>	Etiqueta semántica para elementos de navegación.
<section></section>	Etiqueta semántica para secciones.
<summary></summary>	Define el encabezado para el elemento <details>.
<video></video>	Fuente de vídeo.

Apéndice B. Sitios de software gratuito y de código abierto

Este apéndice le proporciona un lugar al que dirigirse para sitios Web de código abierto. Estos vínculos incluyen sitios que tratan la historia del código abierto, noticias y herramientas. No es de ninguna forma una lista exhaustiva; nuevos sitios aparecen todos los días pero éstos actuarán como un excelente punto de partida.

> **Nota:** Internet es un lugar dinámico por lo que algunos de los vínculos pueden haber cambiado. Si los vínculos son incorrectos, busque el título en Google y mándeme una línea con el nuevo vínculo.

HISTORIA DEL CÓDIGO ABIERTO

▶ **Entrada Wikipedia código abierto:** `http://en.wikipedia.org/wiki/Open_source`

▶ **Página Wikipedia Historia de software gratuito:** `http://es.wikipedia.org/wiki/Freeware`

▶ **Brief History of Open Source:** `http://www.netc.org/openoptions/background/history.html`

NOTICIAS SOBRE CÓDIGO ABIERTO

- ▶ **Linux.com:** http://www.linux.com/

- ▶ **Yahoo! Linux/Open Source News:** http://news.yahoo.com/technology/linux-open-source

- ▶ **Opensource.com:** http://opensource.com

SITIOS GENERALES DE CÓDIGO ABIERTO

- ▶ **Open Source Windows:** http://www.opensourcewindows.org/

- ▶ **Open Source Mac:** http://www.opensourcemac.org/

- ▶ **Open Source as Alternative:** http://www.osalt.com/

- ▶ **The Top 50 Proprietary Programs That Drive You Crazy—and Their Open Source Alternatives:** http://whdb.com/2008/the-top-50-proprietary-programs-that-drive-you-crazy-and-their-open-source-alternatives/

SISTEMAS OPERATIVOS

- ▶ **Linux:** http://www.linux.org/

- ▶ **Ubuntu:** http://www.ubuntu.com/

- ▶ **Qimo:** http://www.qimo4kids.com/

NAVEGADORES WEB

- ▶ **Firefox:** http://www.firefox.com/

- ▶ **Google Chrome:** http://www.google.com/chrome

SUITES OFFICE

- ▶ **OpenOffice:** http://www.openoffice.org/

- ▶ **NeoOffice:** http://www.neooffice.org/

HERRAMIENTAS DE TRANSFERENCIA DE ARCHIVOS

- ▶ **FileZilla (Windows, Linux y Mac):** http://filezilla-project.org/

- ► **Fetch (Mac):** `http://fetchsoftworks.com/`

- ► **Cyberduck (Mac):** `http://cyberduck.ch/`

- ► **Net2ftp:** `http://www.net2ftp.com/`

EDITORES DE TEXTO

- ► **Notepad ++ (Windows, Linux):** `http://notepad-plus-plus.org/`

- ► **TextWrangler (Mac):** `http://www.barebones.com/products/textwrangler/index.shtml`

- ► **XEmacs (Windows. Linux, UNIX):** `http://www.xemacs.org/index.html`

- ► **ConTEXT:** `http://blogic14.blogspot.com/`

EDITORES GRÁFICOS

- ► **Gimp (Windows, Mac, Linux):** `http://www.gimp.org/`

- ► **Inkscape (Windows, Mac, Linux):** `http://inkscape.org/`

- ► **Paint.Net (Windows):** `http://www.getpaint.net/`

- ► **Seashore (Mac OS X):** `http://seashore.sourceforge.net/`

- ► **TuxPaint:** `http://www.tuxpaint.org/`

EDITORES HTML

- ► **KompoZer (Windows, Mac, Linux):** `http://www.kompozer.net/`

- ► **Bluefish (Windows, Mac, Linux):** `http://bluefish.openoffice.nl/`

- ► **SeaMonkey (Windows, Mac, Linux):** `http://www.seamonkeyproject.org/`

- ► **OpenLaszlo (Windows, Mac, Linux):** `http://www.openlaszlo.org/`

- ► **CSSED (Windows, Linux):** `http://cssed.sourceforge.net/`

- ► **BlueGriffon:** `http://bluegriffon.org/`

EDITORES DE VÍDEO

- ► **Avidemux:** `http://fixounet.free.fr/avidemux/`

- ► **Blender:** `http://www.blender.org/`

- ► **Cinelerra:** `http://cinelerra.org`

GRABACIÓN DE SONIDO

► **Audacity (Windows, Mac, Linux):** http://audacity.sourceforge.net/

SERVIDORES WEB

► **Apache Software Foundation:** http://www.apache.org/

► **Savant Web Server:** http://savant.sourceforge.net/

► **Roxen WebServer:** http://www.roxen.com/products/cms/webserver/

HERRAMIENTAS DE BASE DE DATOS

► **KEXI:** http://www.kexi-project.org/

► **phpMyAdmin (Utilidad Web):** http://www.phpmyadmin.net/

► **MySQL:** http://www.mysql.com/

SOFTWARE DE BLOG

► **WordPress.com:** http://wordpress.org/

► **LifeType:** http://lifetype.net/

SOFTWARE CMS

► **Drupal:** http://drupal.org/

► **Joomla!:** http://www.joomla.org/

► **OpensourceCMS:** http://opensourcecms.com/

► **Liferay:** http://www.liferay.com

SOFTWARE WIKI

► **Media Wiki:** http://MediaWiki.org

► **TWiki:** http://twiki.org/

► **Wikia:** http://www.wikia.com

► **Wetpaint:** http://www.wetpaint-inc.com/

HERRAMIENTAS DE SCRIPT

► **EasyPHP (Utilidad Web):** http://www.easyphp.org/

Índice alfabético